Voyages autour du monde

Nous vivons dans un univers répertorié hectare par hectare, et qui nous paraît déjà trop petit pour nos ambitions et pour nos moyens : au bout de longs siècles d'efforts, l'homme a fini par prendre possession de la terre, où plus rien, semble-t-il, ne peut désormais l'étonner. La faune et la flore, les races et les climats, le régime des fleuves et la structure des sols n'ont plus guère de mystère pour lui. D'un coup d'aile, nous pouvons nous porter aux antipodes. Le tour du monde ? Une banalité à la portée du premier venu. Les distances ? Elles n'existent plus, dit la sagesse populaire contemporaine : l'Europe est devenue une immense banlieue, et Tahiti, c'est vraiment la porte à côté. M. Perrichon fait figure, aux yeux des moins blasés, de personnage antédiluvien.

Et pourtant, en un sens, rien n'a changé. Si l'on se transporte aisément d'un lieu à un autre, il est toujours aussi difficile d'entrer dans l'intimité des pays étrangers : les similitudes les plus trompeuses nous égarent, et nous voyageons souvent dans notre coquille. Que nous partions pour nos affaires ou pour nos vacances, nous n'avons pas le loisir de nous familiariser avec les mœurs et la vie quotidienne d'autrui. Obligés de nous en tenir le plus souvent à l'essentiel, nous laissons échapper la singularité la plus profonde des peuples, des paysages et des cultures.

Le véritable voyageur se comporte tout autrement. Il observe en musant, il se perd dans des dédales apparemment absurdes, comme s'il avait à chaque fois la vie entière devant lui : pour une découverte, que d'heures et de journées perdues ! Et, avant d'établir la communication avec les choses et les gens, quelle longue patience ! Il sait que, pour comprendre Istanbul, il doit se faire d'abord turc avec les Turcs ; ailleurs, il quittera les sentiers battus, mettant ses pas dans ceux du géographe, de l'archéologue, du sociologue ou de l'historien. Ici, il plongera sous les mers, là, il escaladera un pic couronné de neige ; il s'accoudera tantôt au zinc des cafés, et tantôt il essaiera de s'initier aux secrets d'un artisanat primitif. Partout, il voit se superposer les fantômes des civilisations évanouies et *les images vivantes du modernisme. A ses yeux, chaque lieu est doué de son génie propre, et le monde ressemble à un livre inépuisable, aux pages infiniment variées. Ce livre, le voici.*

Voyages autour du monde vous offre de partir sans quitter votre chambre; de goûter ce luxe oublié de l'errance, en suivant votre humeur; de rêver, au hasard des textes et des images, sur des villes, des forêts, des montagnes, des fleuves, des déserts. Parfois, la promenade se bornera à explorer un aspect surprenant d'une cité célèbre ou à dévoiler d'un coup d'œil la vie quotidienne d'un peuple. C'est toujours un accompagnateur nouveau qui fraiera le chemin: explorateurs, sociologues, journalistes, romanciers, géographes, ethnologues se relaient ici, selon les exigences du thème retenu. André Maurois explique le Périgord, Michel Mohrt, l'Irlande, Guido Piovene, les ruines de Pétra, et Thor Heyerdahl, le célèbre navigateur du Kon Tiki, l'étrange histoire des géants de l'île de Pâques. Il arrivera qu'on néglige les itinéraires fréquentés pour s'égarer dans des endroits moins connus: ainsi t'Serstevens s'est-il attardé, à l'époque de Noël, dans des bourgades mexicaines, et Michael Caroll a-t-il choisi d'aborder la Grèce par le détour d'une de ses îles. D'autres, tel René Hardy, ont voulu restituer la magie la plus secrète d'un lieu replié sur son mystère, comme le Sahara. Ici ou là, les images prendront seules la parole: mieux que tous les discours, les photographies de Tairraz ou de Gaston Rébuffat expriment toute la majesté des Alpes.

Mais, rassurez-vous! Il n'est pas question ici de voyage organisé: seules la variété, la fantaisie président au choix des escales. Dès lors, à travers les cinq continents, voici de fantastiques contrastes: de la jungle malaise, vous filerez sur la Grande Barrière d'Australie, où des récifs de corail composent un paysage multicolore; de Mongolie, vous vous envolerez vers le Kenya, des Féroé à Bruges, de Samarkand jusqu'en Grèce, pour visiter un couvent orthodoxe. Après avoir descendu le Mississippi, avec James Morris, vous irez à Elseneur, sur les traces du prince Hamlet, pour vous retrouver, tout à coup, au détour d'une page, sous la paisible lumière de Hollande.

Aux merveilles gothiques du Mont-Saint-Michel répondent sous d'autres cieux les splendeurs des temples d'Angkor, et la beauté des temples nabatéens de Pétra dialogue, d'un continent à l'autre, avec la force sublime qui s'éploie à Machu Picchu, forteresse des Incas perdue au cœur des Andes. Voici encore le Japon, partagé entre le machinisme le plus moderne et un art de vivre transmis par la plus antique tradition ; les pittoresques Maoris de Nouvelle-Zélande et les Mongols des steppes de l'Asie centrale ; la Terre de Feu, à l'extrême pointe de l'Amérique du Sud, et la passe de Khaïber, porte de l'Inde ; les paysages de Camargue et les gratte-ciel de New York.

Tous les âges de l'histoire cohabitent dans ce musée du dépaysement, comme si le temps ne s'était pas écoulé de la même manière dans tous les cantons de la planète. Quand des fortunes s'échangent dans la fièvre de Wall Street, des habitants de la Nouvelle-Bretagne continuent à vivre à l'âge de la pierre ; au Nigeria, des artisans teignent des étoffes en usant de procédés qui remontent à plusieurs siècles, tandis que les vitrines les plus sophistiquées scintillent à Carnaby Street.

Mais voyager, fût-ce par l'entremise d'un livre, c'est avant tout regarder autour de soi et dévorer le monde des yeux. Ce plaisir, vous le goûterez pleinement à travers cet ouvrage, où le premier rôle est celui du chasseur d'images : des dizaines d'artistes et de reporters ont sillonné le monde des mois durant pour composer un extraordinaire kaléidoscope. En noir et blanc ou en couleurs, 400 photographies font vivre dans les pages de ce livre hommes et pierres, paysages et coutumes, œuvres d'art et curiosités de la nature, animaux et plantes, qui constituent ensemble les personnages, les décors et les masques du plus fabuleux théâtre qu'on puisse rêver.

A vous, lecteur, de frapper les trois coups à votre gré et de choisir, au fil des soirées, le spectacle qui vous charmera. « Ah ! que le monde est grand à la clarté des lampes ! » chantait Baudelaire. Chapitre après chapitre, vous prendrez le départ pour de nouveaux voyages. Toutes les frontières sont effacées.

Table des matières

Les deux visages de la Mongolie

Loin d'être une pâle imitation des deux nations géantes, ses voisines, la Russie et la Chine, la Mongolie, pays de steppes ondoyantes, a ses nobles traditions. Toujours d'excellents cavaliers, les Mongols vivent à peu près comme leurs ancêtres, au temps de Gengis khan et de sa horde.

Depuis plusieurs années, je désirais aller en Mongolie-Extérieure, séduisante à tant de points de vue; par ses dimensions d'abord : elle est aussi étendue que toute l'Europe occidentale; par sa population ensuite : plus de 1 million d'habitants et deux fois plus de chevaux. Son éloignement avait pour moi un certain charme. Située en plein centre de l'Asie, entourée de montagnes très élevées et de déserts infranchissables, sa capitale, Oulan-Bator, se trouve à 4 800 kilomètres de Moscou, 1 600 kilomètres de Pékin, 3 200 kilomètres de Delhi et 2 800 kilomètres de l'océan Glacial Arctique.

Jadis, la Mongolie servait de base avancée aux hordes galopantes de Gengis khan; elle était le cœur d'un empire qui s'étendait de la Hongrie au Pacifique et du cercle polaire arctique au golfe Persique. Puis elle sommeilla pendant des siècles, sous la théocratie nonchalante des lamas, et redevint le théâtre d'événements importants vers 1920 seulement. Elle tomba un moment dans les griffes du baron Ungern-Sternberg, noble balte au teint pâle, aux cheveux roux, aux goûts étranges; il avait été « béatifié » par les bouddhistes de l'endroit. En 1921, la Mongolie fut libérée au galop de charge par Soukhé Bator, jeune Mongol, cavalier dans l'armée régulière, qui dissimulait dans la poignée de son fouet une dépêche secrète de Lénine.

Au cours des fêtes données pour la célébration de l'indépendance, Soukhé Bator enthousiasma les foules en ramassant sur le sol, en plein galop, des dollars d'argent. Pendant un an environ, la Mongolie-Extérieure fut soumise à un régime mi-communiste mi-bouddhiste, dont les deux chefs étaient Soukhé Bator et le Bouddha vivant d'Ourga. En 1923, Soukhé Bator mourut subitement, empoisonné par les lamas, dit-on. Peu de temps après, le Bouddha vivant, lui aussi, trouva une mort soudaine. On annonça alors que, désormais, il n'y aurait plus de réincarnations du Bouddha en Mongolie-Extérieure.

Le Parti communiste prit le pouvoir. Soukhé Bator fut déposé dans un mausolée somptueux, sur la place Rouge du lieu. Le nom de la capitale, Ourga, devint Oulan-Bator, c'est-à-dire : héros rouge. Et, en conservant officiellement son indépendance, la Mongolie devint le premier pays satellite soviétique. La Mongolie-Extérieure

Dans le Nord du Gobi, les jeunes d'une ferme collective attendent le départ d'une course à cheval. Ils parcourront 30 kilomètres dans la campagne. L'équitation, la lutte, le tir à l'arc sont les « trois sports virils » en Mongolie.

La plupart des Mongols habitent encore dans des *gers*, ou yourtes, tentes en forme de dômes couvertes de toile et de feutre blanc, et maintenues par une armature de bois pliante. Il faut environ une heure et demie pour en dresser une. Une ouverture pratiquée dans le toit de la tente laisse pénétrer l'air et la lumière, et offre une issue pour la cheminée du poêle. *A gauche :* Tamdarja, gardien de chameaux d'une ferme collective du Gobi avec sa femme et sa fille dans leur ger.

Dans le Sud du Gobi, les chèvres de la ferme collective Tuya paissent près des yourtes qui abritent les bergers et leurs familles.

aurait pu être rayée de la carte ; à Moscou seulement eût-on pu obtenir quelque vague indication sur son existence. J'y suis allé pour la première fois en 1937 et, parcourant la liste officielle des diplomates, mes collègues, je relevai les noms du Dr Sambuu, ministre de Mongolie-Extérieure, et de Mme Sambu, son épouse. Mais, à cette époque, seule l'Union soviétique reconnaissait officiellement la Mongolie-Extérieure ; de plus, les Sambuu faisaient bande à part ; aussi ne pouvait-on que les dévorer des yeux aux réceptions du Kremlin. Il était clair qu'on ne serait pas favorable à une demande de visa pour la Mongolie-Extérieure de la part d'un citoyen britannique.

Bien sûr, il y avait une possibilité, mais bien aléatoire : risquer de passer la frontière sans visa. Une fois, au cours d'une expédition clandestine, je traversai la Sibérie jusqu'en Asie centrale russe, et parvins effectivement jusqu'aux contreforts de l'Altaï, à 320 kilomètres à peine de la frontière mongole. Mais là, le temps se gâta, et, bloqué dans une mer de boue, à des kilomètres de tout lieu habité, sans autre moyen de transport qu'une sorte de carcasse d'osier tressé sur roues, tirée par un vieux cheval de trait, je décidai que c'en était assez et je continuai sur Samarkand.

Vingt-cinq ans après seulement, une autre occasion se présenta. Dans les années 60, brusquement, la Mongolie occupa l'actualité. (On ne parlait plus de Mongolie-Extérieure, car entre-temps la Mongolie-Intérieure avait été absorbée par les Chinois.) La Mongolie s'était alors ralliée aux Nations unies. Le Dr Sambuu, mon ancien collègue, était devenu président de la République. Il avait écrit un livre intitulé *Conseils aux bouviers*, et travaillait alors à une histoire de la religion. En Mongolie, il y avait des yacks, des chevaux sauvages, et des œufs de dinosaure remontant à 90 millions d'années. Tandis que je contemplais la pluie anglaise de mon comté d'Argyll, je lisais que là-bas, en Mongolie, le soleil brillait trois cents jours par an.

Nous n'avions aucun projet pour la Pentecôte, ma femme et moi. Aller en Mongolie, pourquoi pas ? Dans une lettre aux termes soigneusement pesés, j'expliquai à l'ambassadeur de Mongolie à Moscou les raisons qui me poussaient à visiter son pays. La réponse se fit attendre longtemps. Puis, avec la soudaineté quelquefois propre aux régimes communistes, un télégramme me parvint : « Visa accordé. » Aussitôt, départ.

Dans le restaurant de l'aéroport d'Irkoutsk, en Sibérie centrale, nous nous sommes rendu compte pour la première fois que nous approchions de la Mongolie. Depuis Moscou, nous avions parcouru en avion 4 800 kilomètres entre minuit et 6 heures du matin, sans voir le soleil de juin se lever ni se coucher, et nous nous sentions quelque peu en dehors du monde. Un déjeuner à la vodka, composé de caviar, de bœuf Stroganof, de thé russe, de lait caillé et de pommes, avait commencé à nous rendre nos forces, lorsqu'une porte s'ouvrit, et une dame mongole, très séduisante, entra dans la salle. Elle portait une petite robe noire élégante, qui venait sans aucun doute de la Cinquième Avenue. Trois enfants délicieux la suivaient. Nous nous demandions qui elle pouvait bien être, quand elle se présenta, dans un américain impeccable. Elle était membre de la délégation de Mongolie aux États-Unis, actuellement en congé, et de retour au pays.

A ce moment précis, notre vol fut annoncé et nous sommes tous sortis sur la piste d'envol ; un appareil ancien, mais en état de fonctionner, nous attendait ; il portait les insignes mongols et l'inscription : MONGOLAIR. Le pilote fit tourner deux fois ses deux moteurs, et nous avons décollé en direction d'Oulan-Bator.

A l'aéroport, une voiture soviétique, noire et brillante, nous attendait. Plein d'espoir, j'avais demandé à l'ambassade de Mongolie à Moscou de nous retenir une chambre à l'hôtel. En l'occurrence, il s'agissait d'un immeuble moderne, assez agréable ; les balcons donnaient sur une vallée à l'écart, parmi les monts qui dominent la ville. Il avait été construit par une main-d'œuvre venue de Chine, et notre appartement luxueux, chambre, salle de bains et salon, était doté de tapis et de soies de Chine très attrayants, et d'un mobilier moderne bien conçu.

Le cheval, richesse d'une nation

La Mongolie, avec ses vastes étendues désertiques, couvre la même superficie que l'Europe occidentale, et, cependant, sa population ne dépasse guère le million. Mais, entre les chevaux, les moutons, les vaches, les chèvres, les chameaux, les rennes, les yacks et autres animaux, son cheptel atteint le chiffre étonnant de 23 millions de têtes. Sept Mongols sur dix s'occupent du bétail *(à droite)*.

Des Mongols ajustent leurs selles avant de rassembler les quelque 2 000 chevaux sauvages de la gigantesque ferme collective Baynchandamana. C'est avec des chevaux mongols que Gengis khan et, après lui, la Horde d'Or firent la conquête de l'Asie et de l'Europe, depuis Pékin jusqu'au Danube *(ci-dessus)*.

Dans le Sud du Gobi une employée de la ferme collective Tuya trait une jument au milieu d'un troupeau de 400 têtes, tandis que son mari maintient le jeune poulain à côté pour accélérer la lactation de l'animal. On laisse le lait de jument fermenter jusqu'à ce qu'il devienne du *kumiss* ou *airag*, boisson nationale en Mongolie *(à droite)*.

14

A peine étions-nous installés que nous fûmes invités à prendre le premier de nos nombreux et copieux repas typiquement soviétiques, émaillés de spécialités mongoles, dont une grande variété de boulettes de viande et de pâte, le tout arrosé de vodka du pays, de porto de Crimée et de cognac arménien.

Il n'y avait personne d'autre à l'hôtel. Les longs couloirs étaient déserts. Plus tard, je découvris, effaré, que la note était de l'ordre de 35 livres sterling par jour.

Mis à part une ou deux lamaseries, Oulan-Bator est une ville nouvelle; elle compte 250 000 habitants. De larges avenues, bordées de bâtiments, classiques d'allure, des immeubles solidement construits, abritant des appartements modernes, remplacent de plus en plus les faubourgs. Outre les édifices officiels grandioses propres aux pays communistes et un mausolée très imposant qui abrite les corps de Soukhé Bator et de Choibalsan, les deux héros de la révolution, Oulan-Bator s'enorgueillit d'un grand magasin bien approvisionné, d'un Opéra, d'une université, d'une académie des sciences, d'un grand hôtel (réputé le meilleur dans les pays communistes), d'un stade et d'un vaste hôpital tout neuf. L'économie de la Mongolie repose en grande partie sur son cheptel; c'est lui qui fournit les produits de

Dans une station thermale et lieu de villégiature, des lutteurs mongols exécutent la danse de l'aigle avant le combat, dont on voit une phase *(ci-dessus)*. Les lutteurs sont grandement vénérés en Mongolie; le vainqueur de l'assaut est proclamé Lion.

base aux usines, très modernes, qui comprennent une conserverie de viande, une tannerie, une fabrique de chaussures et une filature de laine équipée des tout derniers perfectionnements textiles britanniques.

Mais nous étions bien décidés à ne pas passer tout notre temps en ville. Après avoir marchandé un peu, je m'arrangeai pour louer une jeep de marque soviétique, chauffeur compris, pour la modique somme de 75 livres sterling. C'est ainsi que nous sommes partis visiter les vestiges de Karakoroum, l'ex-capitale de Gengis khan, à quelques centaines de kilomètres dans la steppe. Sur ses genoux, le chauffeur avait posé un fusil de chasse d'un modèle ancien; il était chargé, prêt à tuer tous les loups que nous pourrions rencontrer. (Le chauffeur n'eut qu'une occasion de tirer, et manqua son coup.)

Dans un pays si vaste, une population de 1 million d'habitants environ est forcément clairsemée. De toutes parts, une étendue ininterrompue de steppe ondoyante et verte se déroule jusqu'à l'horizon lointain des collines. Sur 150 kilomètres, on peut ne rencontrer qu'un seul camion, ou même pas. Plus vraisemblablement, on ne verra qu'un berger et ses moutons, ou bien un ou deux troupeaux de chevaux ou de bétail, ou encore un petit groupe de nomades en voyage; ils ont un aspect exotique, des pommettes saillantes, et tous leurs biens sont chargés sur des caravanes de chameaux. Mais, de tous côtés, la steppe palpite de vie; de petits animaux à fourrure, des marmottes, des souris, des gerboises, entrent dans leurs trous et en ressortent furtivement, puis détalent : cible tentante pour les aigles et autres oiseaux de proie qui planent dans les airs.

De temps en temps, nous traversions de petites agglomérations de yourtes, les tentes traditionnelles de Mongolie, rondes et blanches, en feutre, soutenues par une charpente de bois démontable. La majeure partie de la population vit encore dans ces yourtes : on les transporte à dos de chameau quand on déménage. Nous faisions

Cette charmante paysanne garde les troupeaux d'une ferme collective qui se trouve dans le Nord du Gobi et qui possède 180 000 animaux. Elle porte un *del*, le costume mongol des hommes et des femmes. En hiver, le del est doublé de peau de mouton comme protection contre le froid.

Jeune femme mongole du Sud du Gobi dansant devant des visiteurs étrangers. Elle travaille dans une ferme collective de la région, ainsi que l'accordéoniste.

halte dans ces tentes; après le froid extérieur, l'atmosphère chaude d'une famille mongole était appréciable. On nous y offrait des repas bizarres : thé, fromage et de grands bols d'*airag*, lait de jument fermenté, au milieu d'un cercle de visages à l'expression amicale, grimaçante et empreinte de curiosité. Le lait de jument fermenté est une boisson délicieuse, tonique et assez enivrante.

A vrai dire, il n'y a pas en Mongolie de routes à proprement parler, mais plutôt tout un réseau de pistes qui divergent dans la plaine : on choisit celle qui semble la plus prometteuse. Plus au sud, la steppe devient peu à peu désert, ou *gobi*. Comme dans la plupart des déserts, c'est une succession de broussailles, de plaques de sel, de dunes de sable et de vastes étendues transformées à l'état sauvage il y a 700 ans, raconte-t-on, par le piétinement des dizaines de milliers de cavaliers de Gengis khan.

Après nous être arrêtés maintes fois pour filmer les grands troupeaux de chevaux sauvages qui errent dans la steppe et nous être complètement perdus dans l'obscurité parmi les innombrables pistes divergentes, nous ne pûmes achever cette première étape du voyage qu'à 5 heures du matin. Tout cela pour trouver, après 350 kilomètres de steppe, à notre grande stupéfaction, un autre appartement luxueux avec salon et salle de bains, plus une brosse à dents chinoise et un tube de pâte dentifrice. Après quelques heures de sommeil, nous avons remis le cap sur Karakoroum.

En route, nous nous sommes arrêtés dans un *negdel*, une ferme collective, où nous avons vu plus de chevaux que jamais, et avons assisté à une extraordinaire opération de dressage. Les Mongols sont restés une nation de cavaliers. Ils revendiquent l'invention de la selle qui, pratiquement, inaugura l'ère de l'équitation. Il est vrai que le premier cheval fit son apparition en Mongolie. De nos jours encore, tout Mongol, homme, femme ou enfant, est prêt à monter à cheval et à partir au galop, et il croit les touristes capables d'en faire autant. Les Mongols ont une véritable affection pour les chevaux. Après la lutte, leur passe-temps préféré est la course à cheval; les chevaux inscrits, montés par des enfants des deux sexes, âgés de six à dix ans, font un parcours de 35 kilomètres. L'emblème national est un cavalier qui galope vers le soleil levant.

L'excellence des cavaliers mongols a eu une influence décisive sur l'histoire du pays. Avec ses hordes de Huns, montés sur leurs petits poneys robustes, Attila, le fléau de Dieu, surgissait au Ve siècle du fin fond de l'Asie et menaçait les frontières de l'Empire romain, tandis qu'en même temps d'autres tribus de Huns se dirigeaient vers l'est et envahissaient la Chine. Huit siècles plus tard, son habileté à commander la cavalerie, la mobilité et l'endurance de ses troupes devaient faire de Gengis khan le génie militaire le plus redoutable de son époque. C'est ainsi qu'en un rien de temps le fameux conquérant et ses successeurs purent devenir les maîtres des trois quarts du monde connu.

Mais cela ne devait pas durer. Un siècle plus tard à peine, les Chinois repoussèrent les Mongols et, reprenant l'avantage, rasèrent Karakoroum, leur capitale. De nos jours, nous l'avons constaté en y arrivant, il n'en reste rien qu'une tortue de pierre solitaire. Chaque fois que quelqu'un passe, il dépose dessus une ou deux pierres, en signe de vague respect, car on lui attribue un caractère sacré. Après avoir ajouté nos pierres au tas, nous reprenons la route. De la grande ville de jadis, de ses dômes, il ne reste plus rien. Les pierres furent employées au XVIe siècle, dit-on, à la construction de la lamaserie voisine d'Erdeni Dzuu; à son tour, celle-ci tombe en ruine, et un seul lama fait acte de présence dans les cours envahies par l'herbe.

Pendant les six cents années qui suivirent la chute de Karakoroum, on n'entendit plus guère parler des Mongols. Au cours des siècles, les lamas s'arrangèrent pour maintenir la Mongolie dans un marasme digne du Moyen Age; peu à peu, la population se réduisit à quelques centaines de milliers d'habitants. Aujourd'hui, plus de quarante ans après la révolution, il y a du nouveau.

L'emprise des lamas a cessé depuis longtemps. A l'heure actuelle, seuls deux ou trois monastères demeurent, et on ne compte pas plus de 200 à 300 lamas en tout.

Baignés dans des effluves d'encens, au monastère de Gandang à Oulan-Bator, jadis lieu de résidence du Bouddha vivant, nous avons contemplé les lamas prati-

Ce vieux lama se promène hors de l'enceinte du monastère d'Erdeni Dzuu, faite de pierres crépies. Ce monastère se trouve aux environs de Karakoroum, la capitale médiévale de la Mongolie, maintenant complètement disparue. Jadis, un millier de lamas vivaient dans des yourtes à l'intérieur de l'enclos, limité par les murs de ce centre de pèlerinage.

quant leurs devoirs religieux; nous les avons entendus psalmodier leurs hymnes, sonner de la trompette, frapper les cymbales et faire résonner les tambours. Au-dehors, dans la cour, les fidèles se prosternaient inlassablement en priant. Après l'office, nous avons pris le thé dans une immense tente de cérémonie avec l'Abbé, vieillard courtois, vêtu d'une robe écarlate. Mais à part cela nous n'avons découvert que de rares manifestations d'activité de cette église jadis toute-puissante.

D'autre part, le communisme et le collectivisme ont moins transformé la vie de l'*arat*, ou pâtre mongol, qu'on n'aurait pu le croire. L'élevage et la constitution d'un cheptel forment encore la base de l'économie nationale. Le Mongol demeure avant tout un nomade. Son logis, c'est toujours sa yourte circulaire. Tous les membres de sa famille y naissent, y vivent, y meurent. Là aussi, le voyageur, quel qu'il soit, trouvera un accueil chaleureux et une hospitalité sans réserve.

L'introduction de l'exploitation des terres pourrait, à la longue, avoir plus d'influence sur la vie du pays. Pendant des siècles, les Mongols, pour des raisons religieuses, se sont gardés de remuer la terre et d'en troubler les génies. En 1929, 3 500 hectares seulement étaient exploités sur le territoire mongol tout entier. De nos jours, un plan important de défrichage a permis à la Mongolie non seulement de produire assez de blé pour sa consommation propre, mais même d'en exporter.

Aujourd'hui, la Mongolie donne l'impression d'un pays suffisamment prospère. Dans l'ensemble, les gens sont bien nourris et bien vêtus. Il y a peu de voitures encore, mais motocyclettes et bicyclettes commencent à faire leur apparition, et chacun possède son cheval. Les boutiques d'Oulan-Bator regorgent de produits de consommation importés d'U.R.S.S., de Chine ou d'autres pays du bloc est.

Politiquement, la Mongolie s'apparente aux autres États communistes. « Que pensez-vous de nos élections? » me demandèrent les Mongols, un jour de vote, après ma visite dans leurs isoloirs, soigneusement clos. « C'est admirable, répondis-je, sauf que vous avez un seul parti. »

Et cependant, on aurait tort de croire que la Mongolie est seulement une province avancée du monde soviétique. La République populaire de Mongolie, en équilibre stratégique entre la Russie et la Chine, donne, de bien des manières, une impression plus forte d'indépendance que certains pays d'Europe orientale.

Cela s'explique ainsi, j'imagine : le Mongol est extrêmement fier de tout ce qui est mongol. Chez tous, hommes et femmes, le *del*, robe mongole traditionnelle, de couleur vive, à la fois pratique et esthétique, l'emporte encore sur le costume européen. A chaque fête, on se passe des coupes d'argent, pleines d'airag jusqu'à ras bord, plus volontiers que du porto de Crimée ou du champagne du Caucase. Et, quand vient l'été, même les occupants des plus luxueux appartements d'Oulan-Bator chargent leur yourte sur un camion, ou à dos de chameau. Ils gagnent les monts ou les plaines. Quant aux trois sports favoris, haute école, lutte, tir à l'arc, ils tiennent toujours la même place dans la vie des Mongols qu'au temps de Gengis khan et de Tamerlan.

La lutte, en particulier, a une importance extrême. Le jour de notre arrivée, une foule énorme et bruyante s'entassait dans les tribunes de la grande arène. Sous le soleil éclatant, des bannières, bleu vif et vermillon, claquaient au vent. Les prises des lutteurs n'avaient de secret pour personne; même de petits enfants s'entraînaient sur la touche. Tous aspirent, pour plus tard, au titre de Lion, d'Éléphant ou d'Aigle décerné au champion national.

Tandis que, deux par deux, les adversaires se trémoussaient sur le terrain, exécutant leur danse traditionnelle, dite de l'Aigle, et qu'ils passaient d'une série de sérieux corps à corps à des assauts brusques et violents, la foule s'excitait peu à peu. Les hérauts, c'est-à-dire les seconds des lutteurs, en tenue de cérémonie, les entouraient, tenant à la main les chapeaux des deux adversaires, et s'associaient à l'agitation populaire en les encourageant du geste et de la voix. Enfin lorsque, après bien des efforts et des feintes des deux rivaux, l'un perdait l'équilibre et tombait, le vainqueur, agitant les bras comme les ailes d'un aigle, se lançait dans une danse victorieuse. La foule, enthousiaste, hurlait, et l'on passait au round suivant.

Plus d'une fois, entièrement absorbé par ma tâche d'opérateur de cinéma, j'ai risqué d'être mêlé à ces combats. Pendant ce temps, dans les tentes et les baraques avoisinantes, l'airag coulait à flots, et les finesses de chaque lutte étaient commentées par tous, depuis le Premier ministre jusqu'au moindre amateur.

Ce spectacle et bien d'autres, comme celui qu'offrent des juments que l'on trait, une caravane de chameaux qui traverse la plaine, ou encore deux bouviers qui choisissent un cheval dans un troupeau, le prenant en chasse au grand galop, parmi plusieurs centaines de juments et d'étalons en débandade, puis, l'attrapant au lasso, le jetant à terre, le sellant, le montant et le forçant à l'immobilité après bien des sauts et des ruades, faisaient facilement oublier les nouveaux bureaux de l'administration, les usines et les immeubles d'Oulan-Bator, et l'on se sentait alors ramené à une époque héroïque, quasi homérique.

Tel était le sentiment principal, l'impression fondamentale qui demeurait en nous quand, finalement, nous avons pris le train. Il devait, pendant deux jours, nous faire traverser les espaces mornes du Gobi, puis la Mongolie-Intérieure jusqu'à la Grande Muraille de Chine et, enfin, Pékin. Oui, nous gardons cette impression d'un pays et d'un peuple qui, jusqu'ici, avaient, tant bien que mal, réussi à tenir ferme devant l'assaut rebutant de la civilisation du XXe siècle, et à garder la dignité et le charme naturels d'un art de vivre plus ancien et plus simple.

FITZROY MACLEAN.

Le centre d'Oulan-Bator est l'immense place Soukhé-Bator, interdite à la circulation. Elle porte le nom du héros révolutionnaire le plus populaire de Mongolie. Tout à fait à gauche se trouve le grand hôtel construit par la main-d'œuvre chinoise. Il abrite l'ambassade de Grande-Bretagne. L'édifice flanqué d'un portique est l'Opéra. Sur sa droite, on voit le ministère des Affaires étrangères. Sur cette place même, il n'y a pas soixante ans, se dressaient quarante « cercueils » de pierre; on y enfermait les criminels, et ils y mouraient quelquefois.

Toits rouges, verts et or d'un temple d'Oulan-Bator, capitale de la Mongolie. Cet édifice est situé dans le domaine du palais du Bouddha vivant, l'équivalent en Mongolie du dalaï-lama. Il fut érigé en 1912 grâce aux fonds des paysans.

Dans le monastère de Gandang à Oulan-Bator, deux lamas, parmi les cent qui y résident, sont en train de méditer *(à droite)*.

Majesté des Alpes

L'attrait des cimes qui répond chez l'homme à un besoin d'absolu,
l'enchantement des vallées verdoyantes quand règnent la douceur et la tendresse
du printemps sont autant d'émotions que les Alpes réservent à celui
qui sait écouter le silence, vaincre la peur, regarder l'infini.

Hannibal, général carthaginois, traversa les Alpes pour porter la lutte aux portes de
Rome, César pour conquérir la Gaule, Napoléon pour écraser l'Italie. De nos jours,
ces majestueuses montagnes n'intéressent plus les chefs de guerre. Elles constituent
pour une poignée d'amateurs, que d'autres admirent sans les comprendre, un terrain
où peuvent s'exprimer, jusqu'aux limites de l'audace et de la résistance, les qualités
instinctives de l'homme. Pour d'autres, plus nombreux, elles offrent un cadre propice
à la détente et à la méditation. Enfin, en hiver, c'est le rendez-vous d'un nombre
toujours grandissant de skieurs.

Quand l'homme contemple les champs soigneusement cultivés, les voies de chemins
de fer, les routes, il se sent le maître de la nature. En montagne, les rôles sont inversés.
La crainte et le respect l'envahissent en face d'éléments avec lesquels il ne peut pas
transiger. En dépit de tous les perfectionnements modernes, la montagne le remet
à sa place. Elle cède devant l'adresse et le courage, mais elle punit implacablement
l'inconscience et la témérité.

Du Genevois H. B. de Saussure jusqu'à Walter Bonatti, de nombreux amateurs
tenaces et courageux affrontèrent la montagne ; ils livrèrent de rudes combats à
travers les glaciers, gagnant péniblement chaque pouce de terrain en direction des
sommets non pas pour fonder des empires, mais pour conquérir les cimes. Rien n'a
jamais entamé leur courage, pas même la perspective terrifiante qu'offre l'ascension
de la face nord de l'Eiger ou celle de l'arête sud-ouest du Dru. On peut parler d'une
mystique des Alpes.

D'après un alpiniste, il se dégage des montagnes une impression de grande dignité
et non pas d'hostilité. Un autre a évoqué l'éternelle fascination des cimes couvertes
de neige. Durant l'ascension, il voit la montagne « non pas comme elle a été maintes
fois reproduite par les peintres, mais baignée d'un mystère encore plus éblouissant
que celui qu'offrent les contes de fées ou les rêves ».

Les glaciers présentent l'aspect le plus inquiétant de la montagne. Pour l'alpiniste,
l'endroit précis où il pose le pied est primordial ; s'il se trompe, c'est à ses risques et
périls, et ce n'est que des années plus tard que les crevasses livrent les cadavres, qui,
entraînés par la lente descente des glaciers, atteignent les régions plus tempérées,
là où la glace finit par fondre.

Dans la vallée Blanche, les séracs du Géant, au point où le grand
glacier — qui plus bas se prolonge par la mer de Glace — devient un chaos de blocs gigantesques et de crevasses insondables.

Les aiguilles de Chamonix dominent la vallée de l'Arve et la mer de Glace. Leur profil tourmenté se découpe en une succession de sommets, dont les noms évocateurs sont les hauts lieux de l'alpinisme classique : aiguille du Fou, dent du Requin, Peigne, Ciseaux, aiguille de l'M, Pain de Sucre, Crocodile, République. Ici *(de gauche à droite)* l'aiguille de Blatière et le Grépon. Dans le lointain, la Verte.

Un village du Valais. La neige est descendue des cimes sur les maisons, blotties comme pour se protéger des dangers qui menacent ou pour mieux évoquer, dans les longues soirées d'hiver, la légende et les exploits de ceux qui ont affronté la montagne, et forger de nouvelles aventures.

24

Un des multiples joyaux du dia-
dème de Chamonix, la dent du
Caïman déploie sa silhouette
aérienne dans le groupe de
l'aiguille du Plan. C'est le type
de rocher franc, comme disent
les alpinistes. Les géologues l'appellent protogine, du grec *prôto-
genês*, qui veut dire « né le premier ». Il y a si longtemps...

« Les escalades de glace procurent
bien d'autres joies ; le chemine-
ment semble irréel dans un univers féerique : corniches sculptées
par les vents, séracs chaotiques,
arêtes finement ourlées. Bien
cramponner sur une pente très
raide donne une grande sérénité ;
tailler proprement, sans donner
plus de coups de piolet qu'il n'en
faut, procure le plaisir d'un travail bien fait : laisser une jolie
trace est une signature. »

GASTON RÉBUFFAT.

Pyramide superbe, cime exemplaire, le Cervin — Matterhorn pour nos amis suisses — domine de ses 4 478 mètres la vallée de Zermatt, à la limite de la frontière italienne. Une caravane, conduite par le célèbre Whymper, en fit la première ascension en 1865. Depuis, le Cervin est, par la voie normale, une course très recherchée.

Accessible à tous grâce au téléphérique mis en service en 1959, l'aiguille du Midi (3 842 m) est un site exceptionnel par les points de vue qu'elle découvre de tous côtés et les possibilités multiples qu'elle offre au skieur et à l'alpiniste. Au sommet, la vue plonge sur les parois vertigineuses, les arêtes enneigées et les gendarmes de granite intraitables, ou se perd sur les sommets environnants, qui composent un cadre d'une saisissante perfection.

Du lac Blanc, au pied du massif des Aiguilles-Rouges,
c'est toute la majesté des Alpes qui s'offre au regard.
D'abord, l'aiguille Verte et le sombre profil de la face
nord des Drus, qui se prolonge jusqu'à la mer de Glace
par l'arête des Flammes de Pierre. En toile de fond,
les Grandes-Jorasses et la dent du Géant.

Le 22 août 1955 fut marqué par l'un des plus grands
exploits de l'histoire de l'alpinisme. Après cinq jours
et cinq nuits de lutte solitaire, Walter Bonatti parvenait
au sommet du Petit Dru (3 733 m) en suivant le fil
de l'éperon sud-ouest, qui porte aujourd'hui son
nom. Ainsi, « une montagne parfaite avait enfin trouvé
son itinéraire parfait ». La vue est prise du Montenvers.

Comme deux fleuves confluents, voici, à leur point de rencontre, le glacier de Leschaux *(à gauche)* et la mer de Glace dans un des plus beaux décors du massif du Mont-Blanc, où les Grandes-Jorasses et la dent du Géant *(à droite)* découpent leurs majestueuses silhouettes.

« Car, d'ici, cette cime neigeuse apparaissait d'une rare, d'une définitive beauté. Ce n'était plus un sommet sur une arête quelconque, mais l'image parfaite de la Cime telle qu'on pourrait l'imaginer dans un rêve. Presque rien, d'ailleurs. Deux glacis déserts, scellés l'un à l'autre par l'arête. Un vaste triangle profilé sur le ciel en émail. Trois lignes, deux plans, c'était tout. La plus pauvre, la plus dénuée des géométries dans l'espace. Mais de cette nudité ascétique naissait le sentiment d'une plénitude et d'une opulence sans égales. »

SAMIVEL.

Face nord des Grandes-Jorasses. Ses éperons verticaux portent des noms glorieux : Whymper, Walker, Croz. Cette paroi, culminant à 4 200 mètres, pose aux alpinistes qui l'affrontent de redoutables problèmes. Vaincue pour la première fois en 1935 par Meier et Peters, la face nord fut, en 1964, le théâtre d'une « première » exceptionnelle, lorsque Walter Bonatti et Michel Vaucher réussirent l'ascension par l'éperon Walker.

L'aiguille Verte (4 121 m) commande le respect... et le temps. Les Chamoniards disent : « Le mont Blanc ne peut si la Verte ne veut » ; allusion à son sommet qui fume pour annoncer la tempête. C'est une des grandes classiques de la chaîne, vaincue pour la première fois en 1865. Dans le lointain, le profil majestueux du mont Blanc.

Avril en Irlande

Un peuple ardent et merveilleusement doué pour l'humour, un pays de landes, de grèves et de rivières, une histoire pleine de grandeur et de courage : c'est l'Irlande. Fière de ses traditions, cette île demeure avant tout la proue de l'Ancien Monde tournée vers le Nouveau.

Les chevaux tournent en rond sur l'herbe gorgée de pluie du paddock, sous les yeux du public et des officiels en veste de tweed à carreaux et chapeau vert, tandis que le petit orchestre juché sur une plate-forme, au-dessus du pari mutuel, joue une marche militaire, et voici les taches roses, jaunes, bleues, disposées en damiers, en losanges, en croix, des casaques des jockeys soucieux que l'on met en selle d'une poussée de la main sur le cou de pied et, tout autour, les grands arbres de Phoenix Park. On s'est fusillé ici, au temps de la guerre civile. En hâte, la foule reflue vers les tribunes. Les bookmakers en chapeau melon et imperméable, perchés sur des escabeaux, enfouissent l'argent des paris dans des sacoches de cuir noir, grandes comme des valises, et déjà les chevaux ont pris le départ, on les voit, pareils aux petits chevaux de plomb des jeux de courses de mon enfance, qui passent groupés derrière une haie, une rumeur s'enfle, la pluie cingle les visages, les gens trépignent autour de moi, quelques cris, ils sont passés. Au bar, un verre de Guiness couleur de tourbe avec la mince couche de mousse, comme la crème à la surface du café irlandais. Champs de courses bretons, je vous retrouve sous un même ciel couvert de nuages, avec la même pelouse, la même atmosphère de province, la même religion du cheval! Je songe à ce roman de Francis Stuart où le héros, avant de mourir au front, quelque part en Irlande, envoie par pigeon voyageur un dernier message : « Mettez pour moi dix livres à cheval sur *Athbara*, course de deux heures et demie au Parc. »

On les voit sur les pièces d'une demi-couronne, qui portent, à l'avers, la harpe d'Irlande. Mais il n'y a pas un seul cheval de bronze dans les avenues et sur les places de Dublin, les Irlandais ayant curieusement statufié leurs grands hommes, à pied. On les voit sur les routes, broutant l'herbe des bas-côtés, tandis que sous une bâche dressée en forme de tente une famille entière vit accroupie, les enfants vêtus de loques, plus crasseux que des romanichels.

On les voit, petits et noirs, le vent d'ouest faisant flotter leur longue crinière, en compagnie des ânes, des moutons à tête noire, aux cornes recourbées, la toison éclaboussée d'une marque sanglante, des petits chiens colleys à la queue en panache, errant dans les landes et sur les grèves du Connemara. Au-delà de Joyce country, c'est une vaste région presque plate, coupée de muretins de pierres sèches, qui descend vers la mer. Impossible de dire où celle-ci commence, où finit la terre. Des milliers

Dressé entre ciel et mer, le château de Dungory, à Kinvarra, dans la région de Galway. Cette baie, située sur la côte ouest de l'Irlande, est fermée, à une quarantaine de kilomètres, par les îles Aran.

A Dublin bat le cœur de l'Irlande: l'histoire a laissé dans cette ville de profonds souvenirs. La rue O'Connell, qui déborde d'animation et de couleurs, a été reconstruite tout entière en 1928.

d'îles parsèment les golfes profonds, et des fjords s'enfoncent à plusieurs kilomètres, l'eau de mer se mêle à l'eau douce des rivières et des torrents qui viennent s'y jeter.

La mer s'éloigne à mesure que l'on s'en approche, une presqu'île succédant à une autre, de sorte qu'après avoir bifurqué plusieurs fois, franchi des ponts à dos d'âne avec des ânes dessus, après avoir demandé son chemin à deux charpentiers taciturnes, devant une masure à toit de chaume, qui réparent une barque, l'on se trouve prisonnier d'un labyrinthe dont on ne trouve pas l'issue.

C'est ici l'extrémité du Connaught, où Cromwell refoula la population de l'île qui avait échappé au massacre (« En Connaught ou bien en enfer »), c'est ici que les penseurs idéalistes du XIXᵉ siècle, égarés à la pointe du Raz, auraient pu aligner leurs comparaisons nautiques : « la proue, la poupe de l'Ancien Monde ». On sait bien qu'au-delà de ces îles qui arrondissent à l'horizon leur dos pelé, Innishark, Innishbofin, Inisturk, vaisseaux démâtés et faisant eau de toute part, retour d'un combat naval, ou bien encore, dans la brume du petit matin, demoiselles de province qui, l'une derrière l'autre, se rendent à la messe, il n'y a plus rien, plus rien que le royaume de Thulé, où abordent les âmes des trépassés et que les Irlandais d'aujourd'hui appellent d'un autre nom : New York, paroisse de saint Patrick.

Brendan Behan se promenant de par le monde voit partout l'Irlande, au point que le nom de Mac Mahon, à l'angle d'une avenue parisienne, fait battre son cœur. Je me sens gagné par ce travers. Partout je cherche les traces des héros qui ont enchanté mon enfance. J'ai été jacobite à Culloden, avec le Maître de Ballantrae; sur la Boyne, avec les cavaliers de Jacques II. A l'ouest de Drogheda, j'ai parcouru les champs et les chemins creux où ils se sont battus contre les huguenots français commandés par Shonberg. Un obélisque marque le lieu où Guillaume d'Orange fut blessé, la veille de la bataille, au cours d'une reconnaissance. J'en veux à Jacques Stuart,

Ci-dessous : une chasse à courre devant le château de Dromoland (comté de Clare), qui a été transformé en hôtel de luxe. Il y a plus de quarante meutes en Irlande pour la chasse au cerf et au renard. Le gibier à plume est, d'autre part, fort couru : grouses, faisans, perdreaux, canards, pluviers abondent.

Ci-dessus : vu d'avion, le fort de Dún Aengus, à Inishmore (la plus grande des trois îles Aran). Bâtie en 3500 av. J.-C., cette citadelle couvre plusieurs hectares et surplombe la mer en un vertigineux à-pic de 150 mètres.

Ci-contre : le célèbre Trinity College de Dublin, où ont été formées des générations et des générations d'Irlandais. Parmi les anciens élèves de cette université : Swift, Sheridan, Goldsmith, Thomas Moore et Synge; un beau palmarès!

Rien de plus typique de la campagne irlandaise que ces maisons basses à toit de chaume qui parsèment la lande. Il faut se mettre à l'écoute de ce pays plein de mystère, aussi secret que la Bretagne.

cet incapable, de sa défaite, et j'aimerais savoir aussi pourquoi, un siècle plus tard, certain général Humbert, débarqué dans la baie de Killala pour appuyer l'expédition de Hoche, dut se rembarquer après quelques succès et la prise de Ballina. Cette expédition m'avait presque réconcilié avec les Bleus, encore aurait-il fallu qu'elle réussît. Mais je m'enchante de ce paradoxe de l'histoire qui veut que le seul appui sérieux reçu par les catholiques d'Irlande leur soit venu des révolutionnaires français, adorateurs de l'Être suprême. La Boyne est une petite rivière qui coule au fond d'un vallon : il est difficile d'imaginer que dans ce nid de verdure la cause de l'Irlande a été vaincue pour deux siècles.

Me promenant un samedi matin dans Grafton Street, à Dublin, je songeais à toutes les traces laissées sur un peuple par une occupation étrangère séculaire. Une chose me frappait : l'indifférence des visages que je croisais. D'où vient, chez un peuple qui a donné tant de preuves de ses dons d'observation, cette absence de regard ? Serait-il possible qu'il se soit exercé pendant des siècles, ce peuple tenu en servage, à ne *pas voir* l'occupant ? Quand tout semblait perdu, le mépris était la seule revanche. Le malheur, la haine, le courage malheureux, l'évasion dans le rêve ont mis sur ces visages l'indifférence et la fierté.

Sur les bords de la Liffey, face à l'église Adam and Eve, nommée d'après un bar où les catholiques se rendaient clandestinement pour célébrer leur culte, à moins que ce ne soit d'après le mot de passe qui y donnait accès (Joyce y fait allusion dans *Finnegans Wake*), j'ai prêté l'oreille, croyant entendre le bruit des battoirs et le caquetage d'Anna Livia Plurabelle et des lavandières ; au détour d'une rue, j'ai vu Oscar Wilde enfant, habillé en fille, trottant près de sa gouvernante ; devant Saint-Patrick, cathédrale de l'Église réformée d'Irlande, aujourd'hui à peu près vidée de ses fidèles, j'ai évoqué le *dean* Jonathan Swift, qui y prêcha, et dans le pub d'O'Donoghue, j'ai reconnu, appuyée au bar, la lourde silhouette de Brendan Behan : il n'y a peut-être pas de ville qui, en un espace aussi restreint, fasse lever tant d'ombres illustres.

Dublin vous réserve plus d'une surprise. Il peut vous arriver de vous trouver au milieu de deux mille personnes, les femmes en robe du soir et manteau de fourrure, les hommes en smoking, pataugeant dans la boue des allées et sur les pelouses détrempées du zoo. D'immenses tentes ont été dressées, qui abritent divers spectacles et attractions offerts aux membres du club et à leurs invités. Ici l'on danse ; là on reprend en chœur les refrains de vieilles ballades chantées par un joueur de guitare et l'on écoute réciter des poèmes ; ailleurs l'on s'exerce à des jeux variés, comme dans les foires : l'un des plus courus est un poids qu'il s'agit de faire monter le long d'une échelle en frappant sur un ressort avec un lourd marteau : en bras de chemise, gonflés de bière et de gin, les jeunes Dublinois font montre de leur force. Entre deux attractions, l'on va rendre visite aux éléphants, à la girafe, aux singes, et les femmes très belles, en grand décolleté, arrêtées en contemplation devant l'orang-outan, jouent une scène muette de la Belle et la Bête. Le zoo de Dublin est l'un des plus célèbres d'Europe : les banques, les grands magasins, les industries privées contribuent à son enrichissement, et l'on est heureux d'apprendre que le boa constrictor est un don de Machin incorporated, et que les biscuits Chose procurent sa nourriture au léopard. De cheval, point. L'Irlande est un charme. On en reste prisonnier bien après avoir quitté l'île. On veut s'en pénétrer. On se met à lire des essais sur l'art de La Tène. On veut lire *Finnegans Wake*. Le cœur vous bat en passant devant l'hôtel de la rue de l'Université où habita Joyce, et l'on imagine l'écrivain à demi aveugle, glissant sur ses chaussures de tennis dans les rues de Paris, composant des limericks ou bien chantonnant : « Quand un vicomte... » On se rappelle les critiques qu'il adresse à son pays natal ; on ne les trouve pas si injustes ; on a aussi des reproches à formuler : on est devenu irlandais !

MICHEL MOHRT.

34

Ci-dessus : la patrie de saint Patrick vibre d'une foi ardente. Voici un service religieux en plein air dans le Connemara, pays d'âpres collines et de bruyères, non loin de la baie de Galway. *Ci-contre :* rien de ce qui touche le cheval ne laisse les Irlandais indifférents : concours hippiques, courses, Sweepstake, haras... Il n'est pas rare de voir des chevaux en liberté, crinière au vent, en train de brouter l'herbe des landes ou d'errer sur les grèves. *Ci-dessous :* Dublin est la capitale de la bière (on y fabrique la célèbre Guiness), et ses pubs sont aussi remarquables que ceux de Londres, mais il y règne un protocole encore plus strict : ainsi, les femmes n'y sont-elles pas admises, et les portes ferment inexorablement tôt.

35

Chez les danseurs
de l'âge de la pierre

Dans une île proche de la Nouvelle-Guinée vit une tribu qui ne compte plus que
4 000 personnes, celle des Baining de la Nouvelle-Bretagne. Pareille aux peuplades
qui en sont restées à l'âge de la pierre, elle accorde une importance particulière
à ses fêtes, qui se déroulent sous l'amicale surveillance du clergé local.

J'avais pris Simon à part (Simon était le pasteur méthodiste de l'endroit). Ne pour-
rais-je pas assister à quelques préparatifs de danses rituelles ? Qu'en pensait-il ?
Ma présence risquait-elle de paraître choquante ? Il avait appelé deux hommes
et obtenu leur consentement : ils me conduiraient eux-mêmes. Je les suivis donc vers
la brousse, puis sur une piste étroite qui, après cinq ou six minutes de marche,
débouchait dans une petite clairière.

Des cinq jeunes gens qui s'y trouvaient, trois s'étaient enfuis à notre approche
pour se réfugier au plus sombre d'un taillis. Ils restaient là, tapis comme de jeunes
bêtes craintives, guettant chacun de nos mouvements, tandis que nous avancions
vers eux. Avant même de nous voir, des froissements insolites les avaient alertés ;
seul un Blanc pouvait se mouvoir aussi gauchement dans la brousse. Mais mes deux
compagnons n'eurent qu'à s'entremettre, et ils sortirent lentement de leur abri.

Les deux autres garçons ne marquaient, eux, nul effroi, et leur nudité même —
une étroite bande d'étoffe tenue à la taille et tirée entre les jambes leur tenait lieu de
vêtement — ne paraissait point les gêner. Ils s'affairaient autour d'un masque
difficile à placer et que l'un des deux tiraillait en tous sens pour qu'il pût non seulement cacher la tête de son camarade, mais recouvrir la nuque et descendre jusqu'aux
épaules. Comme tous les masques du même genre, celui-ci était en tapa, qui aurait
pu être remplacé par des feuilles de pandanus cousues ensemble, l'une ou l'autre
matière tendue sur une armature faite de tiges de canne à sucre très minces, de façon
à croquer quelque animal fantastique, auquel de grandes oreilles en forme de disques
et des lèvres plates et protubérantes ajoutaient un caractère d'étrangeté.

Je devais voir par la suite d'autres exemplaires de ces masques, appelés *aios* ou *miaus*
par les Baining, certains rappelant bizarrement les anciens dessins de Mickey Mouse,
d'autres reproduisant de grandes têtes d'oiseaux, auxquelles venaient s'adjoindre
d'impressionnants appendices, comme une longue langue pendant hors du bec
inférieur ou une énorme caroncule dressée au-dessus des narines. Tous portaient
des dessins conventionnels, grands cercles semblables à des cibles, séries de triangles
reliés les uns aux autres et bariolés de rouge, de marron et de blanc ; de longues
lanières de feuilles formaient à leur base une frange opulente, qui, lorsque le masque
est en place, retombe sur les épaules du danseur à la manière d'une crinière ébouriffée.

Ces aios ou miaus (Simon me dit plus tard que ce terme signifie « esprit ») sont réservés à des danses auxquelles ils ont donné leur nom, danses connues comme danses des esprits, où les hommes ainsi masqués incarnent les fantômes des ancêtres. Je compris, aux explications laborieuses de mon guide, que les marques rouges qui figuraient sur le masque devaient être peintes par le danseur avec son propre sang. Avant de le revêtir, il doit, selon l'usage, se couper la langue du tranchant d'une feuille pliée en deux et mordiller la coupure pour qu'elle saigne suffisamment; il crache alors le sang dans un récipient improvisé, une demi-coque de noix de coco, par exemple. Il ne lui reste plus, avec une tige de canne à sucre en guise de pinceau, qu'à tracer son dessin. Il arrive, bien sûr, que de moins soigneux crachent le sang sur le masque et l'étalent grossièrement du bout du doigt.

Ces jeunes gens, m'expliqua encore mon compagnon, étaient des initiés qui n'avaient encore jamais pris part aux danses sacrées des esprits. Ils venaient, dit-il, de passer ici plusieurs jours au secret, dans la solitude et le jeûne, afin de se purifier pour cette première participation. Ils ne boiraient que de l'eau, ils ne mangeraient pas jusqu'au grand festin qui suivrait les danses; ils ne verraient non plus aucune femme et aucune femme ne les verrait avant cette heure. Elles devaient, d'ailleurs, demeurer confinées dans les huttes durant tout le déroulement de la danse sacrée.

Plus loin, dans d'autres coins abrités des regards, il s'agissait de parer, pour leur séance d'initiation, de très jeunes hommes, originaires de différents villages; ailleurs, des adultes procédaient ensemble à leurs préparatifs personnels.

Vers quatre heures, l'appel du tam-tam nous parvint. Mes deux compagnons se hâtèrent de prendre le chemin du retour, car, ainsi qu'ils me l'expliquèrent en revenant, ils ne pouvaient, sans leur faire outrage, manquer les danses exécutées par les visiteurs.

L'aspect du village avait changé en notre absence; une grande animation régnait, et, sur la place, la foule faisait cercle autour d'un groupe de quatre danseurs. Chacun d'eux portait sur la tête une sorte de chapeau d'osier, surmonté d'une abondante garniture de feuillage et d'écorce; l'ensemble de ce couvre-chef, qui montait à une hauteur invraisemblable, pouvait bien atteindre quatre mètres. Trois ou quatre hommes maintenaient ces coiffures en équilibre à l'aide de longues baguettes, dont une extrémité était attachée en leur sommet. Les danseurs, soulevant la poussière à chaque saut, tournaient en rond dans l'étroit espace qui leur était laissé tandis que les porteurs de baguettes se démenaient pour maintenir les chapeaux en place. On ne pouvait démêler aucune figure dans cette danse confuse où l'excitation semblait naître seulement des efforts contrariés des protagonistes, l'équilibre des chapeaux constituant l'unique enjeu de la lutte.

Puisque leur village recevait, les habitants de Malabunga avaient, pendant ce temps, fort à faire. Des hommes apportaient à grand-peine d'énormes bûches jusqu'au centre du village où, disposées en trois vastes triangles, elles serviraient d'assises aux trois feux que l'on allumerait au coucher du soleil. Les femmes arrivaient en lente procession, chargées de paquets divers et de paniers de victuailles, qu'elles plaçaient côte à côte sur un tapis de fronde de noix de coco, long de trente à trente-cinq mètres et large de deux mètres. Toutes sortes de nourritures s'accumulaient ainsi, mêlant aux patates et aux ignames des bouquets de feuilles comestibles, des bâtons de canne à sucre, des bottes de taro à grandes feuilles; on remarquait même çà et là de petits paniers de légumes, contenant tomates, concombres, melons, haricots, ainsi que quelques épis de maïs, tous acclimatés depuis peu de temps dans les jardins du village.

Cette activité utilitaire n'empêchait point les danses de se poursuivre. Les unes étaient réservées aux hommes, les autres aux femmes; certaines, dont la danse de la lance, évoquaient avec nostalgie le temps où la guerre était partie intégrante de la vie. Puis venait la danse de la canne à sucre, chargée de toute une symbolique

En Nouvelle-Guinée, un danseur masqué s'élance dans les flammes. Chants et danses, se poursuivant inlassablement, provoquent une sorte de transe hypnotique qui rend insensible à la douleur.

sexuelle : sur un accompagnement de tam-tam joué par les hommes, les femmes exécutaient une danse aux gestes provocants, portant sur l'épaule des bâtons de canne à sucre, qu'elles tendaient aux musiciens dans l'offrande finale.

La nuit tomba d'un seul coup. Pendant qu'on allumait les feux, les enfants, sur-excités, traînaient à grand renfort de cris des fagots plus gros qu'eux, entreposés à l'autre bout du village. Arrivés devant les bûches qui brûlaient déjà, ils dressaient gauchement leur fardeau et le laissaient retomber, esquivant d'un bond les gerbes d'étincelles qui jaillissaient en tous sens. L'air chaud agitait les palmes, loin au-dessus, et les noix de coco entrechoquées dansaient là-haut dans la lueur des flammes.

Une voix aiguë, aux sonorités primitives, parut scier la nuit, couvrant le crépite-ment des feux, les cris des enfants, le battement continu des tambours. Elle lança très haut dans l'air sombre sa note vibrante, à laquelle répondirent, du creux de l'ombre, une cinquantaine de voix d'hommes, profondes comme la vague et qui s'enflaient comme elle. Les chanteurs n'étaient pas encore en place ; ils s'installaient sans hâte avec l'allure des musiciens d'un orchestre, mais leurs divers mouvements n'entravaient pas leur chant, qui montait aussi souple, aussi sûr que s'ils eussent été immobiles.

Nous n'en étions cependant qu'au prélude, car ils s'interrompirent bientôt ; sans doute s'étaient-ils contentés d'accorder leurs voix comme des violons et de choisir le rythme. Apparemment satisfaits, ils s'accroupirent très près les uns des autres, se carrant confortablement sur les troncs qui les séparaient en rangs. Chaque musicien prit alors un tube de bambou de cinq centimètres de diamètre, mais dont la longueur variait de un à deux mètres ; le tenant bien droit, il le frappait d'un geste ferme sur le tronc, devant lui, pour obtenir un son dont la force et la tonalité variaient selon la longueur de la tige.

Pendant quelque temps, ils donnèrent l'impression d'accomplir de simples exer-cices, chantant de courtes strophes, modulant sans se lasser les mêmes syllabes, qu'ils jetaient au petit bonheur sur de brèves interventions du tambour. Cela ressemblait à un entracte. Quelques attardés dansaient encore, mais leur danse paraissait sans objet. Des hommes du village veillaient à leurs devoirs d'hôtes, ranimaient les feux, apportaient une provision de bûches. Les chanteurs s'agitaient, changeaient de place ou de position, abandonnaient leur instrument de bambou pour en essayer un autre, plus long ou moins long. Rien, en somme, ne se passait. La plupart des spectateurs s'étaient égaillés et bavardaient tranquillement, assis çà et là, sous les arbres, au seuil des maisons. Cette nuit tant attendue semblait devoir manquer d'éclat et perdre de sa ferveur, quand une lune dorée parut brusquement dans toute sa gloire.

Une onde d'agitation parcourut les rangs des chanteurs, puis le silence s'établit. Un homme traversa l'espace vide et jeta, sur chacun des feux, une grande brassée de bois sec. De hautes flammes jaunes et rouges illuminèrent la nuit. Près des chanteurs, le soliste resta un instant la tête en arrière, la bouche grande ouverte comme le fait un chien qui va hurler. Puis un son sortit de sa gorge, prolongé, étrange, effrayant, que les tam-tams noyèrent brutalement dans un vacarme assourdissant.

Alentour, les hommes se rapprochaient dans l'ombre, apparaissaient à la lumière des feux. Les petits garçons, partagés entre la curiosité et la crainte, hésitaient. Fallait-il chercher protection auprès des femmes (toutes disparues maintenant, qu'elles fussent enfermées dans les cases ou cachées derrière les arbres) ? Fallait-il rester, montrer qu'ils étaient des hommes ? Choix difficile, et que la lune qui se levait, les chœurs, les feux éclatants rendaient plus pressant encore, car ils voyaient là le

L'agressivité des montagnards de Nouvelle-Guinée s'exprime dans d'inces-santes fêtes et festins rituels. La fête Moga, qui se terminait, jadis, par le sacrifice de centaines de cochons, a lieu de nos jours à la foire de Goroka.

signe de la toute proche apparition des aios, les esprits des ancêtres, qui étaient embusqués à l'entrée du village.

Les petits garçons Baining apprennent dès l'enfance à redouter la colère des ancêtres défunts, ainsi que les enfants chrétiens grandissaient autrefois dans la crainte de l'enfer. L'enfant Baining sait que, lorsque son âge lui permettra de veiller et d'assister à la danse des esprits, il sera mis face aux fantômes de ses ancêtres et que le moindre écart de vie leur paraîtra une offense, qu'ils lui feront payer séance tenante. C'est dire comme il bat fort, le cœur des jeunes garçons nus de Malabunga, pendant qu'ils attendent l'entrée des premiers danseurs. Ils reculent et s'accroupissent dans l'ombre, les bras serrant leurs genoux remontés sous le menton, la bouche ouverte et leurs yeux apeurés ne quittant pas la scène.

Le premier danseur s'avança lentement, sortit de l'obscurité pour traverser la place baignée de lune, tournant lentement sur lui-même dans les reflets du feu, jusqu'à ce qu'il eût atteint le groupe des danseurs précédents. Il se plaça devant eux et resta là, faisant dodeliner sa grosse tête cornue au bec de canard et rouler sur son cou sa longue crinière. Son corps, enduit de suie et de graisse de porc, brillait, de la nuque aux genoux, entièrement noir à l'exception de larges bandes blanches en travers des cuisses. Des guêtres d'herbe remontaient de ses chevilles comme des gerbes, et des bracelets d'herbe déchiquetée pendaient de ses coudes. Il portait autour des épaules un python, aussi gros qu'un avant-bras et long d'au moins trois mètres, passé comme un collier derrière son cou, pendant de part et d'autre en deux boucles jumelles, dont il brandissait les deux extrémités.

Les bambous saluèrent son immobilité d'un staccato fracassant, qui faiblit quand il se détourna pour se fondre en un roulement continu que les voix recouvrirent. Celles-ci posaient leurs accords, pour former un édifice sonore de la manière la plus étonnante; elles alternaient dans une harmonie étrange, dissonante et persuasive à la fois, barbare, et si savante, et si sûre, qu'on évoquait, à suivre cette cascade de notes qui montaient pour retomber, sautaient pour rejaillir encore et se croiser, les jeux infaillibles des sansonnets dans l'air du soir. Elles s'arrêtèrent aussi brusquement qu'elles avaient commencé; il ne subsistait plus que le heurt sourd des bambous sur les troncs jusqu'à ce qu'une minute plus tard parût le danseur suivant.

D'autres danseurs venaient derrière lui, formant la procession rituelle; au total, ils étaient quinze, qui faisaient d'abord le tour du village. Tous portaient des masques, dont seul le dessin différait. Les uns faisaient tourner des serpents, tout en bondissant à travers leurs boucles comme dans une corde à sauter; d'autres portaient plusieurs serpents entremêlés; d'autres encore, des quartiers sanguinolents de viande de porc. Chacun d'entre eux s'arrêtait quelques instants devant nous, le temps d'un intermède de cette musique merveilleuse. Nos chanteurs l'avaient-ils créée? L'apprenaient-ils, au contraire, de leurs anciens, comme ceux-ci l'avaient apprise? Impossible de le savoir, mais elle possédait, quoi qu'il en soit, un pouvoir d'envoûtement extraordinaire. Enfin, le dernier danseur apparut et rejoignit ses camarades. Pendant quelques minutes, les quinze hommes ne formèrent qu'un seul bloc oscillant, autour duquel semblaient s'enrouler les serpents. (J'appris ensuite que les crochets à venin avaient été ôtés.) Les chants s'arrêtèrent brutalement, coupés comme au couteau. Tout le monde se détendit. L'obscurité absorba les danseurs. Un nouvel entracte commençait. Pendant que quelques hommes de Malabunga tuaient les serpents, que le village consommerait plus tard, d'autres ranimaient les feux et entassaient au pied des arbres une nouvelle provision de bois sec. Dans le coin des chanteurs, on se désaltérait; des bouteilles et des tiges de bambou remplies d'eau potable circulaient dans les rangs. La lune, énorme et jaune, s'était posée sur le faîte des cocotiers.

Après une demi-heure de repos, les chanteurs s'installèrent, et l'atmosphère se tendit aussitôt. Le soliste lança du fond du gosier son même cri sauvage, imploration

Des indigènes s'apprêtent à participer à une fête rituelle, parés de plumes d'oiseau de paradis, maquillés d'or et vêtus de pagnes faits d'écorce peinte. Au XIXe siècle, un voyageur remarqua que les plumes d'oiseau de paradis étaient un signe de richesse et qu'elles atteignaient des prix exorbitants tout au long de la côte de Nouvelle-Guinée.

terrorisée aux esprits de Malabunga pour qu'ils acceptent de se manifester une fois de plus. Aucun bruit de tambour n'annonça cette fois leur venue. Le chœur ne reprit pas l'invocation. Seul le silence régnait. Un bourdonnement s'éleva plus loin dans la nuit, au-delà du village, et s'établit sur une seule note, profonde comme le son d'une basse, mais plus caverneuse, et continue comme l'appel d'une sirène. Il enflait, s'approchait, investissait la place, suivi d'un mouvement dans l'ombre, d'une forme aux contours flous, envahissante, et qui s'arrêta devant nous. Cette masse, longue de deux mètres cinquante, haute de près de deux mètres, drapée d'écorce et de feuilles de palmier, c'était le *kavat*, l'image sainte, le symbole sacré de la source des choses. Matériellement, il se composait d'une double carcasse de tiges de canne à sucre, recouverte de tapa, et ornée de motifs découpés et de dessins aux couleurs vives. Deux hommes, dissimulés par le revêtement, transportaient l'appareil à la façon des déménageurs, des courroies de tiges de houblon passées sur les épaules ; l'un d'eux soufflait en outre dans un tube de bambou, d'où provenait ce grondement incessant.

Le kavat fit le tour de la place, puis s'éloigna vers l'extrémité du village. Le tam-tam reprit ses droits, les chants leur emprise, et les hommes-esprits réapparurent en courant de toutes parts. Débarrassés de leurs divers fardeaux, ils furetaient de-ci de-là, courant toujours, attrapaient au passage les petits garçons, muets de terreur, puis les poursuivaient, jusqu'auprès de leurs pères. L'un d'eux passa ainsi devant moi, un enfant sous le bras, et j'aperçus, dans un gigotement effréné, le petit visage gris d'épouvante, le petit ventre rond tout convulsé. L'homme traversa la place et déposa le garçonnet, comme un paquet, derrière les feux. L'enfant resta étendu sur le sol, sans un geste, vidé de tout autre sentiment que de celui de crainte, incapable de se lever pour s'enfuir.

Un second kavat sortit de la brousse avec le même cérémonial, pénétra dans le village et rejoignit le précédent. Là, tous deux avançant, reculant, tournant de plus en plus largement, se firent une place à l'arrière-plan et dégagèrent un espace libre, où les danseurs bondirent ensemble pour l'explosion finale. Ils sautaient par-dessus les feux, piétinaient les brasiers, sans souci des cendres ni des tisons, faisant à chaque fois fuser des gerbes d'étincelles et des langues de flamme. Les chanteurs poursuivaient leurs incantations, la tête rejetée en arrière, le visage extatique, sans cesser de marteler les troncs, et de longues volutes sonores s'enroulaient dans le ciel.

A minuit, la danse continuait quand je décidai d'aller me coucher dans la salle de classe. Mais je ne dormis guère, ma tête bourdonnant de toutes ces harmonies violentes et barbares.

MASLYN WILLIAMS.

A l'extrémité sud de la mer Morte, voici l'emplacement de l'antique Sodome; il n'en reste qu'un sol aride et nu, qui éclate sous le feu du ciel comme pour former un étrange pavement.

Merveilles dans le désert du Néguev

Dans la Bible, le désert du Néguev est décrit comme le seuil de la Terre promise.
Cette étendue, sculptée par une fantastique érosion, contient des sites célèbres depuis
des millénaires, comme Sodome, la mer Morte et les mines du roi Salomon,
mais elle est en voie d'être transformée par le travail de l'homme.

Aux somptueux coraux de la côte d'Eilat répond, sur la montagne, une floraison de roches, d'où se détache, de loin en loin, un boqueteau d'arbres décharnés par le vent.

43

A gauche : la vallée de l'Araba. A quelques centaines de mètres des mines du roi Salomon, d'illustre mémoire, des chameaux trouvent leur maigre pitance.

En bas, à gauche : ces gigantesques rochers, qui se trouvent près de Timna, ont été surnommés les « colonnes de Salomon ».

Au sud de la mer Morte, sur le site de l'ancienne Sodome, les dépôts de sel forment une sorte de banquise torride. La colère du ciel, qui fondit jadis sur la ville dépravée, semble peser toujours dans le même flamboiement immobile.

44

Dans la région de Sodome, le sel et l'argile composés ont donné naissance à toute une statuaire fantastique : sur notre photographie, « la femme de Loth », qui est l'un des plus étranges produits de cette érosion *(à gauche)*.

Près d'Eilat, le cañon Rouge : à travers la roche, des tourbillons ont ouvert des corridors tourmentés, où l'on voit de surprenants jeux de lumière et de couleurs.

Les oasis, cachées au fond des gorges, éclatent de verdure et de fraîcheur : ici, les chutes d'eau glacée d'Ein Guedi, au bord de la mer Morte, près de la frontière jordanienne.

Dans un autocar espagnol

Un trajet dans le car bondé qui relie Madrid à Tolède, l'ancienne
capitale de la Castille, offre l'aimable fantaisie des voyages en diligence décrits
par Dickens. L'inconfort est plus que compensé par la débordante
amitié des passagers et par ce que l'on entrevoit du caractère du peuple espagnol.

Sur mes pieds, un *caballero* semble vouloir prendre racine ; dans mes bras, un *niño* trouve un refuge précaire. En d'autres termes, le car de Madrid à Tolède pourrait afficher complet. Pas tout à fait cependant, car, à grand renfort d'ingéniosité, de nouveaux arrivants réussissent à s'introduire dans le véhicule, contraignant les voyageurs déjà casés à une intimité que chaque irruption ne fait qu'accroître. Il y a un instant, le jeune frère du bébé que j'ai sur les genoux se trouvait à côté de moi, dans le couloir. Le flot l'a entraîné, et j'aperçois maintenant sa pauvre petite figure perdue dans une mer de cotonnades.

Assises en face de moi, deux religieuses arborent d'immenses cornettes empesées, à l'architecture très élaborée. Et je ne peux m'empêcher d'admirer avec quelle adresse, fruit d'une longue habitude, les religieuses se sont faites au port de ces coiffes. Un peu à la manière des chats, qui connaissent exactement la largeur de leurs moustaches, les bonnes sœurs sont, à un millimètre près, conscientes de l'espace dans lequel elles peuvent mouvoir la tête sans provoquer de désastre dans cet édifice amidonné.

Mais la courtoise bonhomie des Espagnols en voyage est sérieusement mise à l'épreuve lorsque, ventru comme une barrique, encombré d'un panier d'où émerge la tête courroucée d'un jeune coq, une sorte d'hercule tente de monter dans le car. Quelques protestations se font entendre. Par tous les saints, ne voit-il pas que même une crevette, un *langostino*, ne saurait se faufiler à l'intérieur ? Sans doute, *señores*, sans doute. Mais peut-être — *quizas, señores* — trouverait-on encore place pour une *sardina* ? Voilà notre homme-sardine adopté ; et chacun de retenir son souffle, de se serrer un peu plus, tandis que le facétieux voyageur se hisse à l'arrière avec son coquelet. Ses voisins ne tardent pas à rire franchement devant ses bonnes plaisanteries. Que de points communs entre les Espagnols et les Irlandais ! Enfin, le car commence à vibrer. Quelques pétarades résonnent comme des coups de feu. Une jeune fille se signe. Du toit, un haut-parleur annonce la *Valse de l'Empereur*, et, sur un allègre rythme de Strauss, nous voilà en route pour Tolède.

Jusque dans ses recoins les plus secrets, l'Espagne est parcourue par des véhicules automobiles dont la taille diminue et l'âge augmente à mesure que l'on s'écarte des grandes routes. Ce sont des cars de luxe qui glissent à cent à l'heure, ou d'humbles omnibus, avec ou sans radio, tel celui dans lequel j'ai pris place. Comme toutes choses en Espagne, les compagnies de transport vous ramènent en arrière, dans un monde du passé. C'est ainsi que devaient être, au temps de Dickens, les voyages en diligence, et l'attirail ficelé sur le toit ressemble aux bagages des gravures anglaises du XIXe siècle. Grâce à l'ambiance créée par vos compagnons de route, vous ne vous sentez pas un simple colis égaré, charrié d'un point à un autre, mais le compagnon bien vivant d'un groupe de pèlerins lancés à la découverte du monde, nantis d'un stock de nourritures terrestres, qu'ils vous feront partager au même titre que leurs idées générales sur la vie. Chaque fois que le car, dans un nuage de fumée, fait halte dans un village, c'est en leur joyeuse compagnie que vous descendez vous dégourdir les jambes, fumer une cigarette et — la durée de l'arrêt le permettant toujours — vous désaltérer dans l'auberge locale.

La femme dont j'ai recueilli dans mes bras le petit garçon est une jeune et jolie créature, tout de noir vêtue, un collier de perles majorquines mettant en valeur l'ivoire de sa gorge. Elle berce son dernier-né; j'ai hérité du cadet; quant à l'aîné, il doit tenter de survivre quelque part à l'avant du car. « Rien que des garçons », me confie-t-elle, avec la satisfaction d'une mère heureuse et comblée. Mais, tout en souriant à l'esprit de contradiction des hommes, elle ajoute que son mari désire maintenant une petite fille. Je lui demande s'ils ont choisi un nom pour cette enfant, dont je soupçonne déjà la présence parmi nous. « Oui », me répond-elle. Ils l'appelleront Pilar, ce nom que portent des milliers d'Espagnoles, en l'honneur de la Vierge de Saragosse, *Nuestra Señora del Pilar*. Ma compagne me croit américain. Une de ses cousines a émigré, me dit-elle. Elle vit à Rio de Janeiro. Pour elle, comme pour la plupart des Espagnols, il n'est d'autre Amérique que l'Amérique du Sud. Son mari est fonctionnaire à l'*Ayuntamiento*, l'hôtel de ville de Madrid. Si elle se rend à Tolède, c'est parce que ses vieux parents, qui y vivent, ont manifesté le désir de voir leurs petits-fils. J'imagine sans peine les étreintes infinies et les baisers sonores qui vont accueillir l'arrivée des trois *niños*.

La route de Tolède n'offre aucune particularité intéressante. Mais voici que, soudain, notre voyage s'anime, devient excitant, dangereux. Notre conducteur s'est mis en tête de dépasser une petite voiture obstinée qui, devant nous, tient avec application le milieu de la route. L'honneur est en jeu. Le klaxon lance un défi, et le tournoi commence. On feinte sur la gauche, on s'engage, on se rabat. Les vitesses grincent, les engrenages hurlent. Finalement, sur un coup de chance — *suerte, por Dios!* — un ultime effort nous projette victorieusement en avant, le temps d'un bref et triomphant

Un car attend les passagers dans l'aveuglante lumière du soleil de midi. Par suite de la chaleur et faute de pluie, les rues sont sèches et poussiéreuses. De chaque côté, les maisons s'entassent, côte à côte, pour créer un peu d'ombre. Les porches ouverts offrent un rapide aperçu de corridors dallés et de cours intérieures pleines de fraîcheur. Volets et persiennes sont fermés pendant le jour, et, le soir, les femmes bavardent de porche à porche ou sur leurs balcons étroits.

coup d'œil au vaincu, cramponné à son volant, et le pied écrasant l'accélérateur.

À Illescas, le car se vide de la moitié de ses passagers, et nous pouvons enfin respirer. Illescas, où des religieuses, aux robes éclatantes de blancheur, veillent jalousement sur quelques admirables Greco de la première période. Que je souhaiterais donc avoir le temps de les voir, mais, déjà, notre chauffeur bat le rappel, et, surgissant des *ventas* et des *posadas*, les voyageurs convergent vers le car.

Le paysage déroule le camaïeu de ses teintes ocres, une touche de bistre soulignant les hauteurs qui se profilent sur le ciel. Nous croisons des paysans, qui longent la route à dos de mulet. Dans les champs, la récolte, rassemblée en petites meules comme en Écosse, est chargée sur des ânes et entassée dans des charrettes tirées par des bœufs noirs. Nous faisons irruption dans de petits villages blancs; un grand clocher se dresse au-dessus des chaumières, et, sur la place, à l'arrêt du car, nous attendent des hommes en manches de chemise. Un sac leur est lancé, ou quelque mystérieux colis, cousu dans une toile de sac. Notre mission civilisatrice est accomplie. Nous repartons. Assises sur de petits tabourets, au seuil de leurs logis, les femmes cousent ou bien font de la dentelle, ne s'arrêtant que pour lever sur nous un regard empreint de gravité.

Enfin, nous nous arrêtons au pied d'un promontoire massif. Je sors de la voiture et regarde. Avec émerveillement, je découvre Tolède, campée avec majesté dans la lumière d'une fin d'après-midi comme un chevalier d'autrefois. La cité s'étage en gradins : amas de toits de tuiles roses, d'où les flèches des églises s'échappent vers le ciel bleu. Elle fait penser à une ville italienne des Apennins, mais en plus vigoureux : aucun cyprès ne vient adoucir les angles des terrasses. Notre car paraît se recueillir avant d'accomplir l'exploit de la journée : l'ascension de la colline tolédane.

Nous arrivons, au terme de notre randonnée, sur une place très ancienne. Dans des tavernes, sous les arcades, les Tolédans dégustent des glaces ou savourent leur café. Heureuse Espagne, où l'on trouve toujours le temps d'apprécier un café et où le labeur n'est pas forcément une vertu cardinale! Une formation de cars est alignée avec le nôtre le long des trottoirs. L'un d'eux arrive de Séville. Tous ont l'air de diligences attendant patiemment le palefrenier et le nouvel attelage. Et, bien sûr, voici les grands-parents dans leurs plus beaux atours, agitant leurs mouchoirs dans notre direction, le visage extasié, transportés de tendresse et de dévotion familiale. À peine les *queridoz niños* apparaissent-ils à la porte du car qu'ils disparaissent dans les bras du vieux couple, les cris d'allégresse fusant de toutes parts.

Pas de problème de taxi : le chasseur de l'hôtel charge mon sac sur son épaule. Traversant la place, il se dirige sur une venelle, étroite comme la lame d'un couteau. Au-dessus de nos têtes, les balcons tendent à se rejoindre. Mon jeune guide m'entraîne sur le cailloutis qui grimpe jusqu'à l'hôtel. J'escalade cinq étages en maugréant. Mais ma chambre m'offre la récompense. Du balcon, par-dessus le toit de la maison d'en face, m'apparaît un vaste panorama de la ville baignée dans une teinte ocrée, que les tours et les dômes offerts au soleil du soir rehaussent de leurs ors. Puis les cloches se mettent à sonner. Ce n'est pas un concert de cloches cristallines, ni de gais carillons, mais le bourdonnement de cloches austères, de cloches catholiques, grondeuses, ou presque. Dans une mansarde voisine, une jeune fille, aux nattes d'un noir de jais, écarte un rideau, me gratifie d'un sourire et, coquette, laisse retomber le voile. Quelque part, en bas, se fait entendre, aussi étrange que cela puisse paraître à Tolède, le miaulement d'un chat siamois. Ce chat, je finis par le localiser sur un balcon, à ma gauche. Ramassé sur lui-même, il lance vers le ciel sa plainte infantile et stridente. Et la voix des cloches courroucées continue à gronder sur Tolède, à se répandre dans les failles de ses rues, comme une onde urgente et vibrante, proclamant avec force : « Repentez-vous, misérables pécheurs; soyez attentifs à la gloire du Très-Haut! »

H. V. Morton.

La Castille est une région économiquement faible. Le niveau de vie des paysans y est bas. La plupart travaillent la terre, qui, à l'exception de quelques plaines fertiles, est aride et désolée. Leur vie est simple : les femmes aident leurs maris aux travaux des champs, et le lavage du linge à la fontaine, le tissage de la laine pour les vêtements comptent parmi leurs tâches domestiques.

L'antique cité de Tolède se dresse sur un promontoire granitique et surplombe une boucle du Tage. Elle est dominée par sa magnifique cathédrale gothique et son Alcazar.

Le Cap, ville des contrastes

Cette péninsule du Cap, qui sépare l'Atlantique de l'océan Indien,
était une escale où les marins trouvaient des produits frais.
Aujourd'hui s'y dresse une grande ville moderne
avec ses plages dorées et ses vignobles amoureusement cultivés.

Un très ancien poète du pays disait que la ville se trouvait « à l'extrémité de la terre »; elle est, de nos jours, à moins d'une journée de l'Europe. Si les distances ne constituent plus un obstacle, Le Cap n'oublie pas, au milieu de sa prospérité moderne, le temps où il n'y avait pas d'autre établissement blanc en Afrique du Sud.

La civilisation occidentale y prenait pied sur un continent immense; c'était encore le village, *Die Vlek*, et ses quelques centaines d'habitants blancs trouvèrent dans cet isolement géographique un motif de rapprochement. Les liens entre les familles furent noués si étroitement que pour les descendants la solidarité n'est pas un vain mot.

Et pourtant Le Cap n'a jamais été complètement coupé du reste de la terre, demeurant une ville cosmopolite, un port international. Les habitants sont toujours accueillants pour les étrangers.

La beauté impérissable de cette ville enserrée entre les montagnes et la mer, il faudrait l'admirer soi-même. Le *Kapenaar*, citoyen du Cap, sait bien, et le visiteur découvre vite, pourquoi sa ville est considérée comme l'une des plus belles du monde. Son décor et son climat sont incomparables. Loin de se considérer prisonniers entre l'arc de la baie et la montagne de la Table, les citadins ont la bonne fortune de jouir de la mer tout en étant à la porte de la campagne.

Au Cap se mêlent confusément l'Orient et l'Occident, le passé et le présent, le calme et le goût du travail. Du haut des mosquées du quartier malais, les muezzins annoncent l'aube en psalmodiant leur prière devant un ciel encore noir; le canon tonne toujours à midi, faisant lever aussitôt des familles entières de pigeons. Les mouettes aux cris rauques descendent Adderley Street contre le vent, les sirènes des navires rappellent l'existence du monde extérieur; et la torpeur qui s'abat sur les jardins et les rues par un chaud après-midi évoque le temps où tous les habitants respectaient l'heure de la sieste. Sous les arbres, les flâneurs écoutent avec ravissement le babil des écureuils et les roucoulades des pigeons. Au cœur d'une ville nouvelle et vivante, on sait encore aimer le charme rural.

Le passé de la ville donne son cachet au spectacle d'aujourd'hui. Il serait faux d'assimiler l'ancien au démodé ou à l'inutile, car une ville a besoin de traditions tout autant qu'un peuple ou une nation. Une valeur inestimable s'attache aux maisons construites à la main par des hommes qui avaient d'instinct le sens des proportions

Voici, dans False Bay, la plage de Muizenberg, l'une des plus belles du pays pour le surfing. L'océan Indien y est nettement plus chaud que l'Atlantique à quelques kilomètres de là.

51

Le Cap est pris entre la baie de la Table et une chaîne rocheuse (*de droite à gauche*, la colline du Signal, l'énorme montagne de la Table et le pic du Diable). Cette situation exceptionnelle lui interdit tout empiétement sur la campagne voisine. Port actif, centre industriel florissant, la ville reste circonscrite dans ses limites naturelles.

Le Heerengracht (allée des Gentlemen), large boulevard qui descend d'Adderley Street à la baie de la Table, était à l'origine un modèle du style colonial hollandais, avec au centre un canal bordé d'arbres. La taille des bâtiments modernes révèle le besoin de gagner de la place en hauteur.

53

La plus ancienne industrie du Cap, la vigne, fut introduite par Van Riebeeck, le « père » de la ville, et répandue par les huguenots français, qui installèrent au milieu des champs leurs ravissantes demeures de style hollandais. Le soleil, une terre riche et irriguée ont fait naître un grand choix de vins et de liqueurs.

architecturales. Les vieux bâtiments disparaissent souvent comme des châteaux de sable devant la marée impitoyable des besoins actuels, et sur les tombes s'élèvent des bureaux et des appartements. Mais grâce à des efforts individuels et collectifs, il reste suffisamment de vestiges pour ravir l'œil, exciter l'imagination et satisfaire ceux qui ont la nostalgie d'une époque plus heureuse.

A l'origine, simple escale de ravitaillement pour les navires, Le Cap continue à offrir quelque chose de vital, un refuge, loin des hivers glacés ou des étés tropicaux. Tel un prunier cafre en fleur qui attire les abeilles, la ville a vu accourir des habitants de tous les pays qui apportaient avec eux leurs talents et leur adresse.

Dès l'origine, Le Cap s'est installé autour d'un port, d'un jardin et d'un fort qui forment aujourd'hui le cœur de la cité moderne. Les jardins sont l'œuvre du premier chef de la colonie européenne, Jan Van Riebeeck. Au sommet d'Adderley Street, à deux pas des grands magasins, cet îlot de fleurs et d'arbres a toujours offert aux habitants un asile de fraîcheur et de délassement. Quelle que soit la position sociale ou la couleur de peau, on prend le soleil, on se pénètre des odeurs, les enfants donnent à manger aux écureuils. Le promeneur qui descend l'avenue du Gouvernement ou flâne dans les allées se croirait aisément dans l'ancien jardin de la Compagnie — celui-là même que cultiva Jan Van Riebeeck après son débarquement en 1652.

Cet homme arrivait d'un des pays les plus civilisés d'Europe et dut apporter dans ce désert chaque clou, planche, pelle et gramme de semence végétale à bord de son *Dromedaris* de 200 tonneaux. Il servait depuis treize ans la Compagnie hollandaise des Indes, l'une des puissances commerciales de l'époque, qui lui avait confié une double tâche. Il devait construire une forteresse pour protéger le port, et créer un potager pour ses hommes et les besoins en légumes frais des navires de passage.

Ils étaient 125 ouvriers, avec 25 femmes et enfants, 9 maçons, 54 soldats et marins armés, et 8 jardiniers qui peinèrent pour faire pousser les petits pois, haricots, radis, salades, fenouil, endives, etc.

Aujourd'hui, quand on regarde le château, prisonnier des lignes de chemin de fer et écrasé par les bâtiments modernes, on ne reconnaît guère ce qui fut le cœur d'une colonie. Il a été conçu comme place forte, et a contrôlé le port et l'arrière-pays. Pourtant, il n'a jamais été assiégé ni attaqué, et n'a jamais tiré un coup de canon. Une fois la porte franchie, le double rôle civil et militaire joué par ce château apparaît. En effet, on y a installé le siège du gouvernement, la résidence du gouverneur et le commandement militaire.

Van Riebeeck quitta Le Cap pour Batavia, et, quatre ans plus tard, en 1666, la construction commença. Pendant une douzaine d'années, les travaux avancèrent plus ou moins selon les fortunes de la guerre. La population entière s'y consacra : même le gouverneur, sa femme et son jeune fils portèrent des paniers de terre jusqu'aux remparts. Pour stimuler les bâtisseurs, on offrit 8 barils de bière locale et 100 pains, sans oublier un sac noir contenant 36 rixdales par personne. Au soir du premier jour de travail, il fallut rôtir 6 moutons et 2 bœufs pour le festin.

La Grande Porte, avec sa herse et sa tour de l'horloge, est due au talent du plus célèbre gouverneur du Cap, Simon Van der Stel. Il fit condamner la première porte qui donnait sur la mer, par souci de sécurité, et s'inspira, pour la remplacer, de l'ancienne porte de Dordrecht en Hollande. La cloche appelait les bourgeois à la manœuvre dès quatre heures du matin et sonnait le soir à neuf heures et demie pour annoncer la fermeture des portes du château. Elle était maniée par deux veilleurs, ou *rondgangers*, qui se servaient pour mesurer le temps d'un sablier lui-même réglé sur les cadrans solaires. La grande cloche sonnait toutes les heures.

Le lever officiel du jour et le couvre-feu étaient indiqués par un coup de canon tiré des remparts. A ce signal le guet des Crécelles, institué par Simon Van der Stel, s'assemblait devant la Maison des Bourgeois et protégeait la ville durant la nuit.

Ces hommes portaient mousquets, lanternes et crécelles, et patrouillaient les rues sombres et endormies en criant *Wel te rusten* (Dormez bien). Un texte leur ordonnait : « Dès qu'un désordre ou méfait sera remarqué, vous devrez agiter vos crécelles et crier bien haut : « Au meurtre! Au voleur! », ou pousser tout autre cri approprié. » Les bourgeois devaient ainsi empêcher les rixes, les vols, secourir le marin ivre sur le point de tomber à l'eau, lever les vannes en cas de tempête, et arrêter l'esclave circulant sans laissez-passer de son maître.

La baie de la Table était peut-être déjà un ancrage au temps des Phéniciens, mais il est certain que, lorsque Vasco de Gama découvrit que la route de l'Orient passait par le cap des Tempêtes, les navires commencèrent à affluer, cherchant de l'eau, cueillant des sacs entiers d'oseille et de feuilles de moutarde pour les marins scorbutiques. Un navigateur anglais, sir James Lancaster, voulut, en 1601, acheter du bétail aux Hottentots vivant de l'autre côté de la baie. Ignorant leur langue, il se mit pourtant à leur parler en langage animal, faisant bêê et meuh, ce que les indigènes comprirent fort bien sans interprète. Il put ainsi acheter 1 000 moutons et 42 bœufs.

La province du Cap est renommée pour ses vignobles. L'un des plus grands domaines viticoles, à quelques kilomètres de la ville, fut créé par Simon Van der Stel. Il y avait été nommé en 1679 comme commandant du poste, puis élevé au rang de gouverneur. Du point de ravitaillement prospère fondé par Van Riebeeck, il fit une colonie, malgré les réprimandes du Conseil des Dix-Sept à Amsterdam qui lui reprochait de dépenser les fonds publics à embellir ce port! Cet administrateur éclairé fonda Drakenstein, Paarl et Stellenbosh; il poussa l'amour de l'art jusqu'à emmener ses musiciens en 1685 dans son expédition au Namaqualand. Ce fut la première grande expédition à l'intérieur des terres.

A son retour il reçut en récompense 1700 arpents de terre fertile dans une région qu'il avait choisie soigneusement. Pensant à la vigne, il avait envoyé en Hollande des paniers contenant divers échantillons de terre du Cap. Après des examens scientifiques, il choisit la vallée Constantia, et le constantia devint vite célèbre.

Bien des années plus tard, quand une partie du domaine fut achetée par Hendrick Cloete, un connaisseur anglais assura que ce vin était « un feu qui luisait et réchauffait sans brûler ». Napoléon à Sainte-Hélène aimait tant le constantia qu'à un moment il en consommait avec son entourage vingt-quatre bouteilles par jour, si bien que le gouverneur de l'île leva les bras au ciel devant la dépense. Hendrick Cloete, l'un des premiers exportateurs de vin, fut aussi un mécène, accumulant l'argenterie, la verrerie, les coffres, les sièges. Il agrandit et embellit la maison que Van der Stel avait construite sept ans avant sa retraite en 1692, et y reçut ses invités avec une hospitalité proverbiale.

Le Cap est avant tout une ville de contrastes. Un instant l'air embaume, le soleil luit, les nuages sur la montagne flottent comme des duvets, et la mer se fait berceuse. Puis tout change. Les traînées de fumée provenant des grandes cheminées dans la rue des Docks semblent s'incliner sous le vent, le ciel vient d'ouvrir ses cataractes, les montagnes se perdent dans les nuages, les arbres s'agitent frénétiquement et la mer bondit sur la digue comme une tigresse.

Au Cap, le charme du jour fait place à la beauté de la nuit lorsque la mer scintille sous les lumières de la ville; mais pour ceux qui habitent au flanc de la montagne de la Table, rien n'égale le petit matin. Les lumières s'éteignent une à une, les rainettes se taisent et les oiseaux lancent leurs premiers appels. La ville dort encore sous une douce couche de brume qui va se lever et se disperser avec le soleil; un ciel transparent comme la gaze se déploie sur tout l'amphithéâtre de la baie et la montagne de la Table dresse son rempart protecteur au-dessus de la cité paisible.

JOY COLLIER.

Il y a 300 ans, la colonie du Cap manquait de main-d'œuvre, et les Hollandais commencèrent à faire venir des Malais. Cette population d'habiles commerçants a ses mosquées et reste fidèle à l'islam.

Une jeune Aka des montagnes de l'Est, près de la frontière laotienne.

Une étudiante Jinghpaw, diplômée de l'université de Rangoon, avec ses bijoux d'argent.

Ce guerrier Naga porte un casque en fourrure d'ours qu'ornent les défenses d'un sanglier et le plumage d'un calao.

Au pays des pagodes

Les Birmans sont réputés pour leur gaieté, leurs vêtements aux couleurs vives,
leur hospitalité et leur amour des festivals. Tout aussi pittoresques sont
les nombreuses races qui vivent dans les collines bordant la plaine centrale
de Birmanie. Elles ont leur langage distinct, leur musique et leur histoire.

Minorités ethniques de Birmanie

Dans les montagnes de Birmanie, loin des pagodes dorées et de la trépidante vie
urbaine de Rangoon et de Mandalay, on trouve des peuplades dont les origines se
perdent dans les ténèbres lointaines de l'histoire peu connue de l'Asie du Sud-Est.
Les indigènes les plus impressionnants à regarder sont les Nagas, doués pour la
guerre et bons vivants en temps de paix, avec une prédilection pour la musique et
les danses tribales. Ils habitent dans les montagnes du Nord-Ouest de la Birmanie.

Au Moyen Age, ou plus tôt encore, quand l'oppression chinoise se fit sentir trop
cruellement, de nombreuses tribus émigrèrent du Nord. Ce fut le cas pour les Chans,
qui forment, comme les Birmans eux-mêmes, un peuple gai et heureux. Pour la
plupart, ils vivent sur le plateau de 158 000 kilomètres carrés que constituent les
États des Chans dans le Nord-Est de la Birmanie. Les Chans ont leur histoire ; au
IXe siècle ils quittèrent Nanchao, en Chine, pour descendre en Birmanie.

Les plateaux Chans abritent de nombreuses autres tribus. Il y a les Kayahs, fermiers courageux, les gracieux Padaungs, dont les femmes portent des anneaux de
cuivre pour s'allonger le cou, et les Was, qui avaient la sinistre réputation, dans les
années passées, d'être des chasseurs de têtes. Les Ekaws sont de bons tailleurs de
pierre. Le mot « Ekaw » a une résonance péjorative signifiant sauvage et c'est ainsi
que les Birmans appelaient les membres de cette tribu; mais eux-mêmes s'appelaient
Akas. Dans cette région vivent aussi les rudes Yimbaws.

Des montagnes du Nord viennent ceux communément connus sous le nom de
Kachins. De la même manière que le mot Akaw, celui de Kachin est péjoratif. Quand
il s'agit d'eux-mêmes les Kachins disent Jinghpaw. Ils prétendent être descendus des
sommets neigeux du Tibet, là où l'Irraouaddi prend sa source, il y a 1 200 ans environ.

Les peuplades chrétiennes Karens et Mons se trouvent dans le Sud et le Sud-Est.
Autrefois, les Mons étaient les grands éducateurs de l'Asie du Sud-Est. Ce sont
eux qui enseignèrent aux Thaïs, aux Khmers d'Angkor et aux Birmans l'architecture
et la religion bouddhistes. Ce fut grâce à leurs connaissances, à leur habileté et à leur
dévouement que leurs oppresseurs les Birmans, il y a 1 000 ans, furent à même de
construire la cité de Pagan, dont les ruines sont comparables à celles d'Angkor.

STEWART WAVELL.

Une vieille femme de la tribu des Kachins, sur une route près de la frontière chinoise. Seules les personnes âgées s'habillent encore de cette manière quotidienne-
ment. Les plus jeunes gardent ces costumes d'apparat pour les grandes occasions.

Une renommée ancestrale : la musique birmane

Un orchestre Mon classique exécute de la musique vieille de plus de mille ans. L'instrument à trois cordes du premier plan est un « crocodile », l'un des rares que l'on utilise encore. Cet orchestre joue à Zingyaik, près de l'antique capitale Mon de Thaton.

Des jeunes filles Padaung chantent accompagnées par des orgues à bouche. Les anneaux de cuivre qu'elles portent autour du cou sont non seulement des artifices de beauté, mais constituent également une protection contre les tigres et autres bêtes féroces, qui, dit-on, ne se risquent pas à se casser les dents sur cette armature de métal.

Les Mons retracent l'histoire de leur peuplade à l'aide de danses et de chants. Ces Mons, sur l'île de Chaungzon, de l'autre côté de l'eau, en face de Moulmein, sont en train d'évoquer la naissance du royaume de Pegu.

Cette charmante étudiante de l'école des Beaux-Arts de Mandalay joue de la harpe birmane, gracieux instrument en forme de bateau, qui, avec ses treize cordes, est l'un des plus anciens de ce pays.

Bienvenue dans les îles grecques!

Dans les îles grecques, et particulièrement dans les plus petites, on assiste, au début de l'été, à une intense activité de remise à neuf : les maisons et les tavernes sont repeintes, les vieux bateaux sont astiqués, et c'est moins une question de routine, comme dans les stations plus importantes, que d'enthousiasme toujours grandissant.

A la fin du mois de juin, il y a du mouvement dans les îles grecques : on est impatient d'y voir commencer la saison touristique. Les petits hôtels, à Skiathos et à Skopelos, au nord des Sporades, ont été repeints; ils sont prêts, ils attendent. Dans les maisons particulières, partout dans Skiathos, on s'entasse pour libérer quelques pièces. Chaque famille qui a pu ainsi gagner une chambre s'affaire à la nettoyer et à l'embellir, retournant les matelas, mettant du linge neuf tandis que des plombiers s'ingénient à remettre en état ces installations étranges que les touristes jugent indispensables : le cabinet de toilette et même, dans certains cas, la douche.

Le long des quais sont alignés les caïques destinés aux promenades. Ces bateaux munis de bancs et de grandes tentes assurent un transport rapide des passagers vers les plages de Lalaria et de Koukounaries, ou leur font faire le tour des îles jusqu'à Kastron et Akladie. Dans quelques semaines, chaque matin vers neuf heures, le port présentera l'aspect de quelque bataille navale du Moyen Age. La plupart des caïques ont des tuyaux d'échappement qui ressemblent à des canons, dépassant horizontalement de chaque côté à hauteur du pont. Quand les moteurs sont mis en route, on dirait que les bateaux, vomissant des nuages de fumée, se livrent à des échanges d'artillerie à bout portant.

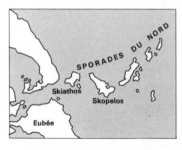

Dans les tavernes des deux îles règne aussi une agitation fébrile; leurs propriétaires ont engagé à Volos, ville du continent, des serveurs, professionnels vêtus de noir et passés maîtres dans l'art de jongler avec les assiettes comme avec les ordres. Ils seront debout quatorze heures sur vingt-quatre, tandis que le patron, lui, sera heureux de pouvoir dormir au maximum deux heures. Skiathos est prête. Quelques touristes débarquent déjà du *Paskhalis* et sont acheminés, avec une exquise politesse, vers leurs chambres ou leurs tables, tandis que pêcheurs et gens du pays arrêtent leurs conversations pour regarder ces nouveaux venus avec un intérêt particulier qui sera bientôt émoussé, sinon tout à fait éteint, par le nombre des arrivants.

A Skopelos, les préparatifs sont les mêmes qu'à Skiathos, mais ils sont moins évidents : l'atmosphère fiévreuse si frappante dans l'île sœur n'existe pas. Georges

La terre des îles grecques est dure à travailler, et les méthodes n'ont guère changé au cours des siècles. Peu de fermes sont aussi prospères que celle-ci, située près d'Apollonia, dans l'île de Sifnos, une des Cyclades au large du Péloponnèse, au sud-est d'Athènes.

61

La mer Égée est riche en poissons, rougets, thons et minces orphies aux arêtes couleur de jade qui, comme notre merlan, ont un goût délicat si elles sont mangées rapidement après avoir été débarquées. On y trouve aussi des langoustes, des crabes et des poulpes.

Le port et ses quais sont le centre des activités à Paros, comme dans toutes les îles grecques. Mais il n'en a pas toujours été ainsi. Quoique les ports aient les mêmes noms et soient situés aux mêmes endroits que dans l'Antiquité, peu de constructions sont antérieures au milieu du XIXᵉ siècle. Les Turcs, après la prise de Constantinople au XVᵉ siècle, n'ont fait aucun effort pour protéger les îles contre les pirates et les corsaires. Leurs habitants durent quitter les côtes pour se réfugier dans un *kastro*, ou ville fortifiée, à l'intérieur des terres. La sécurité ne revint que lorsque la Grèce eut acquis son indépendance, en 1829. Les anciennes activités relatives à la pêche, comme la confection des filets, la réparation des voiles et la construction des bateaux, furent vite reprises quand les insulaires quittèrent le kastro, dans les collines, pour reconstruire leurs ports.

Kaliantzis a entrepris la fabrication de ses splendides gâteaux au chocolat, des *baklava*, des *kataifi* et autres merveilles. Sa petite silhouette blanche est maintenant familière; le matin, sous les platanes, on le voit sautiller avec son plateau de *tiropidhes* (triangles de pâte feuilletée chaude fourrés au fromage) et les gens ont déjà commencé à supputer, en chuchotant, les bénéfices étonnants qu'il va faire cette année encore.

De l'autre côté de l'atelier de Yorgo, Yannis le fou rassemble tous les membres féminins de sa famille : sa tante, sa mère, sa femme; si, seulement, elle pouvait marcher, il embaucherait bien sa grand-mère! Il leur distribue leurs tâches derrière le comptoir ou au milieu des marmites de cuivre, et il s'assied en secouant la tête d'un air désespéré. Rien d'étonnant à ce que Yannis soit agacé avec toutes ces femmes qui jacassent autour de lui! Lui aussi, il a engagé, cet été, un serveur à Volos, un jeune gaillard nommé Stephanos, déjà populaire à cause de son sens de l'humour, et puis il y a les deux gamins, Spyraki et Onouphri, si petits que, lorsqu'ils galopent vers vous avec une pile d'assiettes sur les bras, vous vous demandez si vous vous trouvez en face de personnages sortis d'une bande dessinée ou si vous allez être attaqué par une armée d'assiettes à jambes! Toute cette équipe est au point.

« Ce ne sera pas comme l'année dernière, oh! non », me dit Yannis avec une fermeté soudaine tandis que je sirote le verre de vin qu'il m'a offert. L'année précédente, il avait dû tout faire lui-même, aidé seulement d'un jeune garçon qui, un soir, au moment du coup de feu, s'en alla, tout simplement. Les clients qui attendaient leur dîner étaient si furieux que Yannis avait été obligé de se réfugier derrière ses fourneaux fumants, et là, en face des dîneurs affamés qui avaient quitté leur table et faisaient irruption dans sa cuisine, il restait sans paroles, levant les bras au ciel dans un geste de désespoir, tandis que dans son visage bon enfant seuls ses yeux, qu'il roulait dans tous les sens, trahissaient l'angoisse qui l'étreignait.

Le gros de l'été ne convient ni à Yannis ni à sa taverne. Il est au mieux de sa forme quand il y a peu de monde et qu'il a beaucoup de temps : au début du printemps, en automne et en hiver, quand un vent froid souffle au-dehors et que des gouttes d'eau salée éclaboussent les fenêtres; à l'intérieur, l'atmosphère est chaude,

Un pêcheur vérifie ses filets. Ensuite il les pliera dans des paniers; ainsi il pourra les jeter à la mer sans qu'ils s'embrouillent. A Skiathos, les ouvriers construisent des caïques en se servant, en guise de plans, de la maquette en bois d'un demi-bateau, comme dans les arsenaux anglais, au XVIIIᵉ siècle.

L'ingéniosité dont font preuve les marchands ambulants pour utiliser chaque recoin d'ombre, chaque renfoncement susceptible de protéger leurs marchandises, n'a d'égale que la variété de ce qu'ils offrent : olives, raisins, bonbons fourrés aux noix ou parfumés à l'anis, gâteaux aux amandes, viandes fumées et aromatisées aux herbes et à l'ail. Chaque île a sa spécialité.

amicale, pleine d'odeurs qui vous mettent en appétit. Yannis est dans la salle, il raconte des histoires qui amusent ses hôtes, s'assied avec eux, à leur table, leur offre une demi-bouteille d'excellent vin, parle, sourit, écoute.

Un hiver, la cheminée de sa taverne prit feu. Les flammes et la fumée jaillissaient du toit, et les voisins, craignant que les étages supérieurs ne prennent feu, furent saisis de panique. Une foule excitée s'était assemblée, et, pendant deux heures, ce fut l'affolement, chacun criant, hurlant des conseils, transportant des seaux d'eau depuis le port et les vidant sur la taverne, se cognant les uns aux autres ; tout le monde, sauf Yannis. Le pauvre Yannis, lui, était étendu sur le quai : il s'était évanoui !

On parle aussi beaucoup de Grigor et du pavillon modern style construit par le gouvernement, pour les touristes, près de la plage. On disait que, finalement, ce serait un restaurant et que Grigor, aidé de sa femme, en serait le gérant. J'en eus confirmation par Grigor lui-même, que cette affaire avait transformé en un homme submergé par le travail, les soucis et les responsabilités.

Aujourd'hui, Mitsos est venu dans le port de Skopoulos avec son magnifique bateau à moteur, la *Doxa* (mot qui signifie merci), long de douze mètres, recouvert d'une peinture brillante bleue et blanche, et muni, à l'intérieur, de vieilles banquettes d'autobus. Au printemps, la *Doxa* était à côté de l'*Astarte*, sur la plage de Vassiliko. Pendant que j'enduisais la quille de l'*Astarte* — et moi-même — d'une peinture protectrice, Mitsos tendait de longues bandes de carton sur le toit de la cabine et peignait le bas du bastingage, à l'arrière, avec une peinture d'un blanc éclatant. Comme beaucoup de Grecs des Sporades, Mitsos est un blond aux yeux bleus. Son sourire sympathique dénote une nature spontanée. Il m'annonça, un beau jour, que, dorénavant, je lui apprendrais l'anglais.

Mitsos a eu quelques ennuis avec son bateau. Il l'a construit à Alonnisos et l'a pourvu ensuite d'un moteur Diesel allemand récupéré je ne sais où, très puissant, et si lourd que lorsqu'il l'eut installé à l'arrière la proue pointa dans les airs, donnant au bateau une allure inhabituelle. Depuis l'été dernier la position du moteur a été changée, mais, malheureusement, cette fois-ci c'est l'avant qui est immergé, ce qui donne lieu à d'autres plaisanteries. Ce déséquilibre n'empêche pas Mitsos de pousser sa *Doxa* à plus de neuf nœuds, ce qui est rapide, vu la taille du bateau. Il peut embarquer trente personnes assises confortablement, à condition, toutefois, que la mer soit calme.

La *Doxa* est maintenant à quai à Skopelos. Tout est prêt. Mitsos boit de l'*ouzo* avec moi, à la terrasse du café d'Evangelo.

Nous concentrons notre attention sur les deux petits bateaux de plaisance nouvellement peints et garnis de sièges aux coussins bleus et jaunes, amarrés près de la *Doxa*. Des pancartes, grossièrement écrites, préviennent qu'ils ne sont pas à louer. L'un s'appelle *Andromytos* (l'Intrépide), l'autre *Courageux-Capitaine-Yiorgo*. Des bouquets de fleurs, dans des vases de plastique, ornent une des proues, et sur le siège arrière de l'un des deux bateaux il y a, dans un cadre d'argent vieilli, la photographie d'une femme aux cheveux blancs vêtue d'une robe longue. La photographie semble avoir été prise aux environs de 1900. Je demande à Mitsos qui cela peut être. Celui-ci est décidé à faire n'importe quoi pour me distraire, aussi nous levons-nous tous les deux et allons-nous voir de plus près. Un vieil homme à cheveux gris, assis dans le bateau, fourbit des cuivres. C'est le courageux capitaine Yiorgo en personne : il a donné, comme cela arrive souvent, son nom à son bateau. Il lève les yeux vers nous quand nous lui parlons. « C'est ma mère », dit-il avec fierté. Et, tandis que je murmure quelques mots d'admiration, il baisse de nouveau la tête et reprend son occupation.

De retour à Skiathos, je prends un café sur le port avec Gus, et nous commentons les perspectives de la saison qui commence :

— Plus de monde que jamais, je pense, dit Gus.

Les pittoresques moulins à vent sur les collines, à l'intérieur de Mykonos, avec leurs douze voiles semblables à des drapeaux, sont rarement utilisés de nos jours. La plus grande partie du grain est envoyée sur le continent pour y être moulue.

Vue sur les toits de Patmos, du haut du monastère. Cette île est la plus septentrionale du Dodécanèse, au large de la côte ouest de la Turquie. On raconte que le monastère a été construit à l'endroit même où saint Jean dicta son Apocalypse. Les moines montrent avec respect une fissure dans le roc produite, dit la légende, par la voix de Dieu.

A la différence des Cyclades — les îles brûlées par le soleil — les Sporades septentrionales : Skiathos, Skopelos et Skyros, sont très boisées. Et l'ombre est la bienvenue lorsque, au mois de juillet, la température commence à s'élever au-dessus de 30°!

Mais, en fait, il n'est pas content. Il aime aider les touristes, surtout les Anglais et les Américains, il aime bavarder avec eux. Mais, quelquefois, les touristes le soupçonnent de vouloir leur soutirer quelque chose, bien que cela ne les empêche pas d'avoir recours à lui quand ils en ont besoin. A quelqu'un qui veut louer une chambre, louer un bateau ou aller sur le *kastro*, on dit : « Allez demander à Gus ». Et Gus leur rendra le service requis, s'attirant le plus souvent des ennuis sans fin en marchandant avec la propriétaire de la chambre ou avec celui du bateau, car il veut être sûr que l'étranger paiera un prix raisonnable. Souvent, s'il s'agit d'une expédition dans l'île, Gus non seulement vous trouvera les mules, mais encore vous accompagnera et sera votre guide.

Voici le rêve que Gus caresse et dont je suis un adepte enthousiaste : devenir en quelque sorte l'interprète officiel de l'île. Il serait certainement intéressant pour les touristes de trouver quelqu'un parlant anglais et pouvant les aider à résoudre leurs problèmes. Le projet est de louer un petit bureau à côté du bazar de Jimmy Delhiyanni — Jimmy est le représentant officiel de l'office du tourisme à Skiathos — et d'y apposer une grande pancarte : INTERPRÈTE. Jimmy est tout à fait d'accord, mais il faut obtenir la permission d'Athènes, et ce sera long!

D'ailleurs, Jimmy est bien plus intéressé par sa dernière « trouvaille » pour touristes.

— Que pensez-vous de mes amphores? (Il était très excité.) Venez voir : vraiment anciennes, vieilles de milliers d'années.

J'allai voir; il en avait acheté un certain nombre à des pêcheurs et il les avait installées par terre, près du comptoir. Certaines, qui atteignaient un mètre, étaient proposées à des prix exorbitants. La plupart, incrustées de débris marins, avaient des formes ravissantes; mais je fus très étonné de voir que sur d'autres Jimmy avait tout bonnement, et très soigneusement, collé un certain nombre de coquillages.

— Alors, dit-il, se reculant d'un pas, l'air triomphant, sont-elles jolies?

— Oui, mais pourquoi avoir ajouté ces coquillages?

— Qu'est-ce qui vous gêne dans ces coquillages?

J'essayais de lui montrer quelques ajouts manifestes qui risquaient d'ébranler la confiance du touriste le plus crédule, mais il écarta avec impatience mon objection (peut-être un peu naïve!).

— Mais vous ne comprenez pas, dit-il. Regardez, ils peuvent choisir celles qu'ils préfèrent, avec ou sans coquillages.

Pendant ce temps Gus secouait la tête d'un air triste en marmonnant :

— Ils penseront que nous sommes tous des requins, oui, des requins.

Il est bien évident que, quelle que soit la décadence morale qu'entraînent les touristes dans leur sillage, leur présence donne aux insulaires l'occasion de voir, de faire, de penser des choses nouvelles, et d'en parler. Ils sont un centre d'intérêt, et il ne se passe pas d'été sans que surgisse un événement inhabituel étroitement lié à leur présence. L'ennui est que, à Skiathos comme dans tant de petites communautés où gagner de l'argent sur le dos des touristes est devenu une habitude, les insulaires ont tendance à considérer ces nouveaux venus non pas comme des individus, mais comme des objets, comme quelque chose dont on vit. A Skopelos, ce palier n'a pas encore été atteint et les indigènes ne sont pas cyniques : ils réagissent en face des étrangers comme en face de n'importe qui; ils les aiment ou ils ne les aiment pas, mais ils ne restent pas indifférents.

MICHAEL CARROLL.

Une vieille femme de pêcheur à Rhodes. Quoique les jeunes se soient émancipées, suivant en cela les idées du XXᵉ siècle, les femmes plus âgées portent encore le traditionnel costume noir et conservent l'attitude soumise imposée par les Turcs.

Les insulaires profitent de la fraîcheur de la soirée. En été, les îles sont vivifiées par le *meltemi*, le vent du nord de la mer Égée, qui leur apporte de la fraîcheur.

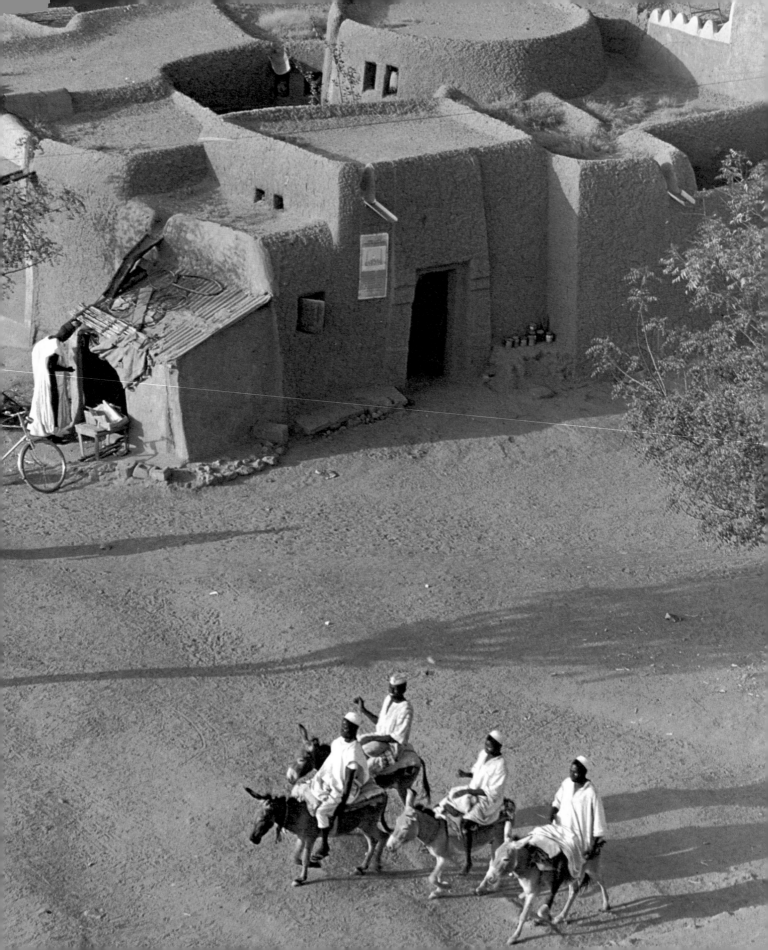

Images de l'artisanat en Nigeria

Les treize provinces de la Nigeria du Nord constituent une mosaïque de races diverses, parmi lesquelles les Haoussas, les Yoroubas et les Foulani. Des villes modernes, comme Kaduna, la capitale, se développent à côté de simples villages, et l'artisanat traditionnel survit près d'industries évoluées.

Types raciaux de la Nigeria du Nord : une jeune fille de Kafanchan et un vieillard de Funtua.

Maisons de la ville de Kano. Kano, entourée de murailles arabes, est la capitale d'un émirat d'environ 6 millions d'habitants.

71

Les puits
à teinture
de Kano

A Kano, on produit des étoffes de couleurs caractéristiques, sur des motifs traditionnels. Les puits où se trouve la teinture, profonds d'environ 4,50 m, sont creusés dans la roche. Le coton encore blanc *(en haut, à gauche)* est teint de pur indigo végétal, mélangé à de l'eau froide. Les stries blanches *(ci-contre)* s'obtiennent en cousant des parties de l'étoffe, de manière à empêcher la pénétration de la teinture. Pour parvenir à une décoration plus complexe *(en haut)*, on use d'une technique voisine du *batik* javanais : on trace sur l'étoffe un motif avec de la cire, de façon que la teinture s'écoule en laissant en blanc des dessins assez compliqués.

Potiers de Funtua

Funtua est un des centres où l'on fabrique les jarres que les femmes de la Nigeria du Nord portent avec grâce sur leur tête. L'argile en provenance des puits est transportée à dos d'âne, sur des distances de quelques kilomètres. Les diverses phases de la fabrication des poteries sont représentées ici.

En pèlerinage
au château de Hamlet

Le château d'Elseneur, cadre de *Hamlet*, domine le détroit
qui sépare la Suède du Danemark. Shakespeare y fut-il avec sa troupe d'acteurs ?
Il trouva sans doute à Elseneur la demeure idéale de son héros : la situation
du château et la terrasse, décor possible des apparitions du spectre.

Souvent, les abords des plus beaux sites sont lugubres. On atteint Gibraltar après avoir traversé l'une des villes les plus misérables d'Espagne ; à Rome, le prestigieux Panthéon est lui-même encastré dans de petites rues étriquées et encombrées. Mais la grand-route de Copenhague à Elseneur, avec ses quarante-cinq kilomètres le long des eaux bleues de l'Oresund, où voguent de nombreux navires face à la côte de Suède, est l'une des visions les plus enchanteresses qui soient. A son extrémité, on aperçoit les toits verts et élancés du château de Hamlet.

Le véritable Hamlet ne connut jamais Elseneur. Près de sept siècles avant la construction du château de Kronborg, on l'enterra sur l'îlot de Mors, dans le beau fjord de Lim. En réalité, il s'appelait Amleth. Il était fils unique d'un chef de tribu, assassiné par un frère qui convoitait à la fois son pouvoir et son épouse. Agé de dix-neuf ans, Amleth, prince et marin, se rendit compte qu'il gênait les desseins de son oncle et qu'il allait disparaître à son tour. Subitement, il eut recours à la ruse. Il fit semblant d'avoir perdu la tête. Il passa des journées entières assis dans les cendres de la cheminée monumentale et fit à tous des réponses sans suite. Mais les soldats de la garde privée de l'usurpateur aimaient toujours beaucoup Amleth ; ils devinèrent son secret, semble-t-il.

Un soir, il s'arrangea pour les enivrer tous. Pendant qu'ils dormaient, il s'empara d'une épée, se faufila dans les appartements de son oncle et le tua. Puis il parut devant le peuple et raconta comment ruse et patience lui avaient permis de venger son père. Joyeusement, tous acclamèrent leur nouveau chef.

C'est là le type du conte populaire, dépourvu de tout raffinement. Ophélie n'y figure point. Mais, de génération en génération, les Danois se plurent à raconter à leurs enfants la vie de ce jeune prince qui triompha grâce à son ingéniosité. Cette histoire connut un grand succès.

Au cours des trois cents années qui suivirent, le Danemark se convertit à une religion nouvelle, le christianisme, qui contribua à détourner les gens de leurs humbles origines. Saxo Grammaticus, disciple danois de la « Nouvelle Révélation », se prit à craindre que l'émotion religieuse ne fît oublier les vieilles épopées nationales. Aussi rassembla-t-il les plus célèbres et les transcrivit-il sur parchemin en latin châtié. L'une d'entre elles était l'histoire du jeune prince Amleth. Cela se passait vers l'an 1200.

En 1601, grâce au génie de Shakespeare, cette épopée, vieille de sept cents ans,

Au XVIᵉ siècle, le roi Frédéric II demanda à des architectes hollandais de reconstruire le château de Krogen. Ce palais imposant, que l'on nomme maintenant Kronborg, est un bel exemple d'architecture Renaissance.

devint la tragédie la plus célèbre de la langue anglaise, car elle reflétait bien des aspects de la nature humaine. Mille ouvrages expliquant le déroulement du processus créateur nous en apprendraient beaucoup moins que la comparaison de *Hamlet* avec l'esquisse de Saxo, dans sa chanson de geste originelle. Shakespeare rejeta tout ce qui ne pouvait pas tenir le public en haleine; sous sa plume, le prince devint un charmeur, et, exploitant les idées baroques et brillantes de son héros, il en fit l'écho de son propre génie transcendant.

Quand Shakespeare commença à écrire *Hamlet*, le décor avait été disposé à son intention de façon presque miraculeuse. Le Danemark, alors une des puissances européennes les plus importantes et les plus riches, avait achevé la reconstruction de la superbe forteresse, en même temps demeure de plaisance, située à l'entrée de la mer Baltique et connue sous le nom de Kronborg (le château de la Couronne).

C'était le joyau du royaume. A la tête de cette forteresse se trouvait un tout jeune prince, remuant, véritable émule de Léonard de Vinci. Plus tard, il devait régner sous le nom de Christian IV, grand amateur de vin et de jolies femmes, bourreau des cœurs, bel esprit, doué pour les langues, inventeur de plusieurs types d'orgues et architecte hors de pair. La plupart des célèbres palais de Copenhague portent encore aujourd'hui le monogramme bien connu : le chiffre 4 entouré d'un C majuscule ; Christian signait ainsi ses œuvres. Copenhague, c'est la ville de Christian IV. D'un petit port de commerce, il fit la capitale des pays du Nord. Il aimait passionnément la musique et le théâtre, et le soir, au printemps, il faisait jouer des quatuors à cordes dans le Petit Salon d'Elseneur, à la lumière des chandelles. L'été, des acteurs venus de tous les points de l'Europe montaient des pièces dans la vaste cour centrale, où pouvaient tenir trois mille spectateurs assis. Parmi ces acteurs, on comptait la troupe du Globe, de Londres.

Quand j'ai visité Elseneur, je me suis trouvé avec le gouverneur du château, le colonel Gabel-Jorgensen, sur les larges remparts, envahis par l'herbe, là où Shakespeare situe la scène entre Hamlet et le spectre de son père. Le colonel me montra la rue qui pousse dans la maçonnerie. (C'est le seul endroit au Danemark où croît cette plante.) Le colonel trouvait extraordinaire que Shakespeare en eût su le nom danois : *rude*, qu'on prononce plus harmonieusement *roôtha*, même si, dans la tragédie, il l'écrivit *rood*. Gabel-Jorgensen jeta un coup d'œil sur la forteresse et dit :

— Quand il choisit ce magnifique palais comme décor de *Hamlet*, Shakespeare nous a fait la plus belle faveur qu'un artiste ait jamais accordée à un pays étranger.

En vérité, il est d'une beauté prodigieuse avec ses tours et ses clochetons de rêve, ses majestueux remparts rose brique semblables aux murailles de Rome et ses étendues de toits en cuivre vert; on dirait des prairies en pente se détachant sur le ciel. C'est une forteresse maritime, bâtie sur une presqu'île qui s'avance dans l'Oresund. La mer en baigne deux façades et lui communique ses humeurs. J'ai vu le château par tous les temps : sous la bruine grisâtre, il semble ramassé et menaçant; sous le soleil éclatant, ses clochetons verts paraissent plus élevés que d'habitude et ils miroitent dans la splendeur du ciel. D'autres fois, je l'ai vu de la mer, au clair de lune. Les toits, verts comme l'herbe au printemps, semblent rêver au-dessus de la masse ténébreuse. Seul, l'éclat du phare rompt la sérénité de l'atmosphère.

Une silhouette surtout s'attache à ce beau palais de style Renaissance hollandaise, situé sur la côte orientale du Danemark : le charmant prince Hamlet, en proie à ses humeurs fantasques. Les innombrables appartements de Kronborg sont tous décorés de manière différente. Aucun d'eux n'est absolument triste. Si l'on s'y promène, il est impossible de penser que Hamlet n'y a jamais vécu.

Le château forme un véritable village, et un village de belles dimensions. Kronborg abrita des habitants nombreux et variés : le roi Christian, la reine, les enfants du roi (il en eut vingt-trois) et leurs précepteurs, des courtisans, des amis, des invités officiels, des maîtresses, des contingents de l'armée et de la marine, des domestiques par centaines. Impossible de préciser où se trouvait la maison de Polonius, où Shakespeare place un si grand nombre des premières scènes. Peut-être s'agissait-il d'un bâtiment à part, dans l'enceinte formée par les trois fossés puissamment défendus, tout près de l'étang garni de roseaux où se noya Ophélie. Ou bien se trouvait-elle dans le palais proprement dit, car Hamlet semble avoir vu Ophélie facilement, quand il le désirait, du moins jusqu'à ce que Polonius l'en empêchât; alors, ce fut Ophélie qui chercha à rejoindre Hamlet.

Le colonel Gabel-Jorgensen m'affirma que si Shakespeare n'était pas venu à Elseneur, il n'aurait pas pu décrire le château aussi minutieusement.

— Il en connaissait les moindres détails et l'aspect de chaque pièce. Il était même au courant de l'existence des épouvantables cachots au fond des souterrains.

Je protestai : Shakespeare situe Elseneur sur « l'effrayant sommet de la falaise », alors qu'en réalité le rempart extérieur prend appui sur une plage rocheuse. Le colonel s'avança jusqu'au bord de la muraille.

— Voyez donc, me dit-il, cette falaise n'est-elle pas une preuve suffisante? Au cours des siècles, la mer a creusé cette plage. Autrefois, elle n'existait pas; il n'y avait que ces énormes lames, venues du Kattegat, qui se brisaient sur la muraille. Autre chose : pensez à tous les termes danois qu'il employait. Je vous parlais à l'instant de la *rood*, ou rue. *Hamlet* est la seule pièce où il écrit votre mot bière *eale* au lieu de *ale*. Notre *öl* danois n'a-t-il pas la même consonance? Bien sûr! Oui, Shakespeare s'est promené jadis là où nous sommes : je n'en doute pas un instant.

Voici la grande salle du Trône, qui mesure 60 mètres de long; elle fut soigneusement restaurée sous le règne de Christian IV après l'incendie de 1629. Les nombreuses compagnies théâtrales qui viennent de tous les pays trouvent dans la grande cour du château un décor idéal pour les représentations de *Hamlet*.

L'enthousiasme du colonel était contagieux et ne manquait pas d'ébranler l'incrédulité de son interlocuteur. La vie de Shakespeare est bien peu connue... Ses manuscrits eux-mêmes ont été détruits quand, en 1644, les puritains démolirent le théâtre du Globe, cet « antre du péché ». Seul, le plus impénitent des sceptiques mettrait en doute la venue à Elseneur de l'auteur dramatique lorsqu'il était acteur, et même directeur de la troupe du Globe ou du Blackfriars; il en était d'ailleurs l'un des principaux actionnaires.

Si vous relisez *Hamlet* juste avant la visite à Elseneur, le site apparaît aussitôt comme étonnamment familier. Malgré l'indifférence de Shakespeare quand il s'agit de décrire les lieux (souvent, il note simplement : « une autre pièce du château »), on peut deviner, en se reportant à l'action, dans quel appartement elle se déroule. Quand il précise : « une salle », ou : « une salle d'honneur », on se rend compte plus exactement qu'il parle de la salle des Banquets ou de la salle du Trône, et sur les lieux mêmes il semble qu'on entende l'écho de voix bien connues.

Souvent, les héros de la pièce se rencontrent par hasard, comme dans toute maison spacieuse. Pour Shakespeare, l'action seule importe. Mais, quand on pénètre dans la vaste chambre de la tour, sous le phare, d'où l'on peut voir le Sund et même la ville suédoise d'Hälsingborg, on sait qu'on est dans le « cabinet particulier de la reine ». On s'attend presque à voir la tenture derrière laquelle se dissimulait le vieux Polonius pour surprendre l'entretien secret de Hamlet avec sa mère. C'est là que le découvrit le jeune prince; il le poignarda en s'écriant : « Il est mort! Un ducat qu'il est mort... » Mais il n'y a plus de tenture : elle a disparu dans le terrible incendie qui, en 1629, détruisit Elseneur presque complètement.

Des fenêtres de cette pièce, on a une vue plongeante sur la large pelouse, l'ancienne « plate-forme » où jadis, à minuit, Hamlet parla au spectre de son père. Les sentinelles en armes qui, nuit et jour, y patrouillent, comme autrefois Bernardo et Marcellus, pendant le premier acte de *Hamlet*, ne sont pas là pour le plaisir des touristes. Comme auprès de chaque phare important des côtes danoises, elles s'y trouvent en service commandé. Si la mère et l'oncle du Hamlet de Shakespeare avaient eu le sommeil léger, ils auraient certainement surpris l'entretien fatidique.

A Elseneur, en fait, on surprenait beaucoup de choses : notre siècle d'électronique n'est pas le premier à posséder des « oreilles » à l'aspect inoffensif. La tour située dans l'angle de la salle des Audiences abrite le cabinet de travail du roi. Aucune fenêtre ne donne dans la salle monumentale; les murs de la tour sont faits de panneaux couverts de décorations. Mais deux d'entre eux, qu'on croirait de bois massif, sont en réalité dessinés sur de la très belle soie. Il suffit de s'approcher d'un de ces panneaux en trompe-l'œil pour pouvoir entendre avec netteté tout ce qui se dit dans la salle des Audiences.

Chaque fois qu'une scène de la tragédie s'ouvre sur un roulement de tambours et une fanfare de trompettes, on peut être sûr que cela se passe dans cette salle des Audiences ou dans le cabinet du roi : en ce temps-là, un souverain demeurait de longues heures assis à sa table de travail. Tambours et trompettes avertissaient le roi à temps, et lui permettaient d'ajuster ses vêtements et d'enfiler ses chaussures avant l'entrée officielle d'un dignitaire quelconque.

La plupart des appartements ont vraiment l'aspect royal. Le plus souvent, c'est dans la Petite Salle (petite de nom seulement) que le Hamlet de Shakespeare, angoissé, marchait de long en large, s'arrêtant auprès d'une fenêtre pour contempler l'imposante rangée de canons qui défendaient l'étroite entrée de la Baltique. Ici, les murailles de quatorze pieds d'épaisseur, les fenêtres étroites protègent le château contre les canons de marine. Cette pièce, utilisée le plus souvent pour les banquets et les cérémonies diverses, est déserte en temps habituel. Il est donc facile de s'y promener et d'y penser à haute voix.

C'est dans cette salle que Polonius dit au roi : « Vous le savez, il se promène souvent quatre heures d'affilée dans cette galerie. » La reine, nerveuse et informée par des espions toujours en éveil, répond : « Oui, c'est parfaitement exact. » A ce moment entre le prince, l'air abattu et un livre à la main. Astucieusement, il fait semblant de prendre Polonius pour un poissonnier de la ville ; il tient des propos décousus et persuade le vieillard qu'il est fou.

Tout à coup, les trompettes résonnent ; entre une troupe d'acteurs étrangers qu'on n'attendait pas. Hamlet, connaisseur en art dramatique et amateur de théâtre (nous avons ici un aperçu sur Shakespeare lui-même, directeur de théâtre dans la vie quotidienne), s'entretient avec eux et les décide à jouer, en présence de la cour, un drame qu'il écrira sur « un meurtre commis à Vienne ». Lorsqu'ils ont donné leur accord, sa colère et sa mélancolie se changent en allégresse ; il a trouvé sa grande idée :

Ce drame sera le piège
Dans lequel je prendrai la conscience du roi.

Dans la grande salle du Trône (appelée aussi salle des Chevaliers), Hamlet, après un banquet, offre à sa mère et à son misérable oncle, en guise de réjouissance, un premier divertissement. Le prince vient d'atteindre sa majorité : pour l'usurpateur, il représente un danger d'autant plus grand. Aussi cette manifestation publique d'affection est-elle opportune. Mais le divertissement, ce sera... la pièce fatidique.

Quelle salle idéale pour une représentation théâtrale! Ornée de lourds chandeliers d'or, d'exquises tapisseries des Gobelins, c'est une des plus étonnantes, des plus belles de l'Europe. On traverse une petite antichambre, une porte de taille normale s'ouvre devant vous, vous ne vous attendez à rien et vous avez le souffle coupé. Sous vos yeux, l'appartement semble s'élancer dans l'espace : blancheur, rayonnement, éblouissement, le tout traversé par les rayons du soleil... Quand, du centre de la pièce, on se retourne vers l'entrée, on croit voir la porte d'une maison de poupée. Les hautes fenêtres, qui s'élèvent du niveau du sol presque jusqu'au plafond, aux poutres de chêne apparentes, rendent aveuglante cette pièce superbe et majestueuse. Tantôt le soleil, tantôt la réverbération de la neige ou de la mer, s'ajoutant à la blancheur des murs où les fenêtres s'encastrent profondément, provoquent un effet saisissant de luminosité.

Dans cette salle, un soir, à la lumière de centaines de chandelles disposées sur les grands lustres, Hamlet offre son divertissement à sa mère et à son oncle ; ils sont assis, contents et paisibles. Les acteurs sont prêts ; on éteint les chandelles une à une ; seule la scène demeure éclairée. Dans un décor représentant un verger apparaissent un roi et une reine. Par gestes, le roi exprime qu'il désire faire la sieste, et son épouse dévouée le laisse seul. Pendant son sommeil entre subrepticement un seigneur ; il se penche vers le roi endormi pour l'empoisonner. A cet instant, le véritable roi ne peut se contenir plus longtemps. Frappé d'épouvante en voyant son crime découvert, il sort de la salle en chancelant. Le spectre avait dit la vérité : Hamlet pouvait donner libre cours à sa vengeance.

Dans cette même salle des Chevaliers, deux actes plus loin, *Hamlet, prince de Danemark* se termine dans le sang. La salle est jonchée de cadavres. Il semble que Shakespeare lui-même ait été un peu épouvanté par le massacre combiné dans un appartement aussi somptueux. En effet, il prend la peine de commenter le carnage. Il parle par la bouche de Fortinbras, ce jeune prince guerrier de Norvège, accoutumé aux spectacles sanguinaires. Cette vision, dans la pièce majestueuse, le glace. Il la trouve parfaitement déplaisante et se contente de dire :

Qu'on enlève ces corps, car ce qui s'est passé,
Normal en temps de guerre, est ici déplacé.

JOHN HYDE PRESTON.

Mystérieuse Terre de Feu

A l'extrême sud du continent américain s'étend un chapelet d'îles fouettées par les tempêtes; la plus étendue a nom *Tierra del Fuego*, la Terre de Feu. Magellan les avait découvertes en 1520, mais les navigateurs qui doublaient le cap Horn à la voile s'en écartaient soigneusement, rebutés par leur aspect inhospitalier.

Le grain s'éloignait vers le nord-est, et, dessous, la mer était noire et fumait. Bientôt le ciel et l'eau, qui, jusqu'ici, avaient semblé ne faire qu'un, se séparèrent. Venant du sud-sud-ouest, les vagues se succédaient, énormes, longues de trois cents mètres, avec des creux de douze mètres, couronnées de deux mètres d'eau déferlante que le vent soulevait en quittant l'abri des creux, puis précipitait en lames scintillantes. La tache à l'horizon se matérialisa en une falaise noire et indomptable : le cap Horn.

Pluie, grêle, brouillard, vent et neige sont monnaie courante à cette extrême pointe de l'Amérique du Sud. C'est là que la chaîne des Andes se disloque en un chaos d'îles, de péninsules, de détroits et de baies. Les nuages cachent les montagnes et déversent des torrents de pluie; le vent est si violent que les arbustes vivaces sont complètement couchés et ne poussent qu'au ras du sol. C'est un pays où les pingouins côtoient les autruches, où les glaciers plongent directement dans la mer et où les framboises sauvages poussent dans le gazon. Et cette terre étrange de l'hémisphère Sud n'est pas plus éloignée de l'équateur que n'en est Manchester, en Angleterre, pour l'hémisphère Nord. La Marine britannique fit le plus clair des premiers levers hydrographiques, et sur les cartes marines abondent les noms de consonance anglaise : Brecknok, Cockburn, Skyring, Darwin, Admiralty, Otway.

L'extrémité du continent s'appelle la Patagonie; l'île la plus vaste est la Terre de Feu. Cette région est divisée entre le Chili à l'ouest et l'Argentine à l'est. Vers le sud, au-delà du canal Beagle, au-delà de Hoste, Navarino, les îles Wollaston, jusqu'au cap Horn, c'est le Chili. Dans ce dangereux labyrinthe, par le plus mauvais temps qui soit, la Marine chilienne instruit et entraîne ses équipages à bord de vieux bateaux de petit tonnage : elle leur donne ainsi, par nécessité, un sens marin sans égal.

Autrefois vivaient là trois tribus indiennes : les Alacalufs, dans les détroits de la côte du Pacifique, les Onas, sur la Terre de Feu, et les Yahgans, au sud. Ils se nourrissaient de moules crues qu'ils allaient chercher en pagayant de grossières pirogues, toujours complètement nus, même lorsqu'il neigeait. Le vieux *Coastal Pilot* racontait que les infâmes Onas manifestaient même une grande répugnance « à entrer en relations avec les Blancs ». Les bons missionnaires « voulant tendre l'autre joue » donnèrent à ces sauvages des couvertures pour cacher leur nudité et se protéger du

Bateaux de pêche au large de la Terre de Feu. Les marins passent par le détroit de Magellan, qui sépare les îles de la Patagonie, pour éviter de se hasarder dans la dangereuse région du cap Horn.

froid ; mais les couvertures n'avaient pas été désinfectées après avoir servi à des contagieux, et il reste bien peu d'Alacalufs de nos jours, encore moins de Yahgans, et plus du tout d'Onas.

Un petit groupe de Yahgans — certains sont des quarterons, mais il en reste encore quelques-uns de sang pur — occupe une demi-douzaine de huttes sur l'île Navarino, près de Puerto Williams. Leur visage, taillé au couteau, fait penser à celui des Mongols, mais avec, en plus, comme l'ont tous les Indiens d'Amérique, de l'Alaska jusqu'ici, cet aspect renfrogné de celui qui se méprise, qui s'effondre au premier échec. En échange des couvertures et des pantalons qu'il leur avait donnés, l'homme blanc les dépouilla de leur identité.

Ces Indiens logent dans des huttes, minuscules masures noircies par la fumée, et gagnent leur vie en travaillant à l'arsenal de Puerto Williams ou en faisant de l'exploitation forestière. Hors saison, ils vont à la pêche aux moules, sur la côte froide et accidentée du canal Beagle ; ils y trouvent également de nombreux crabes des Moluques. A Puerto Eden, la Marine chilienne essaie d'adapter au XXᵉ siècle quelques survivants des Alacalufs. Le musée de Punta Arenas conserve des annales défraîchies et poussiéreuses contenant des récits de la vie de ces trois malheureuses tribus. Pour le reste, *R.I.P.*

Il se mit à pleuvoir ; la pluie du cap Horn n'a rien à voir avec le crachin britannique. Le vent frémissait sur les pentes humides et couvertes de nuages, derrière le campement. Les hêtres tordus gémissaient et craquaient ; de leurs branches pendaient des filaments de mousse vert pâle. Une pluie froide, à vous couper le souffle, me cingla le visage.

En Patagonie, l'Ouest est montagneux et de vastes plaines s'étendent dans l'Est, alors que sur la Terre de Feu c'est le Sud qui est montagneux. Les Britanniques furent les premiers étrangers à s'installer, car ils avaient remarqué que le sol et le climat étaient favorables à l'élevage du mouton.

Bientôt s'allongèrent les barrières des enclos tandis que le cheptel s'accroissait. Ces affreux Onas, que l'on n'avait pas avertis des nouvelles dispositions prises pour leurs terres, volèrent dans les premières années 10 pour 100 des bêtes. Plusieurs petits fermiers indépendants se partagèrent les grandes plaines avec une grosse société : l'Explotadora. Les membres influents étaient britanniques. Au milieu du néant, on peut encore voir de nos jours des clôtures de fil de fer fermant de petits cimetières où les tombes portent ce genre d'inscriptions : *Donald Mac Donald, 2 mois. Ann, femme bien-aimée de John Wynne. Señora Wallace...* La compagnie Explotadora était organisée comme une société féodale. Son directeur général était un roi et Punta Arenas son palais. Il disait aux gouverneurs locaux ce qu'ils avaient à faire et quand le faire. Ses chefs d'estancia menaient grand train comme les Britanniques l'ont fait en Inde, et, durant quatre mois par an — après l'accouplement des bêtes — il n'y avait rien d'autre à faire que boire.

Mais ces temps sont révolus, et la société travaille fébrilement à rattraper son retard ; elle a changé son nom pour celui de Ganadera, qui signifie : élevage. Les grandes demeures sont fermées, on a licencié les directeurs pour les remplacer par les anciens sous-directeurs, dont les émoluments sont moins élevés. Quoi qu'il en soit, la compagnie se rétrécit au fur et à mesure qu'elle perd ses anciennes terres dans le cadre de la réforme agraire.

Parmi les propriétaires indépendants, les de Bruynes tiennent le haut du pavé. L'installation de la famille remonte à 1891, lorsque le père de Bernard de Bruynes,

Pics couverts de neige sur la Terre de Feu. En 1741, Richard Walter, qui faisait voile avec Anson, parlait de ces « prodigieux précipices » qui sont à l'origine de la violence des vents au cap Horn.

de vieille souche protestante, commença l'exploitation à 70 kilomètres à l'ouest de Punta Arenas. Aujourd'hui, 16 000 hectares sont consacrés à l'élevage de 20 000 moutons et 500 têtes de bétail. Bernard de Bruynes, l'actuel propriétaire, est un homme intègre et d'allure martiale, ce qui n'a rien d'étonnant puisqu'il a fait les deux guerres dans l'artillerie.

Il me fit les honneurs de sa ferme sous une légère bruine. Il grimpa lestement sur une barrière de trois mètres pour me montrer la vue merveilleuse qu'on y découvrait sur Skyring Water (à dire vrai, nous aurions joui de la vue si nous étions venus la veille quand il ne pleuvait pas!). Il caressa fièrement l'épaisse toison frisée d'un superbe bélier corriedale de deux ans, plusieurs fois primé. Tous ses gestes étaient empreints de délicatesse et d'amour, que ce fût pour caresser un pieu de bois ou la corolle d'une fleur, la robe d'un cheval ou les jeunes pousses d'herbe. Cet homme est un gentleman distingué qui vit la moitié de l'année dans son Sussex natal, et, pourtant, il chérit cette terre ingrate mieux que ne le ferait un autochtone.

A Punta Arenas, les mâts de pavillon se courbaient sous la violence du vent d'ouest, qui faisait claquer les drapeaux jusqu'à les déchirer. Un morceau de toit en zinc tournoyait au-dessus de la ville comme une sorcière ivre. Un étrange nuage obscurcissait le ciel, les arbres pliaient et se tordaient sous la bourrasque. A la jetée, les bateaux étaient drossés sur les piles, et, dans le détroit, un vieux quatre-mâts charbonnier piquait jusqu'aux ancres son nez dans les vagues.

Cet univers a toujours été rude pour les femmes : dans les tribus yahgans, lorsque les hommes avaient regagné la terre ferme avec leur prise, le bois pour le feu et les peaux de bêtes pour couper le vent, il incombait aux femmes de pagayer pour ressortir les pirogues, de les amarrer au large sur un banc de varech, à l'abri des voleurs, et, lorsque ce travail était fait, elles sautaient par-dessus bord et regagnaient la côte à la nage.

Anne Piggott arriva ici, jeune mariée de dix-neuf ans venue de Nouvelle-Zélande et incapable — de son propre aveu — de faire cuire un œuf. Son mari, Michael Piggott, exploite un terrain de 5 000 hectares sur la Grande Ile (c'est ainsi que les indigènes appellent la Terre de Feu), et, maintenant, elle sait faire le pain, fumer le jambon et le bœuf, et mettre en conserve les quelques fruits qu'elle fait pousser à grand-peine. En cas d'urgence, l'hôpital de la compagnie pétrolière est à quelque 120 kilomètres de là.

« Je fais pousser des fleurs, dit-elle, j'aime tant les fleurs! Je plante des gueules-de-loup, des delphiniums, des clarkias, des pensées, des roses..., alors vient le vent; il souffle de l'ouest pendant quinze jours d'affilée à 80 km/h; puis, tout à coup, il tourne à l'est pendant une journée. Les fleurs ne résistent pas, elles se cassent. »

La ferme des Serka se dresse au fond du lointain fjord de Yendegaia, où l'eau est verte à cause des eaux glaciaires qui se mélangent à la mer. Tous les enfants de Buba Serka sont nés ici, sans l'aide de médecin ni de sage-femme. Elle achète son ravitaillement une fois par an, et c'est la Marine qui le lui livre en venant chercher leur laine.

Partout, les façades des maisons sont garnies de feuilles de métal peintes, et les toits sont de tôle ondulée. L'ensemble est affreux, mais rien d'autre ne résisterait au vent. Le jaune éclatant d'une grange, le rouge d'un toit mettent une note de chaleur et de réconfort dans ce pays aux horizons gris illimités. Même lorsqu'ils ont de l'argent, ces colons n'ont guère de temps à consacrer aux choses de goût, et, d'ailleurs, le cadre ne s'y prête pas. Me venait alors sans cesse à l'esprit le souvenir des mélancoliques habitats de ces autres pionniers amenés sur les hauts plateaux de l'Inde britannique par le lancement des voies ferrées, les chaises boiteuses, les tables bancales, les rideaux sales et fanés, les tas de boîtes de conserve, apportées par de vieux rafiots d'une Angleterre lointaine, les fils électriques à nu, les ampoules qui pendaient sans abat-jour, les verres ébréchés et dépareillés..., sans compter les pannes perpétuelles du générateur d'électricité.

La lueur verte de Yendegaia bay se voila, et, pendant une longue minute, un sourd grondement emplit l'air. Sans autre forme d'avertissement, le « wullie-wa » souffla ; la surface de l'eau — ridée l'instant d'avant par de petites vagues — devint immobile, lugubre et lisse. Les arbres se courbèrent jusqu'à terre, et leurs branches craquèrent ; on n'entendait que le mugissement du vent. Le petit vapeur se coucha sur bâbord. Trente secondes plus tard, les bruits s'éteignirent, les vaguelettes se reformèrent et le bateau se redressa.

A Punta Arenas, lorsque des amis se rencontrent, ils ne disent pas : « Comment allez-vous ? » mais : « Bêê ». La province chilienne de Magallanes, qui couvre tout l'extrême sud du pays, nourrit presque trois millions de moutons, ce qui représente un nombre impressionnant de côtelettes! Mais cela constitue aussi une lourde charge pour le fermier, qui doit, en beaucoup d'endroits, éclaircir les arbres et les taillis pour faire place à des pâturages qu'il faudra, de surcroît, protéger en laissant des rangées d'arbustes en travers du vent. Les vols de moutons sont fréquents, surtout en Patagonie.

La population locale est friande du mouton grillé du dimanche, mais pouvoir refuser de l'agneau est le premier signe d'enrichissement et de promotion sociale. Les moutons, beaux et vigoureux, sont tous des corriedales, croisement de lincoln et de mérinos.

On ne les laisse pas courir en liberté comme c'est la coutume en Europe, au contraire, ils sont parqués dans des enclos. En hiver, il y a peu de travail, et la réforme agraire n'a rien arrangé, car les nouvelles petites fermes sont exploitées par les propriétaires et leur proche famille, si bien que les vieux valets de ferme célibataires qui travaillaient autrefois pour l'Explotadora en sont aujourd'hui réduits à parcourir le pays en quête d'un emploi inexistant. On les appelle des *pasajeros*. Drapés dans un poncho qui les protège des intempéries, ils parcourent les pistes à cheval, une demi-douzaine de chiens sur les talons, tirant un cheval de somme qui porte leurs affaires.

Le soleil capricieux s'évanouit derrière un nuage. Je relevai le col de ma veste, mais la pluie ne dura pas, elle se transforma en grêle pour quelques minutes, tandis que le vent continuait à souffler.

En 1945, après cinquante-trois ans de forages et de recherches géologiques, on découvrit du pétrole dans les régions désertiques de la Terre de Feu. Jusqu'à présent, c'est le seul point du Chili où on en ait trouvé. Le gisement n'est d'ailleurs pas très étendu, et il n'y a que peu d'installations. Cependant, on peut voir, çà et là, des autruches et des oies grises — les *caiquenes* — paissant parmi les tuyaux aux reflets argentés. La nuit, de grandes flammes orange isolées redonnent son sens au nom de Terre de Feu (en fait, le nom choisi par Magellan était Terre de Fumée, en raison des signaux de fumée dont se servirent les Onas pour prévenir les autres tribus de l'arrivée de ces énormes vaisseaux si étranges; « Terre de Feu », *Tierra del Fuego*, parut-il plus évocateur par la suite?).

A Sombrero, siège social de l'unique compagnie pétrolière, les « têtes casquées » (ou employés des raffineries) peuvent rompre la monotonie de la vie au milieu de la pampa désertique en organisant des championnats de football, de volley-ball, de ping-pong, d'athlétisme, de tir aux pigeons, de tennis, de basket et de natation.

En guise de distraction, il y a un supermarché et un grand hall d'attractions, où l'on trouve des terrains de basket, une piscine olympique, plus que confortablement chauffée, des pistes de bowling, et une immense serre avec de l'eau dormante et une luxuriante végétation tropicale. L'ensemble est enclos de baies vitrées : les lamas regardent vers l'intérieur tandis que les têtes casquées regardent vers l'extérieur, mais ils n'ont pas grand-chose à se dire.

La lumière mauve vira au rouge sombre puis au cramoisi. Les nuages s'amoncelèrent et couvrirent le clocher de l'église moderniste ; ainsi l'éclairage devenu métallique nimba d'une clarté livide les massifs bien entretenus et le gazon abandonné de l'autre côté de la barrière. Le vent s'abattit en rafales, et le tonnerre gronda comme une salve d'artillerie au loin vers le détroit de Magellan. La pluie se mit à tomber.

Après les Yahgans, les Britanniques et les marins, après les moutons et les têtes casquées, vinrent les touristes. Les jets déversent leurs pleines cargaisons d'Américaines, les cheveux abrités par une voilette, venues voir n'importe quoi pourvu que ce soit à l'extrême sud; une capitale : Punta Arenas; une petite ville : Ushaia; un bureau de poste : Puerto Williams, là où la navette avec l'aéroport est assurée par une baleinière armée par des matelots chiliens. Il est toujours possible d'affréter un avion pour faire l'aller et retour du cap Horn, car les éléments touristiques y sont nombreux : fjords, lacs, montagnes, vie au grand air, pêche sportive, sans compter les glaciers bleus larges de 800 mètres et de plusieurs dizaines de mètres d'épaisseur, qui descendent directement dans la mer. Mais il n'y a aucune organisation touristique, et beaucoup de problèmes épineux doivent être résolus avant que les bases mêmes en soient posées.

Partout les routes prétendues *esplendido* ne sont que des pistes à peine carrossables où le seul revêtement est de pierres et de boue. Les pare-brise cassent, le gravier vole à travers les vitres, et vos pieds souffrent du tambourinage des galets martelant le plancher de la voiture. La L.A.N. — ligne aérienne du Chili — considère les passagers comme un handicap sérieux dans le cadre d'une exploitation efficace. Les agences de voyages promettent beaucoup mais ne tiennent pas toujours. Les prospectus destinés aux touristes sont alléchants : « Visitez en bateau les détroits du Pacifique, navigables sur plus de 80 kilomètres! » mais les vapeurs ne circulent que rarement, et il n'existe pas de bateau à louer ou à fréter.

Les oursins et les crabes sont pourtant magnifiques (jusqu'au jour où ils disparaîtront, faute d'une loi réglementant la pêche). L'*aji* chilien est une excellente épice, la plus forte que j'aie jamais goûtée. Le *pisco* est un alcool de raisin parfait pour se réchauffer, et il ne coûte que dix shillings la bouteille, alors que le whisky coûte dix livres. J'ai remarqué une vitrine qui ne contenait que des boîtes de poudre de gingembre et des bouteilles de condiment au goût de noix, de couleur noirâtre. Mieux vaut ignorer à quelle secrète alchimie magellanique ces éléments servent de base!

Une sorte d'imprécision générale règne; c'est quelquefois sans importance, mais cela représente toujours un danger possible quand le touriste vient de si loin. Ainsi, les « magnifiques forêts de chênes » ne sont que des bois de hêtres; perdrix et faisans ne font pas partie de la famille des gallinacés, mais de celle des autruches. On promet de la pêche au saumon, mais il n'y a pas de saumon, ni de l'Atlantique ni du Pacifique; on trouve seulement d'honnêtes truites, marron ou arc-en-ciel, et des éperlans.

C'est Punta Arenas qui symbolise ici la civilisation occidentale : deux immeubles modernes, une cathédrale et la splendeur rococo surannée de l'Union Club se dressent au milieu de cabanes de tôle sur une moraine qui descend en pente douce jusqu'aux eaux couleur d'acier du détroit de Magellan. Cela ne s'appelle plus Sandy Point comme au temps de la splendeur anglaise, et ce n'est même plus un grand

Cette vieille femme yahgan vit sur les côtes inhospitalières du canal Beagle. Son visage reflète la défaite et le désespoir, sentiments courants chez ces indigènes.

centre de ralliement pour les Britanniques en exil. La Bank of London and South America y a toujours une succursale, Wilson and King est fidèle au poste, mais de nos jours on voit plutôt des noms comme Bozinovic, Livacic, Casa Diaz, Saint-Michele, Bacigalupi, Casa Gandhi. Une petite communauté indienne vit ici, entièrement formée des parents d'un homme qui vint s'installer en 1912 et qui venait du Sind, l'actuel Pakistan occidental.

Dans les bas quartiers, qui couvrent les pentes et s'étendent le long du rivage, sous un froid piquant et une pluie incessante, la pauvreté bat en brèche l'extraordinaire orgueil chilien. Les cabanes délabrées ne sont guère plus grandes qu'une niche à chien, et l'on y dort à douze! Elles sont peintes en orange ou en rouge et d'une propreté irréprochable; des guirlandes de fleurs ornent la façade, et le drapeau chilien couronne le tout. Les rues ne sont pas pavées, et dans les caniveaux on trouve des quantités de touffes de laine tachées d'huile, des bouts de papier, des tessons de bouteille, des mendiants et des chiens qui fouillent les boîtes à ordures. En haut de la colline, dès la lisière de la ville, commence la toundra.

Rio Grande est la capitale de la moitié argentine de la Terre de Feu : elle donne sur une plage boueuse, devant une mer presque invisible qui semble ramper dans le lointain. Les avenues y sont larges et bien tracées; on y voit des quantités de mouettes, et l'avenir de la ville peut être engageant, en raison de la grande beauté des paysages qui se trouvent dans le Sud du pays.

Aujourd'hui, il y a vraiment quelque chose qui ne va pas : je me tiens au milieu d'une vaste plaine herbeuse, vêtu d'un pantalon de whipcord, d'une chemise de laine, avec un pull-over et un gros manteau : mon équipement comporte aussi de grosses chaussures

Ces arbres ont abandonné la lutte contre les éléments toujours déchaînés : le vent souffle souvent de l'ouest pendant plusieurs jours, sans un moment de répit, à près de 80 km/h, puis, en une nuit, il tourne à l'est.

L'aspect paisible de la Terre de Feu

Le climat de l'île est assez rigoureux. Les quelques arbres qui subsistent sont vivaces; modelés par le vent, ils poussent au ras du sol. Les moutons sont robustes aussi malgré le climat.

et un passe-montagne aux oreillettes baissées. Ainsi couvert, j'étouffe de chaleur, voilà pourquoi je suis mal à l'aise! Le soleil luit et il n'y a pas un souffle de vent. L'herbe ondoie silencieusement, effleurant le squelette d'une vache, les tombes de bergers depuis longtemps oubliés, et les os de baleine apportés par la marée.

A quelques exceptions près, ici tout ce qui est fait de main d'homme est laid et délabré. Quant à l'homme lui-même, rencontré dans des huttes ou dans une estancia, sur le pont d'un navire ou à cheval, il est toujours simple, résistant, intéressant. Mais ce qu'il y a de mieux, c'est le pays en lui-même qui respire la joie de vivre des endroits sauvages et lointains.

Dans la pampa couverte de broussailles, les autruches aux plumes grises s'éloignent à grands pas, la tête dressée; mais elles ne se mettent à courir que lorsqu'on les poursuit pour les photographier, ébouriffant alors leurs ailes inutiles en un frou-frou tout à fait ridicule.

Au détour d'un virage brutal, sous les incroyables pics de Paine Towers, hauts de 2 000 mètres, cinq lamas se tiennent sur la route poussiéreuse : de robe alezane et blanche, leur petite tête dressée au sommet d'un long cou, ils semblent poser des questions de leurs yeux clairs. Le mâle lance un ordre sur le ton aigu des perroquets, et la petite troupe se dirige vers les crêtes en trottant d'un pas capitonné et moelleux comme celui des chameaux.

Passe aussi un gaucho au trot derrière un troupeau de moutons, la tête bien droite, son chapeau noir retroussé par le vent : l'homme et le cheval se fondent en une unique silhouette fluide; ils sont accompagnés de deux chiens qui les suivent silencieusement de chaque côté du troupeau. Un mouvement dans le taillis attire notre attention : deux renards argentés à queue noire bondissent derrière un lapin et l'attrapent. A trois mètres de là, des hiboux impassibles, aux immenses yeux d'or, nous examinent comme étonnés de notre présence.

Et les faucons! On en voit sur les poteaux télégraphiques, sur les montants des barrières et sur les hêtres constamment tordus par le vent. Ils volent en planant et voient défiler sous leurs ailes, à l'ouest comme au sud, un horizon scintillant de glace. Une douzaine d'oiseaux s'élèvent au-dessus des rochers, abandonnant quelque charogne; les uns sont des vautours de moyenne envergure : ils s'élèvent rapidement, leur cou est épais comme celui des aigles, le bec est fier et l'œil altier; les autres décollent pesamment comme des avions lourdement chargés : noirs, le cou déplumé surgissant d'une collerette de plumes blanches, les ailes étroites, mais de trois mètres d'envergure, ce sont les condors géants des Andes.

Le beau temps ne pouvait pas durer. Les condors tournoyaient au-dessus des détroits dont les noms furent choisis autrefois par les navigateurs anglais de la marine à voile; au-delà du dernier rocher que se disputent l'Argentine et le Chili, les nuages dominaient, prenant la forme de monuments et dissimulant complètement la montagne, la pampa et la rivière. Le bruissement du vent monta d'un ton. L'herbe frémit, la fumée qui sortait d'une cabane isolée fut rabattue à l'horizontale, les moutons tournèrent le dos au vent qui se levait brutalement, annonciateur de ce temps du cap Horn, ce temps des confins de la terre.

JOHN MASTERS.

Rassemblement de chevaux dans les grandes plaines de la Terre de Feu. A côté de la ressource principale, qui est l'élevage, il y a quelques industries : charbon, pétrole, exploitations forestières.

Un sauna classique sur le bord d'un lac. Pour les Finlandais, le sauna représente plus qu'un simple bain ; c'est un rite à signification religieuse qui purifie les hommes aussi bien « au-dedans » qu' « au-dehors ».

Les gradins de bois d'un sauna finlandais. Plus on monte, plus la température est élevée. Les saunas de ce type, ainsi que les baquets que l'on voit sur la photo, sont construits avec un bois spécial, capable de résister aux plus hautes températures. Ces baquets contiennent de l'eau froide dans laquelle les baigneurs trempent les branches de bouleau dont ils se servent pour se fouetter, activant ainsi la circulation.

Joies du sauna en Laponie

Durant ces dernières années, le sauna s'est répandu de la
Scandinavie vers le sud et l'ouest de l'Europe. Un Anglais,
professeur en Finlande, trouve que le sauna, au nord du cercle arctique,
est plus un mode de vie qu'une simple façon de se laver.

A chaque nation ses loisirs. En Finlande, c'est le sauna, sorte de bain, que l'on prend
généralement le vendredi ou le samedi soir. En Laponie, l'effet du sauna est assez
remarquable, puisque le corps humain doit supporter un changement de température allant du point d'ébullition de l'eau jusqu'à moins vingt degrés centigrades,
quand ce n'est pas davantage.

Il existe différentes formes de saunas privés ou publics, mais c'est dans les campagnes
qu'il est le plus pittoresque. Il y a entre soixante mille et soixante-dix mille lacs en
Finlande. Beaucoup ne sont que des mares perdues dans la nature, d'autres ont
attiré quelques habitants dans leur voisinage, certains enfin se trouvent près des
grands centres touristiques surpeuplés avec des hôtels à quelques pas.

Un spectacle courant et typique en Finlande est celui d'une minuscule maison
s'élevant au bord de l'eau. De l'extérieur, elle semble composée d'une seule pièce
ou de deux petites tout au plus; sur le devant, un porche qui fait face au lac abrite
une banquette. Naturellement, il est en bois, de même que la longue passerelle qui
part de la porte et conduit jusqu'au lac; à son extrémité, quelques marches descendent dans l'eau. C'est un sauna.

Si vous poussez la porte, vous entrez d'abord dans une pièce bien tenue, sommairement meublée, avec des bancs le long des murs, quelques portemanteaux, une
table et un miroir. C'est le vestiaire ; c'est là, si vous allez au sauna, que vous enlevez
vos vêtements et, muni d'une cuvette, de savon et d'une brosse de chiendent, vous
vous rendez en simple appareil dans la seconde pièce, au cœur du bâtiment.

Dans cette pièce, vous trouvez un thermomètre, qui se tiendra vraisemblablement
aux environs de quatre-vingts ou cent degrés. Il peut même s'élever très au-dessus
du point d'ébullition. L'effet d'une chaleur aussi excessive est au premier abord
effrayant : il paraît impossible de la supporter plus d'une ou deux secondes.

Deux choses attirent le regard, dans cette partie principale du sauna : une rangée
de grosses marches en bois d'environ trente centimètres de haut, et assez grandes
pour que l'on puisse s'y asseoir ou s'y étendre, et dans un coin un four de métal
avec des pierres dessus. Ailleurs, vous trouverez des seaux ou des bassines, et, au milieu
du sol, une ouverture pour l'eau. C'est là un des charmes du sauna : on n'a pas à
craindre d'éclabousser, puisque tout le surplus est canalisé.

Le bain anglais est une occupation privée, alors que le sauna est essentiellement
social. Certaines heures sont réservées aux hommes, d'autres aux femmes. Le premier
geste d'un Finlandais arrivant dans la partie chaude du sauna est de prendre de
l'eau dans un gobelet et de la jeter sur les pierres brûlantes du four. Elle s'évapore

instantanément en sifflant. Ceux qui prennent le sauna s'allongent alors sur les marches qui s'élèvent en gradins jusqu'aux plafonds et se relaxent.

La différence de température est considérable entre le sol et le plafond ; l'on peut ainsi, dans une certaine mesure, vérifier la violence de l'effet produit sur l'organisme. La chaleur imprègne les muscles, et l'on éprouve une sensation merveilleuse de bien-être et d'harmonie. L'humidité de la surface du corps due à la transpiration et à la condensation de la vapeur ambiante s'accroît ; l'on songe alors à se nettoyer.

Avant cela, on commence souvent par se fouetter soi-même. Mal relaté, cela peut paraître horrifiant, alors qu'en fait c'est un exercice doux et agréable. Les baguettes utilisées sont tendres et feuillues, ne provoquant qu'un agréable picotement ; un certain nombre sont généralement posées à l'entrée, embaumant l'air d'un parfum sylvestre. Après la séance de fouet et le lavage, on en arrive au point culminant du sauna : la brusque irruption dans le froid. On ouvre la porte de bois brusquement, on s'élance sur la passerelle avant de sauter dans le lac.

Ce violent et subit changement de température n'est pas tout de suite sensible au corps. On a fait une telle provision de chaleur dans le sauna que l'eau sur la peau ne semble pas froide, mais caressante et veloutée. Certains se refroidissent ainsi avant de se laver, puis retournent au sauna pour retrouver de nouveau la chaleur. Les plus enthousiastes répètent l'opération jusqu'à quatre fois. Après le sauna, si c'est l'été, on se repose un moment sous la véranda à contempler le coucher du soleil, puis on boit, car on a très soif.

Il s'agit là du sauna de campagne. En ville, il n'est pas aussi sympathique, puisque la plongée dans le lac doit être remplacée par une douche froide. Cependant, à la campagne comme à la ville, le sauna est beaucoup plus qu'un bain, beaucoup plus même qu'une simple activité sociale. Il représente pour le Finlandais quelque chose de positivement spirituel ; après le sauna, on se sent net à l'intérieur comme à l'extérieur. C'est de plus une tradition qui prime tout ; il serait inutile d'organiser une réunion le soir réservé au sauna.

On considère aussi que le sauna a des effets bénéfiques sur la santé. « Ce que le goudron, l'alcool et le sauna ne peuvent guérir, dit le vieux Finlandais, il est hors de notre pouvoir d'y remédier. » J'ai assurément vu un rhume disparaître après le sauna, comme s'il avait été pour ainsi dire aspiré hors du corps ; j'avais aussi l'impression qu'il avait pompé en même temps toutes mes réserves d'énergie.

J'ai été à mon tout premier sauna avant mon mariage avec Arja. Je dus y aller seul, et se heurter nu à une expérience aussi étrange vous dépouille de toute assurance. C'était un de ces types anciens de saunas à fumée, dans lequel on allume un feu pendant un certain temps, puis on laisse la fumée s'échapper par un trou dans le toit, avant l'entrée des usagers. Certains préfèrent ce type de saunas aux saunas modernes. Malheureusement, en l'occurrence, la fumée ne s'était pas échappée normalement ; je trébuchais dans un nuage fuligineux, où d'indistinctes formes nues erraient à l'aventure, puis émergeaient avec soulagement après le minimum de temps possible.

Ma seconde expérience fut plus agréable, à la campagne, au bord d'un lac.

Cependant, à cette époque, ce qui ne me vint jamais à l'esprit, c'est que le sauna pût devenir un élément routinier et hebdomadaire dans ma vie, ou, ce qui eût été encore plus impensable pour un Anglais, une habitude familiale. Le sauna courant réserve des heures pour les hommes et d'autres pour les femmes ; mais les familles avec de jeunes enfants ont des horaires spéciaux. Longtemps, en Laponie, nous n'avons pas eu de sauna personnel, nous dépendions donc de la charité de nos bons amis.

Les premiers furent Eetu et Maija, le maire et sa femme. Ils habitaient dans la mairie, où le sauna était au sous-sol. Entre trois et quatre heures, le samedi après-midi, Arja et moi nous nous y rendions avec un sac contenant des vêtements de bain, du savon et des brosses. Généralement, Maija nous accueillait, puis, au bout de quelques minutes, venait Eetu en peignoir de bain, l'œil allumé. Notre tour arrivé, nous nous précipitions dans la cave pour commencer l'opération. Le sous-sol de la mairie était bien installé, mais n'avait pas le caractère romantique des saunas situés au bord d'un lac, et l'on ne pouvait y nager. Nous finissions par nous inonder d'autant d'eau froide qu'il nous semblait convenable, puis nous nous habillions avant de monter l'escalier en criant :

— *Sauna vapaa !* (Le sauna est libre!)

Il nous est arrivé aussi d'aller au sauna personnel d'Henni, le pharmacien; cette construction de bois s'élevait au fond de son magasin. Il était spacieux, mais malheureusement pas très chaud. Un des saunas les plus élégants était sous le contrôle de l'intendant forestier, Martti Mäenpää, et de sa femme, Helvi. Au sortir de sa maison, l'on pouvait traverser un pont, et trouver le sauna tel un petit cottage s'élevant au-dessus de la rivière. Une femme assez âgée y habitait; elle était chargée du lavage. Le sauna a plus d'une utilisation possible; on s'en sert pour le blanchissage. Autrefois, dans certaines régions retirées, les enfants y naissaient souvent. C'était l'endroit le mieux chauffé, le seul où l'on pût avoir à la fois de l'eau chaude et de l'intimité, le plus facile à nettoyer. Après la guerre, quand les immigrants retournèrent en Laponie, ce sont les saunas qu'ils construisirent tout d'abord, et parfois ils les habitèrent avant d'avoir terminé le reste de la maison.

Certaines coutumes qui paraissent tout à fait naturelles dans un pays sembleraient très étranges dans un autre. En Angleterre, appeler un ami au téléphone pour lui dire : « Que penserais-tu d'un bain samedi soir? » pourrait prêter à malentendu. Alors qu'en Finlande une invitation au sauna est la forme la plus répandue des relations sociales; à la fin, on s'assied pour prendre du café, les cheveux mouillés et le visage cramoisi entouré de serviettes.

Ce fut cependant l'aspect familial du sauna qui nous posa le problème le plus embarrassant. Quand notre fille Lilian avait quelques mois, Arja me dit un jour : « Je trouve que nous devrions emmener Lilian au sauna. » Je restai interdit à cette idée; mettre Lilian dans une température terrifiante me semblait aussi indiqué que de lui permettre de se coucher dans le froid glacial... Arja me fit remarquer que la plupart des enfants y allaient depuis leur plus jeune âge. J'étais très indécis.

N'ayant jamais encore conduit un enfant au sauna, Arja elle-même finit par avoir des doutes; elle aurait voulu confier Lilian à quelqu'un qui en eût l'expérience. Je lui répondis avec fermeté qu'un père avait le droit d'assister au premier sauna de son enfant, et que ce droit, je ne voulais en aucun cas le céder à personne.

Cela aboutit à une impasse pendant un certain temps. A la fin, non sans quelque nervosité, nous l'emmenâmes tout simplement. Ce n'était pas la peine de nous tourmenter, elle accepta le sauna comme la chose la plus naturelle. En effet, un enfant peut retrouver dans cette chaleur une réminiscence agréable de sa vie prénatale. Il éprouve aussi une liberté délicieuse à se laver de cette manière : il peut jouer avec l'eau, la répandre sur le sol ou renverser le gobelet sur sa tête sans déranger personne.

Une fois qu'elle eut été admise aux cérémonies du sauna, Lilian en devint le centre.

En hiver, nous y allions souvent le samedi après-midi; on l'emmitouflait chaudement, puis on la plaçait sur le *kelkka* — petit fauteuil à roulettes — avec l'équipement de sauna dans un sac à l'arrière; il semblait avoir au moins doublé de volume depuis que Lilian faisait partie de l'expédition. Enfin nous nous mettions en route, l'un de nous poussant le kelkka; Lilian s'écriait de toutes ses forces :

— *Saunaan! Saunaan!* (Au sauna! Au sauna!)

A l'intérieur du sauna, le père n'avait plus qu'à expédier sa toilette pour se tenir dans le vestiaire fin prêt à recevoir sa fille. Cette nuit-là, d'habitude, elle dormait bien.

WALTER BACON.

Bénarès, la ville sainte

Sur les rives du Gange se dressent les temples et les palais de Bénarès,
la ville sainte de l'Inde. Placée sous la protection du dieu Çiva, Bénarès grouille
d'une foule de pèlerins qui viennent se baigner dans les eaux du fleuve, ou,
encore, mourir là et se faire incinérer près de ce lieu sacré.

La belle et antique cité de Bénarès est le principal centre religieux du monde indien : des milliers et des milliers de pèlerins, de toutes les régions de l'Inde, viennent la visiter chaque année. La ville s'élève sur la haute rive septentrionale du Gange, et compose un magnifique panorama d'édifices, qui représentent une grande variété de styles d'architecture indienne. La fondation de Bénarès remonte à peu près au xe siècle avant Jésus-Christ : à cause de sa position entre les deux affluents du Gange — le Varuna, au nord, et l'Asi, au sud — elle s'appelait Varanasi; aujourd'hui, les Indiens ont remis en honneur son nom antique.

Tout au long des rives du fleuve s'élèvent des gradins de pierre seulement interrompus par les nombreux points d'abordage nécessaires aux barques qui font la navette sur le fleuve. Des multitudes de fidèles envahissent ces marches, parce que les Indiens attribuent aux eaux sacrées le pouvoir de les purifier de leurs péchés. Pour un Indien pieux, mourir sur les rives du Gange signifie s'ouvrir une porte vers le salut : la fumée des bûchers funéraires s'élève constamment des terrasses, qu'on utilise pour la crémation tout le long des rives.

La cérémonie funèbre est d'une extrême simplicité. Quatre hommes portent sur un brancard le corps du défunt, enveloppé dans un linge léger; suivis par le cortège, ils montent les gradins et ils immergent le corps dans les eaux du fleuve sacré, puis ils l'étendent sur une petite pile de bois sec. Ensuite, le feu s'allume, et les gens qui forment le cortège s'accroupissent en silence autour du bûcher.

Les enfants, debout non loin de là, regardent, parce que les Indiens croient qu'aucun aspect de la réalité ne doit leur être caché. Le brasier dure plusieurs heures; pour finir, on verse de l'eau sur les cendres encore brûlantes, pour les refroidir avant de les disperser dans le fleuve. Le cortège funèbre s'éloigne lentement.

Les Indiens croient à une âme universelle, représentée par une trinité de dieux : Brahma, le Père; Vichnou, le Sauveur, et Çiva, le Destructeur, qui est aussi le principe de la puissance génésique, représentée par un emblème phallique, le Lingam. A eux trois, ils sont responsables de la création, de la protection et de la destruction de l'univers. Bénarès est sous la garde de Çiva. L'emblème de cette divinité se trouve dans tous les temples, usé par les mains des fidèles, aspergé de l'eau sacrée du Gange et décoré de fleurs. Ces simples rituels font partie de la vie quotidienne, prières du peuple au Tout-Puissant, à celui qui dispense la vie et la reprend.

WILLIAM MACQUITTY.

La vie sur les rives du Gange commence dès avant l'aube, quand les pèlerins — hommes, femmes et enfants — se pressent le long du fleuve en attendant le lever du soleil. Il y en a qui arrivent en groupe et d'autres seuls, mais ils méditent tous sur leur salut, jusqu'au moment où leur immersion dans le fleuve sacré les purifiera du mal et les lavera de tous leurs péchés. Un personnage solitaire *(à gauche)* se tient immobile, dans l'attente de l'heure où il pourra entrer dans l'eau. Il a, en face de lui, un récipient de cuivre, qui lui servira à transporter un peu d'eau sainte jusqu'à sa maison (qui se réduit peut-être à un trottoir ou à une encoignure de la grande ville). Il n'a revêtu qu'une couverture pour se protéger du froid du matin, et c'est enveloppé dans ce vêtement qu'il se plongera tout à l'heure dans les eaux du fleuve sacré.

Au fur et à mesure que le soleil s'élève, la brume se dissipe sur le fleuve et dégage les grandioses édifices *(en bas)* qui donnent à Bénarès une majesté unique au monde. Dans beaucoup de ces palais vivent de riches Indiens, venus chercher ici le voisinage du Gange. Des milans planent dans l'air tranquille, tandis que des femmes et des enfants se baignent dans les lentes eaux du fleuve.

Bénarès
se réveille

Quelques moments après le lever du soleil à Bénarès, le grand amphithéâtre d'escaliers et de terrasses se remet à vivre. Les fidèles les plus importants prennent place sous des parasols faits de feuilles de palmier séchées. Au milieu de la foule grouillante, des brahmanes vénérables récitent des fragments des textes sacrés à l'intention d'un auditoire attentif, tandis qu'autour d'eux vont et viennent des fakirs barbouillés de cendre, des taureaux et des vaches sacrés, des mendiants, des chèvres, des barbiers, des bateliers et des marchands de sucreries, qui proposent leurs marchandises d'une voix stridente ; des prêtres distribuent aux pèlerins des poudres de différentes couleurs, pour qu'ils se mettent une marque sur le front en signe de vénération pour les dieux ; des enfants vendent des soucis jaunes et orange, du jasmin et des pétales de roses pour orner les images du temple.

L'enchantement de Bruges

Ville-musée, patrie de Memling et des frères Van Eyck, Bruges fut jadis
l'une des cités les plus riches et les plus brillantes d'Europe. Si le temps de
la gloire est pour elle révolu, elle conserve intact l'héritage du passé.
Au cœur de la Flandre, la « Venise du Nord » veille sur ses souvenirs.

Le cadran des vieilles horloges flamandes ne marque que les heures; ici, l'aiguille
unique s'est arrêtée aux environs de l'an 1500. Les historiens expliquent assez pla-
tement ce phénomène par l'ensablement du Zwyn (dont l'embouchure faisait de
Bruges le premier port du Nord de l'Europe). La vérité paraît plus simple : ce jour-
là, comme un hallebardier prend sa retraite, la Flandre tout entière s'est confortablement installée pour rêver devant cette réussite de beauté et d'art de vivre qu'était
devenue Bruges. Le calme de cette ville endormie depuis cinq siècles ne risque
d'ailleurs pas de réveiller un jour ses habitants.

Dans la rue Noordzand, l'une des artères commerçantes, et donc l'une des plus
« modernes » de Bruges, on peut successivement observer quatre curieuses façades:
la première est datée du XVIIe siècle, la seconde fut incontestablement édifiée vers
1900, la troisième doit être plus ancienne encore que la première, et la quatrième,
qui n'est pas encore terminée, porte le nom d'un entrepreneur actuel. Et pourtant,
aucune de ces maisons ne jure l'une avec l'autre, tant l'esprit de Bruges et le soin
mis à sa construction restent aujourd'hui les mêmes qu'au XVIIe siècle. En 1630,
en effet, on y prescrivait déjà de ne point élever de maisons outrageusement
« modernes »!

La ville s'ordonne toujours autour de la place du Marché, dominée par un beffroi
aux allures de tour de Pise (il penche vers la gauche de quelque cinquante centimètres). Aux quatre horizons, surgie du fond des temps, une armée de toits pointus
se serre autour des ruelles, ou des artères gris-vert que sont les canaux. Avec quelques
flocons de neige, ce paysage aurait l'air peint par Bruegel le Vieux. A heures fixes,
le fameux carillon égrène les notes de la *Petite Musique de nuit* avec une patience
imperturbable qu'on s'explique en apprenant qu'elle est due à un dispositif automatique. Mais le soir, un homme à l'allure grave monte les trois cent soixante-six
marches du beffroi. C'est le carillonneur municipal qui vient exécuter son concert.
S'il sacrifie le plus souvent à la musique classique, ce virtuose ne craint pas, à l'occasion, de jouer *Pigalle* ou quelque autre chanson légère sur ses vénérables cloches...

Les toits de Bruges abritent seize musées. Quoique tous ne présentent pas un
égal intérêt, le visiteur limité à quelques jours se doit de connaître le Groeninge,
le palais Gruuthuse et l'hôpital Saint-Jean. N'avoir point admiré la collection de

A Bruges, on n'a pas besoin d'une machine à remonter le temps : les quartiers
du bord de l'eau ressemblent toujours à ce qu'ils étaient il y a trois siècles, et les
maisons plus modernes s'intègrent dans le paysage avec un parfait naturel.

Sur le quai Vert, qui a inspiré tant de peintres et de photographes, voici la façade de l'ancien hospice, dit *du Pélican* : elle est caractéristique du style brugeois.

primitifs flamands du musée Groeninge serait, en effet, ignorer presque la moitié de Bruges, cette ville où l'on ne craignit pas, autrefois, de peindre d'or les arbres eux-mêmes lorsque les ducs de Bourgogne donnaient une de ces fêtes orientales dont ils avaient le secret. Quel est le plus fidèle, le plus « jeune » aujourd'hui, le plus serein, le plus somptueux de ces peintres : Provost, Pieter Pourbus, Jan Van Eyck, Memling? A travers la diversité des ors, des rouges et des bleus d'une incroyable fraîcheur, à travers les factures diverses et les générations différentes, un curieux dénominateur commun finit par frapper l'attention : les étoffes. Mystiques ou non, infernaux ou simplement anecdotiques, les « ymagiers » de Bruges exploitèrent tous les somptueux drapés de laine, de velours et de soie. Car Bruges, grand port du Nord, servait aussi d'entrepôt à des quantités fabuleuses d'étoffes précieuses de toutes sortes.

Douterait-on de cette munificence flamande qu'on la retrouverait au palais Gruuthuse sur les plus quotidiens des objets : la simple plaque de corporation d'un maître cordonnier brugeois est une pièce d'argenterie à qui un grand collectionneur du XXe siècle donnerait une place d'honneur dans sa vitrine.

Sur une enseigne d'apothicaire médiéval, un malade se fait administrer... un clystère de manière fort réaliste, mais la sculpture et la polychromie paraissent aussi soignées que celles des œuvres d'art commandées par les grands couvents.

Quant à l'hôpital Saint-Jean, sa « halle », où l'on pourrait disputer un tournoi, et son ex-infirmerie abritent aujourd'hui les chefs-d'œuvre de Memling, mondialement célèbres, et la fameuse châsse de sainte Ursule, dont la peinture est si fine qu'il faut une loupe pour en goûter pleinement les détails...

Il n'est pas, à Bruges, que les chefs-d'œuvre catalogués par les critiques d'art : vous apprécierez la promenade sur les canaux, y compris le parfum subtil et un peu fade des choses mortes.

La « Venise du Nord » possède aussi ses gondoliers, mais ceux-ci travaillent au moteur, portent des casquettes de yachtmen et sont plus discrets sur les pourboires. La paix des nerfs y gagne, si le décorum en souffre un peu. Aussi, glissant sur l'eau, allez-vous découvrir un nouvel aspect du beffroi, tandis que les anciennes maisons du quai, de toute leur silhouette de briques noircies, semblent vous souhaiter la bienvenue au seuil d'une nouvelle vie. Votre équipée à prix fixe ne mène cependant pas plus loin qu'aux environs du Béguinage, le site le plus reposant de la ville, où les écharpes des saules s'évertuent vainement à cacher les familles de cygnes. Qui devinerait que ce « lac d'amour », dont les eaux mortes sont aujourd'hui vouées au silence, recevait, au Moyen Age, cent cinquante vaisseaux par jour?

Peut-être désireriez-vous chercher quelque souvenir de ces fabuleuses cargaisons dans les minuscules vitrines des innombrables antiquaires, ou auprès des vieilles dentellières en bonnet blanc qui travaillent en pleine rue à une cadence toute stakhanoviste?

Mais le moyen le plus sûr de retrouver l'or de Bruges, c'est encore dans ses canaux; des projecteurs aux rougeurs de vieux cuivre illuminent, à la nuit, les sites les plus fameux, et les barques qui passent (car la promenade continue) semblent, alors, brasser dans leur sillage un inestimable tapis de ducats.

Un ouvrage entier serait nécessaire pour énumérer tout-ce-qu'il-faut-absolument-voir-avant-son-départ : le mausolée noir et or de Charles le Téméraire et celui de Marie de Bourgogne, l'église Notre-Dame, ou ces maisons-Dieu que les échevins firent construire pour les vieillards, il y a plus de trois siècles... Il ne faudrait pas manquer non plus de sortir de Bruges pour connaître son extension maritime, Zeebruge, et le village de Damme, qui existait déjà au Moyen Age.

Une longue digue fouettée par un vent à poussière de charbon, une plage banale avec ses dancings et ses restaurants... Voilà peu d'aliments, en vérité, pour qui vou-

Le *Groenerei*, ou quai Vert, est l'un des coins les plus pittoresques de la ville. Bruges, un peu comme Venise, mire dans l'eau ses vieux quartiers. Ne fut-elle pas, jadis, l'un des grands ports d'Europe, grâce à sa position sur l'estuaire du Zwyn?

drait rassasier un appétit de réalisme populaire éveillé par la lecture de Mac Orlan. Mais, en revanche, le vent romantique de la mer souffle abondamment au milieu des terres, dans ce village de Damme qui se mire au bord d'un sage canal et qui fut l'avant-port de Bruges au temps de la Hanse. On vient aujourd'hui à Damme pour pêcher à la ligne ou pour déjeuner dans une des pittoresques auberges de la place, et presque personne ne se souvient que Till Eulenspiegel est, paraît-il, né ici.

Les rafales n'assaillent plus qu'un vieux moulin, mais le vent de l'aventure souffle où bon lui semble, tout particulièrement en Flandre, où l'on sait encore cultiver les rêves...

L'une des quatre portes d'entrée de la ville. (Elles étaient autrefois au nombre de neuf.) Après avoir été coupée de la mer du Nord par l'ensablement du Zwyn, Bruges lui est de nouveau reliée par un canal de 13 km, construit au XXᵉ siècle.

A gauche : refermée sur son secret, une ruelle de Bruges. Cette cité, qui fut illustre et riche, dort aujourd'hui dans un calme paisible. Elle offre aux visiteurs l'occasion, devenue rare, d'échapper au mouvement trépidant de la vie moderne, et de flâner à travers des quartiers silencieux où l'on ne rencontre âme qui vive.

A droite : une promenade à travers Bruges. Ces deux jeunes femmes ont choisi un moyen de locomotion pittoresque, qui leur permettra d'admirer à loisir les chefs-d'œuvre d'architecture qui surgissent à chaque coin de rue. Cet admirable paysage urbain attire des milliers de touristes, qui viennent y retrouver l'atmosphère du Moyen Age et de la Renaissance.

Voici l'entrée du béguinage de Bruges, fondé au XIIIᵉ siècle par Marguerite de Constantinople. A l'ombre des grands arbres, les charmantes maisons qui abritent la communauté ont conservé leur caractère médiéval ; laïques et moniales y font de la dentelle et de la broderie.

Machu Picchu, forteresse des Incas

Quand l'Empire péruvien s'effondra sous les coups de Pizarro et de ses soldats, la ville de Machu Picchu, bâtie en plein centre des Andes, fournit un refuge inexpugnable aux derniers Incas; ils y moururent, laissant la forêt recouvrir les traces de leur mystérieuse forteresse de pierre.

Dans un site vertigineux, une magnifique citadelle abandonnée est demeurée perchée sur un col entre deux pics déchiquetés des Andes péruviennes, protégée par les hautes parois qui bordent les précipices environnants. Ce lieu attire depuis cinquante ans les savants et les touristes du monde entier. Ils viennent là s'interroger sur l'un des mystères archéologiques les plus passionnants de l'hémisphère austral et admirer une vue d'une incomparable majesté.

Nul ne connaît le nom véritable de cette cité; ses habitants l'ont emporté dans le secret de la tombe, mais on la nomme Machu Picchu (Machou Pikchou), ou Pic Antique, d'après l'un des deux pitons qui la gardent. Durant des siècles, avant sa découverte, en 1911, par Hiram Bingham (alors jeune professeur adjoint d'histoire de l'Amérique latine à l'université Yale), les temples de granit ingénieusement construits, les aqueducs, les fontaines, les tombes, les terrasses et les interminables escaliers de Machu Picchu étaient cachés par les forêts, les lianes et les amoncellements de roches.

Qui a construit cette ville, quand et pourquoi? Certains archéologues estiment qu'elle a été édifiée cent ans environ avant la conquête espagnole, bien que Bingham la jugeât antérieure de plusieurs siècles à cette époque et la considérât comme la plus ancienne cité inca. L'habileté qui a présidé à sa construction donne à penser que ses habitants étaient de race royale. Cependant, les caveaux de ses cimetières réservaient une étrange surprise. Au cours de ses dernières années, Machu Picchu semble avoir été peuplée de femmes. Sur les 173 squelettes mis au jour, près de 150 étaient féminins. On pense que, pour échapper aux conquérants espagnols, les survivantes de l'Empire inca écroulé connues sous le nom de «femmes choisies» s'enfuirent dans cet antique réduit, où elles vécurent en grand apparat jusqu'à leur mort; après quoi la forêt recouvrit leur secret. L'une des raisons pour lesquelles Machu Picchu demeure un mystère tient à ce que les Incas ne possédaient pas de langage écrit. Presque tout ce que nous savons d'eux nous vient des chroniques rédigées à l'époque de la conquête du Pérou par les Espagnols.

Les ruines grandioses de Machu Picchu. Le pic que l'on voit à l'arrière-plan a été aménagé en terrasses cultivables; les Incas transportaient des tonnes de terre fertile jusqu'à leurs jardins.

A son apogée, aux environs de 1450, l'Empire inca englobait ce qui constitue aujourd'hui le Pérou, la plus grande partie de l'Équateur, la Bolivie et les régions septentrionales du Chili et de l'Argentine. C'était un État autocratique qui, d'après Hiram Bingham, « ne permettait pas que quelqu'un souffrît de la faim ou du froid », et l'Inca (l'empereur) avait relié les diverses parties de son empire composite — montagnes couvertes de neiges éternelles, désert balayé par les vents, forêts impénétrables — au moyen d'un réseau serré de routes. Un système de courriers parfaitement entraînés fonctionnait si bien que le souverain, dans sa citadelle de montagne, s'offrait, raconte-t-on, le plaisir de manger du poisson frais du Pacifique.

Il y a quelques années encore, les touristes qui se rendaient à Machu Picchu achevaient le voyage à dos de mule en gravissant un étroit sentier de montagne surplombant un précipice béant. Aujourd'hui, un avion vous emporte en deux heures de temps de Lima, au niveau de la mer, jusqu'à Cuzco, l'ancienne capitale inca, à 3 400 mètres d'altitude. De Cuzco, on s'engouffre dans la vallée sacrée de la rivière Urubamba, à bord d'une auto mue par un moteur à essence et circulant sur rails à écartement réduit.

Ensuite, on plonge dans le sinistre cañon sauvage qui fit reculer les mousquetaires de Pizarro. La voie serpente entre de sombres rochers en surplomb et les rapides grondants, semés de rocs, de l'Urubamba. Devant vous se profile la falaise terminale, une pente vertigineuse de 600 mètres. C'est là que les guerriers incas repoussèrent autrefois l'étranger, à l'aide de lance-pierres et de massues. Aujourd'hui, la route Hiram Bingham, étroite voie longue de 8 kilomètres et dotée de 14 tournants en épingle à cheveux, grimpe à l'assaut de la paroi. On y monte dans un car conduit par un Indien qui chante à pleine poitrine pour distraire votre attention du précipice voisin au fond duquel coule le torrent.

La route se termine, au bas de l'antique cité, près d'une jolie petite auberge. Sitôt que vous êtes prêt à vous mouvoir dans l'air raréfié qu'on respire à 2 700 mètres, un guide indien parlant anglais vous conduit à travers un labyrinthe de 200 maisons et temples sans toitures.

Les rues silencieuses sont peuplées de fantômes, ceux des rois richement vêtus et de leurs femmes, ceux des prêtres, des guerriers et des travailleurs, morts depuis des siècles. L'élite des Incas dans ses habits d'apparat devait offrir un spectacle saisissant. Un grand nombre portaient des manteaux de merveilleuse laine de vigogne tissée, aux dessins compliqués, de couleurs vives; d'autres étincelaient comme les oiseaux de la jungle dont ils utilisaient les plumages pour s'en faire des coiffures ou de longues capes.

L'année dernière, plus de 10 000 visiteurs ont fait le voyage de Machu Picchu, cette ville que défendaient, avant la découverte de Bingham, des forêts, des reptiles redoutables, des rapides et des pentes pratiquement inaccessibles couronnées de larges glaciers. « Ces pics couverts de neige m'attiraient, raconte-t-il dans son livre intitulé *La Cité perdue des Incas*. J'entendais l'appel du héros de Kipling : « Va! Cherche derrière les montagnes... « Quelque chose est perdu derrière ces montagnes, quelque chose est perdu et t'attend. Va! »

Au cours de ses premières randonnées à dos de mule à travers les Andes et en lisant d'anciennes chroniques, Bingham avait été séduit par des allusions à une « cité perdue », quelque part au nord-ouest de Cuzco, que les cupides conquistadores n'avaient jamais atteinte. Il suivit maintes pistes mais ne trouva au bout que quelques cabanes en ruine.

A considérer la situation de Machu Picchu, on comprend que les conquérants espagnols n'aient jamais réussi à s'en emparer, mais aussi qu'elle ait, des siècles durant, échappé aux recherches.

En juillet 1911, accompagné de deux savants amis, de quelques auxiliaires indiens et d'un brigadier détaché pour assurer leur protection, il s'engagea avec un convoi de mules dans le cañon de l'Urubamba afin de relever une vague piste. Durant trois jours, les Indiens ouvrant la voie à coups de serpe, le groupe progressa péniblement, rampant sur de dangereux sentiers à flanc de montagne. Parfois les mules elles-mêmes glissaient, et il fallait alors les hisser pour les sauver de l'écrasement dans le gouffre.

Un certain matin, un planteur se présenta à leur campement. Il leur conta l'histoire habituelle : il y avait des ruines au sommet de la montagne, de l'autre côté de la rivière. C'était par une froide journée de bruine; les compagnons de Bingham, harassés, n'eurent pas le courage d'entreprendre cette ascension. Bingham ne s'attendait guère à faire une découverte, mais il convainquit pourtant le planteur hésitant et le brigadier de se joindre à lui. Ils franchirent d'abord les rapides écumeux, rampant sur un fragile pont indien assemblé par des lianes. Puis ils grimpèrent la pente à

Les ruines de Machu Picchu sont invisibles depuis les gorges tourmentées qu'elles dominent. Selon une légende, le dernier roi inca, Manco, se réfugia dans la ville avec une poignée de ses partisans, des femmes surtout, après avoir opposé aux Espagnols une ultime et vaine résistance. Ce fut la fin d'une société bien organisée et le début d'une chasse au trésor archéologique qui continue toujours. Ceux qui visitent les restes des édifices incas ont besoin de beaucoup d'imagination pour se représenter la splendeur antique de l'Empire péruvien : les murs intérieurs ont perdu leur revêtement d'or. Francisco Pizarro, le chef des envahisseurs espagnols, après avoir capturé Atahualpa, le roi des Incas, exigea comme rançon une aussi grande quantité d'ornements et d'ustensiles en or qu'en pourrait contenir une pièce de l'importance de celle qu'on voit sur notre photographie. La rançon fut payée.

quatre pattes, s'accrochant des mains aux broussailles. Leur guide leur criait de prendre garde aux venimeuses vipères fer-de-lance qui, par la suite, devaient tuer deux de leurs mules. Au bout d'une exténuante ascension de 600 mètres, ils tombèrent tout à coup sur une cabane recouverte d'herbes. Deux Indiens leur offrirent de l'eau fraîche et leur dirent qu'après le tournant ils allaient trouver quelques vieilles maisons et des restes de murs.

Bingham contourna ce pan de montagne et s'arrêta, stupéfait, devant un spectacle comparable à celui qu'offriraient la grande pyramide d'Égypte et le Grand Cañon réunis. Il aperçut d'abord une centaine de terrasses, admirablement construites, longues d'une trentaine de mètres : on eût dit un immense domaine agricole commençant à flanc de montagne et se déployant vers le ciel. Des armées de maçons ont construit ces murs, il y a Dieu sait combien de siècles. Ils ont taillé et déplacé eux-mêmes les rocs sans le secours de la roue, de l'acier ou du fer. Des multitudes encore plus nombreuses de travailleurs ont transporté des tonnes de terre arable, prise sans

doute dans la vallée, pour créer un sol cultivable, aujourd'hui encore fertile. Au-delà des terrasses, on découvre d'autres merveilles, partiellement dissimulées, à l'époque, par des broussailles. L'année suivante, sous les auspices de l'université Yale et de la Société nationale de géographie, Bingham conduisit sur les lieux une expédition scientifique complète. Machu Picchu s'ouvrait au monde.

Sa principale beauté réside dans ce déploiement de splendides murailles en escalier. Au sommet de la citadelle, là où l'on croit que les Incas adoraient leur ancêtre, le soleil, des temples de maçonnerie primitive, les plus extraordinaires du monde, représentent le labeur de générations de maîtres artisans. Des hommes de toutes nationalités, qui s'y connaissent en outils et en méthodes de construction, s'émerveillent devant ces murs de granit et font à leur sujet toutes les suppositions possibles.

Ils constatent que pas un bloc n'est semblable à l'autre. Chacun a été taillé en vue d'occuper une place précise, avec des angles bizarres et des protubérances méticuleusement exécutées pour qu'il s'adapte à ses voisins, comme font les différents morceaux d'un puzzle. Les maçons n'employaient pas de mortier. Leur travail était cependant si parfait qu'on ne peut même pas insérer une lame de couteau entre les joints vifs. Pour outils, ils disposaient de ciseaux de bronze, de lourds leviers du même métal et peut-être de sable en guise d'abrasif. Nombre de ces blocs pèsent plusieurs tonnes et doivent avoir été mis en place, à l'aide de cales et de rouleaux, par des équipes d'hommes tirant sur des cordes de lianes. A près de 1 500 mètres de distance, sur la montagne dominant la ville, se trouve l'antique carrière où des blocs gigantesques à demi taillés sont demeurés là et donnent l'impression que le travail continue.

Les rues principales de cette cité perdue dans les nuages sont faites d'escaliers. Il y en a plus de 100, des grands et des petits. L'avenue centrale, composée de marches, part du niveau le plus bas et monte jusqu'au sommet de la ville; plusieurs dizaines de maisons la bordent. Des escaliers latéraux s'y insèrent à différents niveaux. Certaines volées de six, huit ou dix marches, menant aux maisons, sont sculptées et taillées dans un seul bloc de granit, balustrade comprise.

Les habitants — au nombre d'un millier — étaient approvisionnés en eau par une ingénieuse succession de fontaines, réparties du haut en bas de la ville et la séparant approximativement en son milieu. Prise à des sources, environ 1 500 mètres plus haut, puis amenée par des aqueducs de pierre, l'eau passait par un réseau compliqué de trous forés dans les épaisses parois de granit. Elle jaillissait à chaque fontaine, afin que les femmes pussent y remplir leurs cruches de terre, puis elle tombait dans un bassin taillé dans le roc et coulait dans un conduit jusqu'à la fontaine suivante, en longue cascade.

Vue de la montagne qui la domine, Machu Picchu s'avance dans le ciel comme une forteresse imprenable qu'une poignée d'hommes pouvaient défendre. Bien plus bas, le ruban argenté de l'Urubamba, formant une courbe en fer à cheval, s'enroule autour de la base de la cité. A 600 mètres au-dessus de la rivière, les deux pics sont dotés de tours de guet en pierre d'où les sentinelles surveillaient la vallée.

Les remparts naturels de la ville étaient renforcés par un mur extérieur, un mur intérieur et un fossé, plus un système compliqué de verrous taillés dans les portes massives de la ville. Une protection aussi poussée donne à penser que Machu Picchu devait être un important bastion intérieur de l'empire et peut-être un haut lieu ancestral et religieux. Sur ce qu'il dénomma la Place Sacrée, Bingham trouva les vestiges d'un temple de granit blanc, avec un autel destiné aux sacrifices et plusieurs niches qui pourraient avoir contenu des objets cultuels. Mais ce qu'il découvrit avec le plus de plaisir, ce sont les murs élégamment sculptés d'une demeure dont « trois fenêtres donnent au soleil levant », comme la légendaire maison royale d'où l'on raconte que le premier Inca était parti pour fonder la dynastie.

Si la ville tout entière s'élève vers le ciel, c'est pour atteindre un objectif sacré : le traditionnel cadran solaire inca qui mesurait les saisons pour ces habitants des Andes, adorateurs du soleil. A l'occasion du solstice d'hiver se déroulait un rite de toute première importance. Les prêtres « attachaient » le soleil à une stèle de pierre élancée surmontant elle-même une plate-forme, le tout taillé dans un bloc de taille gigantesque.

A l'apogée du règne inca, les provinces de tout l'empire entretenaient des écoles où les vierges les plus gracieuses et les plus douées étaient formées pour le service de la maison du prince ou de ses nobles et pour participer aux rites religieux. Nombre de ces écoles furent ravagées par les Espagnols, et Bingham suppose qu'un groupe de survivantes fut secrètement conduit à Machu Picchu pour y perpétuer l'adoration séculaire du soleil, de la lune, du tonnerre et des étoiles jusqu'à ce que les tueurs blancs et barbus fussent boutés hors du pays. Les années passant, ces femmes moururent l'une après l'autre. La jungle recouvrit leurs temples et nul ne demeura pour parler de leur veille.

Machu Picchu et ses antiques splendeurs resteront peut-être une énigme. Cependant, du haut de la crête où repose cette cité, nul ne peut contempler la vaste et tumultueuse grandeur des Andes supérieures sans être attiré par elle. Quelles autres forteresses secrètes, quels temples étouffés par les lianes, quels vestiges de civilisations, gisent encore de l'autre côté ?

HARLAND MANCHESTER.

Les Incas adoraient le soleil, dispensateur de la vie. Les cadrans solaires traditionnels, comme celui-ci, marquaient les saisons et servaient d'autels pour les cérémonies religieuses. La maçonnerie massive et complexe de Machu Picchu est l'œuvre d'une race de grands architectes. Les édifices des régions montagneuses étaient généralement en pierre, à cause du climat pluvieux, mais ceux de la côte, situés dans une zone de climat sec, étaient en argile. Les murs des constructions de Machu Picchu sont faits d'un assemblage de pierres brutes et de dalles parfaitement polies. Les blocs de pierre étaient taillés avec soin et si habilement encastrés qu'il n'y avait pas besoin de mortier. Les Incas construisirent des routes et des ponts, fabriquèrent des étoffes et des céramiques merveilleuses, mais ils ne découvrirent jamais l'écriture ni un système de calendrier, pas plus qu'ils ne connurent le fer, la roue ou le verre.

Les splendides étalons blancs de Vienne

Vienne, capitale de l'opéra et métropole de la valse, abrite aussi un corps
de ballet unique au monde, quoique assez insolite au regard du profane.
Dans l'ancien palais des Habsbourg, vingt étalons d'une blancheur de neige
donnent tous les dimanches un spectacle étourdissant.

Il est un spectacle que les touristes, de passage dans la charmante capitale autrichienne, ne doivent manquer à aucun prix. C'est celui auquel on assiste dans le manège de la vénérable École espagnole de Vienne, installée à la Hofburg, l'ancien palais des Habsbourg. Chaque dimanche, un groupe de chevaux donne un ballet classique aussi fascinant pour le public d'aujourd'hui que pour les têtes couronnées des temps passés.

Avec une facilité apparente, vingt étalons lipizzans d'un blanc de neige, puissants et pourtant d'une grâce exquise, se livrent à des évolutions savantes avec la précision d'un peloton de saint-cyriens et la fluidité de mouvements d'une troupe de girls. Pendant une heure et demie, ils se meuvent en formation irréprochable, dansent et caracolent au rythme d'anciens et majestueux airs viennois. Gardant leurs magnifiques encolures arquées, ils pirouettent comme des ballerines, se dressent sur leurs membres postérieurs dans l'élégante courbette et quittent complètement le sol dans l'éblouissante cabriole. Et, tout au long de ces exercices, leurs cavaliers se tiennent droits comme des I, sans jamais paraître agir sur les rênes. La première fois que je les vis, il y a quelques années, en tête de la colonne de ces nobles bêtes, qui s'avançaient à pas comptés dans le manège pour la reprise, chevauchait le colonel Alois Podhajsky. Issu d'une vieille famille de militaires autrichiens, cet officier de soixante-trois ans était d'une taille imposante. Toutes les sommités du monde du cheval le considéraient comme le maître de la haute école. Depuis plus de vingt ans qu'il était commandant de l'École espagnole, les chevaux et leur dressage étaient le centre d'intérêt de sa vie.

Je n'oublierai jamais le jour où je suis entré dans la célèbre écurie. Le colonel m'emmena dans la longue nef bordée de stalles. Dès que ses « enfants » entendirent sa voix, ce fut un concert de hennissements ponctués de coups de sabot contre les portes. Vingt têtes blanches se tournèrent dans notre direction.

Quand une de ces têtes blanches venait se frotter contre lui, le colonel sortait, du sac de cuir qui ne le quittait jamais au cours de ses tournées d'inspection, un morceau de sucre.

— Il faut à ces extraordinaires chevaux, me dit-il, le même genre d'affection qu'aux humains. Si l'un d'eux est mécontent de moi, il refuse de prendre le morceau de sucre, et je suis ainsi averti que quelque chose ne va pas.

114

Sous le portrait de l'empereur Charles VI, qui a fondé, en 1735, le manège de l'École espagnole de Vienne, réputé le plus beau du monde, les étalons s'immobilisent dans un superbe mouvement qu'on appelle la courbette.

L'étranger qui accompagnait le colonel fut littéralement toisé par d'immenses yeux bruns, doux et intelligents, mais remarquablement pénétrants. Puis les animaux renâclèrent légèrement, poliment aurait-on dit, et lancèrent une caresse approbative des naseaux, accompagnée quelquefois d'un coup de langue déconcertant, à moins qu'ils ne fissent une brusque volte-face vers la mangeoire.

— Ne vous formalisez surtout pas, il leur arrive d'être assez arrogants, me dit le colonel avec un sourire.

Parfois aussi, ils manifestent un sens étrange des convenances. Voilà plusieurs années, l'un des préférés de Podhajsky, Pluto Theodorosta (leurs noms sont aussi impressionnants que leurs personnes), subjugua la cour d'Angleterre. Les étalons exécutaient leur reprise au Concours hippique de Londres, quand la reine Élisabeth s'enticha subitement de Pluto. Excellente cavalière, elle voulut à toute force le monter après la représentation.

— Pluto, me dit le colonel, savait parfaitement qu'il portait une personnalité importante. Il comprit aussi que Sa Majesté était une écuyère consommée.

Bien que la reine ignorât les signaux auxquels obéissent les lipizzans, Pluto lui fit faire, à sa grande joie, et sans qu'elle le guidât, les évolutions les moins acrobatiques de son répertoire.

Lorsqu'on assiste à l'entraînement quotidien des étalons, on ne peut que trouver émouvants les résultats obtenus en commun par des hommes compréhensifs et des animaux intelligents. Le manège est un lieu très calme. Par tradition, les commandements sont toujours lancés en sourdine.

— Toute réprimande sur un ton élevé, toute manifestation violente, disait Podhajsky, porterait atteinte au talent naturel des chevaux et au plaisir qu'ils éprouvent à l'exercer.

Ceux que l'on destine au manège sont choisis avec le plus grand soin. Chaque année, au haras de Piber, dans les montagnes de Styrie, naissent environ vingt-cinq lipizzans. On sélectionne les étalons faisant preuve d'aptitudes spéciales et, comme mères de la génération suivante, les juments dont la formation et le tempérament paraissent le mieux en rapport avec les leurs. A part une longe, les lipizzans ne connaissent aucune discipline avant l'âge de quatre ans.

— Ce serait une erreur de vouloir aller trop vite, me confia le colonel. Ce sont tous des individualistes. Quand nous commençons à les faire travailler, nous tenons à ce que cela leur plaise.

Le dressage exige une patience infinie. Les séances sont limitées à trois quarts d'heure par jour.

— C'est le maximum que la mentalité d'un cheval, même aussi extraordinaire, puisse supporter, m'expliqua le colonel. Une leçon ne doit jamais les fatiguer ou les décourager.

Quand un jeune étalon, encore gris (il naît très foncé, puis sa robe s'éclaircit et devient d'un blanc de neige avec la pleine maturité), a appris les allures classiques du pas, du trot et du galop, il se familiarise avec des mouvements de plus en plus compliqués. C'est tout d'abord l'*appuyer*, ou progression latérale au pas ou au trot. Puis viennent les allures « rassemblées », le *changement de pied*, et finalement le *piaffer*, ou trot cadencé sur place, et le *passage*, ou trot cadencé soutenu.

Mais, outre cet ensemble de figures, l'École de Vienne pratique aussi les « airs relevés », qui demandent encore plus de patience. Dans la *levade*, le cheval lève les antérieurs et se tient sur les postérieurs, jarrets fléchis; il reste dans cette position tant qu'il n'a pas reçu l'ordre de retomber sur ses quatre pieds. Dans la *courbette*, il se dresse sur les postérieurs et fait plusieurs sauts sans toucher le sol des antérieurs. Dans la *croupade*, il exécute une ruade des postérieurs en gardant les antérieurs au sol. Finalement, avec la fantastique *cabriole* — que très peu réussissent — il s'enlève dans les airs comme un Pégase, les postérieurs tendus en arrière, sa magnifique crinière au vent et sa longue queue déployée.

Beaucoup de figures des lipizzans se fondent sur des traits de caractère héréditaires. Les poulains, expliqua le colonel, se livrent à des jeux très semblables aux mouvements qu'ils apprennent plus tard à exécuter au commandement. Les sauts, par exemple, leur viennent tout naturellement.

Les écuyers sont choisis et entraînés aussi soigneusement que les chevaux. Leur formation dure environ cinq ans. Chaque novice agréé a affaire à deux instructeurs sévères : un écuyer chevronné et un cheval tout aussi expérimenté.

— Les cavaliers d'expérience, disait le colonel en souriant, dressent les jeunes chevaux. Les chevaux exercés dressent les jeunes cavaliers.

L'animal est tellement obéissant qu'un novice le croit souvent facile à mener. Or, manifestant ainsi un sens certain de l'humour, le lipizzan attendra un moment d'inattention de son élève cavalier pour se cabrer en une brusque courbette et déposer gentiment l'étourneau dans la sciure de la piste.

Peu à peu, le débutant apprend le difficile code de communication entre l'homme et l'animal. Pour un lipizzan entraîné, la plus légère action sur les rênes ou le moindre changement d'assiette du cavalier sont des signaux. Un clappement, un *nein, nein* (« non, non »), ou *gut, gut* (« bien, bien »), sont tout de suite compris.

La cérémonie par laquelle débute la reprise transporte souvent d'enthousiasme les spectateurs. D'immenses portes s'ouvrent à une extrémité du manège, et, le maître de manège en tête, les étalons entrent à pas comptés. Les splendides destriers blancs s'avancent jusqu'au portrait de l'empereur Charles VI, accroché à l'autre extrémité du manège depuis 1735, date où celui-ci a été achevé. Tandis que les chevaux s'immobilisent comme des statues, le colonel et, à l'unisson, derrière lui, les écuyers ôtent leur bicorne d'un geste lent et, le tenant à bras tendu, saluent le monarque en armure, monté sur un lipizzan d'il y a deux cent cinquante ans.

Le manège est maintenant dirigé par le lieutenant-colonel Erich Handler.

FREDERIC SONDERN.

Une extraordinaire entente finit par s'établir entre la monture et l'homme. Au bout d'un travail acharné, l'écuyer n'a presque jamais besoin d'avoir recours à ses éperons ou à la traditionnelle baguette de bouleau, même quand il s'agit d'obtenir des chevaux cette figure de quadrille.

La magie de Ceylan

Des rouleaux d'écume blanche déferlent sur le sable doré du rivage bordé de palmiers. A l'intérieur des terres, des rizières en terrasses s'étendent au loin harmonieusement, délimitées par les jungles et les hautes montagnes, et des milliers de lacs étincellent comme des diamants dans le soleil.

Cette statue en bois du Bouddha entrant dans le nirvâna se trouve à Polonnaruwa, au centre de Ceylan, depuis plus de sept cents ans. Cette cité atteignit la gloire au XIIᵉ siècle, sous le règne de Parakrama. D'après la légende, le Bouddha vint à Ceylan et convertit les démons Yakkas qui y habitaient.

Une vue sur les rizières et les palmiers. Durant ces dernières années, Ceylan revendiquait le nom de « grenier de l'Est », mais elle importe maintenant plus du tiers de sa consommation de riz. Toutefois, à l'heure actuelle, un gros effort est accompli pour que le pays vive sur sa récolte. Les principaux produits d'exportation de l'île sont le thé, le caoutchouc et le copra.

Pêcheurs de Ceylan

Ces pêcheurs raccommodent leurs filets sur la plage. Des villages de pêcheurs bordent tout le littoral au nord et au sud de Colombo.

Pêche au rivage dans le Sud-Ouest de Ceylan. Le filet déployé dans la mer prend la forme d'un grand arc; il est tenu aux extrémités par deux rangs de villageois. Après la pêche, un marché s'improvise souvent sur la plage. On attrape surtout des maquereaux, des merlans et des soles. Ceylan est également renommée pour ses excellents crabes et homards.

Ce pêcheur tamoul porte un nom portugais, chose courante à Ceylan, étant donné le mélange des races. Les Portugais furent les premiers colons européens de l'île au XVIᵉ siècle. Le pêcheur tient la barre d'une embarcation à moteur. *A droite:* une traditionnelle pirogue de pêche quitte, à l'aube, la lagune de Negombo. Avec sa voilure, ce type de barque atteint jusqu'à quinze nœuds.

Dagobas géants

Un dagoba à Polonnaruwa. Ces édifices religieux, dont la taille varie entre 12 et 120 mètres, furent construits en l'honneur du Bouddha et pour acquérir des mérites au constructeur. Comme sur une église chrétienne, le clocher conduit le regard vers le ciel. Chaque dagoba contient une pièce réservée aux reliques.

La restauration d'un dagoba à Dedigama, entre Kandy et Colombo. Tout d'abord, on le débarrasse de la luxuriante végétation de plusieurs siècles, puis on ôte soigneusement la terre pour mettre à nu des millions de briques en latérite rouge. Pour la construction des dagobas, des villages entiers offraient leurs services gracieusement.

Ce masque de lion, qui vient du village côtier d'Ambalangoda, est utilisé pour la représentation de *Kolam*, drame populaire masqué inspiré des rituels pré-bouddhiques. D'après les chroniques anciennes, les Cingalais descendent de Vijaya, qui, ayant quitté l'Inde septentrionale avec 700 adeptes, débarqua à Ceylan au VIᵉ siècle av. J.-C., le jour même de la mort du Bouddha. Le père de Vijaya était né des amours d'une princesse indienne avec un lion de la jungle, ce qui explique pourquoi les Cingalais se donnent le nom de « race du lion ».

Un roi Naja, ou divinité au serpent, monte la garde devant une cour à Polonnaruwa. Il tient dans la main gauche un « vase d'abondance », signe de prospérité ; la tête est protégée par sept capuchons de cobra ; à ses pieds, deux nains esquissent un pas de danse.

La cité des gemmes

Quand, au Moyen Age, Sindbad le Marin partit d'Arabie pour atteindre Ceylan, il découvrit « un sol couvert d'émeri pour couper et façonner les pierres, des diamants dans le lit des rivières et des perles dans les vallées ». Les saphirs, les rubis, les émeraudes, les grenats des magasins de Kandy et de Colombo proviennent des puits miniers des environs de Ratnapura.
Ci-contre : lavage de l'extrait minier dans des corbeilles en osier; *ci-dessous :* un travailleur remplit les paniers de terre brute afin qu'elle soit lavée.

Le maître, qui a suivi très attentivement toutes les phases de l'opération, trie maintenant avec soin le résidu, à la recherche des pierres précieuses.

Un monastère en plein ciel

Surplombant la plaine de Thessalie, au pied des montagnes du Pinde, s'élève
un massif d'extraordinaires pics rocheux. C'est à leurs sommets que,
délaissant la confusion guerrière du Moyen Age, des moines
grecs orthodoxes se réfugièrent dans la solitude altière des Météores.

En Grèce, l'été n'en finit pas. Octobre déjà se fondait en novembre, et, pourtant,
seuls quelques indices, la chute plus rapide du jour, les brumes soudaines, l'air frais
des montagnes, l'embrasement des hêtres, trahissaient l'approche de l'hiver, alors
que nous quittions la Macédoine pour descendre par le flanc est de la chaîne du
Pinde. Là où le Pinios se jette dans la plaine de Thessalie et flâne dans un lit large et
caillouteux, pas une feuille n'était encore tombée des platanes. Derrière nous s'élevait le Pinde, la route grimpant à pic en direction de l'ouest; mais à l'est, au pied
de la montagne, la plaine de Thessalie s'étendait aussi lisse qu'une mer intérieure
dont les rivages lointains auraient été l'Olympe, Ossa et Pélion, voilés par la brume
matinale d'automne.

Dans l'agitation de l'arrivée à Kalabaka, nous avions presque oublié les Météores,
quand, à l'entrée du village, ils nous surprirent soudain, pics redoutables, colonnes de
roc dressées tout droit à quelques centaines de mètres dans le ciel. Rien n'arrêtait
l'ascension du regard, si ce n'est, çà et là, sur la paroi du rocher, une touffe de végétation inattendue qui s'enroulait autour d'une tige solitaire; ou encore, provenant de
quelque source impétueuse, une traînée humide, qui luisait, comme la trace d'un
escargot, et descendait, rectiligne, depuis les repaires des aigles jusqu'aux faubourgs
du village tapi au pied du massif. Juste au-dessus de nous s'élevait un immense tambour de pierre. Plus loin, séparés par des vallées ombragées, les piliers et les stalag-
mites battaient en retraite dans une confusion démente : ils se soulevaient, s'incli-
naient, s'amincissaient parfois en piédestaux précaires et isolés (au sommet de l'un
d'eux, à peine distinguait-on en raccourci les murs et le clocher d'un minuscule monastère), d'autres paraissaient énormes et s'attroupaient, tels des mammouths médi-
tants à l'orée de la toundra.

Longtemps, les yeux levés, nous contemplâmes ce spectacle en silence. Dans les
rues, c'était une marée mouvante de moutons en transhumance : quittant les villages
du Pinde où ils passaient l'été, les troupeaux émigraient vers leurs pâturages d'hiver
en Thessalie. L'air était saturé de poussière dorée, de bêlements, de salutations
criées dans l'étrange patois latin des bergers vêtus de noir. Fendant la mer de capes
rustiques, de houlettes et de toisons mouvantes, la haute silhouette d'un moine
s'avançait, la tête et les épaules dominant la foule, un grand chapeau cylindrique

Le monastère de Saint-Barlaam, construit au sommet de la paroi
abrupte du rocher. Il y avait à l'origine trente-quatre monastères, dont il ne reste plus qu'une demi-douzaine.

Entre ciel
et terre

Plate-forme d'arrivée d'un monastère surplombant le vide. Autrefois les visiteurs étaient hissés au moyen d'un filet attaché à une corde s'enroulant elle-même autour d'un treuil. De nos jours, l'accès en est facilité grâce à des sentiers et à des marches creusées dans le rocher. Un voyageur, jadis, décrivait ainsi son arrivée : « On commence par une paisible ascension vers le ciel, le filet tournant sur lui-même sans heurt, puis, comme les parois de la cage se resserrent, le visiteur est transformé petit à petit en ballot. Mise à part une étrange sensation d'impuissance, le voyage n'est pas autrement désagréable. Quand le filet arrive au niveau de la plate-forme, il est harponné à l'aide d'un long bâton muni d'un crochet; son contenu, toujours recroquevillé, ayant atterri un peu brutalement, on détache les mailles du crochet et le passager se trouve enfin libre. »

ajoutant encore à sa taille pour lui donner la stature d'un géant. « Vous y voilà, dit le guide. C'est le père Christophe, le père abbé de Saint-Barlaam. »

Pourrions-nous passer la nuit dans son monastère? Bien sûr, et même deux ou trois nuits! Il accompagna son accord d'une tape amicale sur l'épaule, tandis qu'un large sourire illuminait sa longue figure taciturne et faisait rayonner les poils de sa barbe en éventail. Une demi-heure plus tard, de part et d'autre de sa jument, nous nous dirigions vers l'ouest. Un sac de provisions pendait d'un côté de la selle, une bonbonne de vin enrobée d'osier de l'autre et, entre les deux, sans étrier, tirant sur sa courte pipe, chevauchait, très à l'aise, notre père abbé; tantôt il s'adressait à nous, tantôt il chantonnait en sourdine. Les saluts des paysans sur notre passage provoquaient chez lui des reparties pleines d'humour ou une menace ironique de son grand bâton. Les ombres de ces rochers surprenants s'allongeaient, alors que tout semblait doré et velouté sur le proche village de Kastraki. Comme les dernières maisons s'estompaient, une gorge profonde s'ouvrit devant nous, se rétrécissant pour grimper, le long d'une brèche, entre les montagnes. Loin au-dessus de nos têtes, les murs blancs du monastère de la Transfiguration apparurent sur le promontoire, et, bientôt, la silhouette de Saint-Barlaam. Mon cœur se serra devant la distance qui nous séparait encore de ces hauteurs infranchissables. Jamais nous ne pourrions atteindre ce nid d'aigle!

Au même instant, le soleil sombrait derrière les sommets dentelés du Pinde. Devant nous, les montagnes devinrent bleues, effrayantes et glaciales. Toute trace de gaieté semblait désormais avoir déserté le monde.

Tandis que la nuit tombait, la route montait insensiblement. Au pied du rocher de Saint-Barlaam, un énorme gouffre carré, masqué par la broussaille, disparaissait dans le flanc de la montagne. « L'antre du dragon », expliqua le père abbé, perçant l'obscurité de son index, avec un rire calme et légèrement grinçant, « bien installé à l'abri du monastère. »

La route se transformait ensuite en une étroite pente dallée, qui s'élevait entre d'écrasantes masses de rochers, serpentait parmi les blocs de pierre et les platanes tortueux, pour déboucher enfin dans un monde d'où toute échappée sur la plaine était proscrite. Mais, bientôt, laissant là notre labyrinthe, un détour du sentier nous dévoila le clair de lune le plus éblouissant; les montagnes, soudain, avaient perdu leur aspect menaçant et massif. L'air était léger, et le paysage, nimbé d'argent et comme enchanté dans un silence miraculeux. Les platanes étaient aussi immobiles que les précipices eux-mêmes, comme si chaque feuille, tirée d'un métal précieux, avait été aplanie avant d'être fixée aux branches argentées.

Quelques mètres plus haut, la plate-forme d'arrivée de Saint-Barlaam et les tuiles en saillie de son porche ressemblaient, sous le clair de lune, à une poupe de galion d'où pendait, telle une ancre au bout de sa chaîne, un gros crochet. Les pentes escarpées de la falaise n'étaient pas seulement verticales : souvent elles se courbaient même vers l'extérieur, surplombant leurs bases, aussi dépourvues d'accidents ou de prises pour le pied que la montagne de verre d'un conte de fées. Dressé au-dessus du vide, le monastère débordait son piédestal monolithique en un cercle formé de murs saillants, d'avancées de toits et d'étages.

Le père abbé arrêta son cheval et poussa un rugissement. Les syllabes du nom de « Bessarion », renvoyées par l'écho, se perdirent dans l'air avant d'aller mourir dans la vallée. Tout là-haut, sur le rebord du monastère, un pâle visage à lunettes nous scruta par-dessus le parapet, et un timide « bonjour » nous arriva.

« Lâche la corde, et viens t'occuper de la jument », tonna le supérieur. En deux minutes, le crochet tournoya jusqu'à nous, en même temps que se déroulait l'épais câble métallique. C'était le seul moyen d'accès au monastère avant 1932, date à laquelle les marches avaient été taillées. A cette époque, le voyageur s'accroupissait dans un filet dont les mailles supérieures étaient fixées au crochet; il s'élevait ensuite doucement dans les airs, en tournoyant sur lui-même, pour être ensuite hissé lentement jusqu'à la plate-forme par un treuil. A son arrivée, le filet était amené à l'aide d'une gaffe et déposé sur les planches. Le voyageur retrouvait alors la liberté. Au siècle dernier, on utilisait une corde de l'épaisseur d'un poignet. A quelqu'un qui demandait si elle était souvent remplacée : « Seulement quand elle casse », aurait répondu le père abbé de l'époque.

Essoufflé par la descente, le diacre Bessarion aida l'abbé à arrimer les bagages et le ravitaillement au crochet, dessella la jument, la conduisit à l'écurie sur le flanc opposé du rocher et nous rejoignit pour la longue ascension. Creusé dans le roc en surplomb, l'escalier s'enroulait indéfiniment sur lui-même, pour nous conduire enfin, haletants et fourbus, à un lourd portail de fer. Celui-ci donnait accès par un tunnel à une sombre grotte étagée au cœur du rocher. Nous fîmes alors surface dans une cour du monastère que seul un petit mur séparait de l'abîme. Au sommet d'une autre pente, une loggia spacieuse, dallée de carreaux noirs et blancs, avait été construite plus récemment sur la partie byzantine du monastère. Un cyprès courbé par le vent avait poussé là, miraculeusement. Au clair de lune, les tuiles et les coupoles des bâtiments monastiques avaient un aspect humain et familier agréable à contempler après le chaos de rochers à travers lequel nous étions montés.

Se retournant, le père abbé ouvrit les bras dans un large geste de bienvenue. Puis, nous penchant par-dessus le garde-fou d'un appentis qui tremblait à chaque coup de vent, pendant que le frère Bessarion s'affairait au treuil, nous contemplâmes l'ascension du crochet et de son fardeau. Les bagages, la selle et la bonbonne furent déchargés sans encombre sur les planches. Nous conduisant ensuite à la chapelle, le père abbé alluma un cierge à la lampe du sanctuaire; l'or et l'argent de l'iconostase, les innombrables auréoles des saints peints à fresque se mirent à scintiller dans l'ombre. Après avoir fait le signe de la croix et baisé les principales icônes, l'abbé et le frère Bessarion se retirèrent. Nous les suivîmes dehors, dans la cour éclairée par la lune. Tout était désert, pas une lumière ne filtrait aux fenêtres. Les bâtiments semblaient s'être éloignés sous l'influence d'un charme.

Dans la salle d'hôtes, chaude et accueillante avec ses lumières dorées, le frère Bessarion était déjà en train de couper des pommes et du fromage de chèvre; il préparait un hors-d'œuvre, pour accompagner l'*ouzo*, dont l'abbé remplissait sans arrêt les petits verres; puis, quand nous nous assîmes pour un frugal souper de haricots, la grande dame-jeanne fut débouchée. Mais nos deux moines n'avaient pas encore allumé leurs pipes que nous étions déjà en pleine conversation sur la guerre, les problèmes de la Grèce et le déclin des monastères orthodoxes. Ils formaient un contraste saisissant : le frère Bessarion, timide et tout petit, avec sa soutane en lambeaux, sa calotte un peu flottante, l'ardente bienveillance de ses yeux derrière d'épaisses lentilles, s'opposant à la haute stature de l'abbé, à son regard perspicace et plein d'humour, à ses traits émaciés et sardoniques, qui se dédoublaient sur le mur en une ombre gigantesque environnée de fumée. Il y avait dans ses paroles beaucoup de verve et toute la sagesse du monde. Sa famille avait fourni des prêtres à Kalabaka depuis des siècles.

De mon lit, dans ma chambre blanchie à la chaux, je pouvais, quand le vent tombait, entendre la respiration profonde et régulière de l'abbé dormant dans la pièce voisine; ou, de temps à autre, un soupir de contentement. Puis le vent recommençait à gémir autour de notre sommier taillé dans le roc. Dehors, la lune auréolait la coupole en tuiles de l'église, dispensant une lueur pâle sur les étendues désertes qui descendaient de ces montagnes en forme de colonnes.

PATRICK LEIGH FERMOR.

La vie monastique a toujours profondément marqué l'Église orthodoxe. En Grèce, après les monastères du mont Athos, les Météores en sont la principale expression. Peu de moines y vivent encore; ceux qui restent sont avant tout gardiens des bâtiments sacrés.

Avec les sympathiques chasseurs de puffins

C'est en avril que les Maoris, peuple du Sud de la Nouvelle-Zélande, font un voyage
aux îles des puffins ; cela représente pour eux l'attraction de l'année : ils y capturent les jeunes
oiseaux, qui sont ensuite mis en conserve. Pour le Maori, la chasse aux puffins
est synonyme de bonne chère et de vacances..., mais cela constitue aussi un revenu.

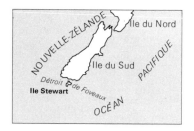

Le puffin joue en effet un rôle de premier plan dans la vie du Maori, et ce depuis des temps préhistoriques ; même le *pakeha*, nom que le Maori donne à l'homme blanc, en est venu à savourer le puffin comme une véritable friandise. Les jeunes oiseaux aux pattes fuselées, ouverts en deux et confits dans l'huile, sont mis en vente dans toutes les poissonneries du pays. Le puffin cendré, qui vit dans les deux hémisphères, se reproduit dans les eaux néo-zélandaises. On le trouve surtout dans l'archipel du détroit de Foveaux et dans les îlots au large de l'île Stewart, à l'extrême sud de la Nouvelle-Zélande.

Les premiers oiseaux arrivent vers la fin de septembre, et des millions d'autres les suivent bientôt ; les puffins adultes aménagent aussitôt le terrier qu'ils occupaient l'année précédente ; celui-ci se compose d'un tunnel qui donne accès au nid proprement dit, petite cavité sommairement garnie de feuilles et de brindilles. La femelle ne pond qu'un seul œuf, et lorsque l'oisillon apparaît, il est couvert d'un épais duvet gris. Quelques jours après l'éclosion de l'œuf, le nouveau-né est presque totalement livré à lui-même ; les parents ne reviennent que toutes les deux ou trois nuits pour nourrir leur rejeton d'huile de poisson prédigérée qu'ils lui régurgitent dans le bec et que le petit engloutit en quantités incroyables. L'oisillon grossit donc vite et, si la saison est bonne, il devient bientôt une petite boule bien grasse. Il mène une vie sédentaire jusqu'à ce qu'il se sente en état de voler ; il se risque alors à l'extérieur, de nuit en général, pour déployer ses ailes et s'entraîner. Après un certain laps de temps, le jeune oiseau est à même de prendre l'air pour se joindre à la grande famille des migrateurs qui sillonnent les mers. C'est au retour du printemps austral que l'on voit les puffins, venus si nombreux en septembre, quitter de nouveau la Nouvelle-Zélande.

On raconte que les premiers colons maoris qui s'installèrent sur cette côte étaient venus du nord avec des intentions belliqueuses et que, séduits par le site, ils ne purent se résigner à partir. Car, même en ces temps reculés, c'était une terre d'abondance : la mer grouillait de poissons, les phoques y proliféraient, et la brousse regorgeait d'oiseaux. De plus, c'est vers les îlots situés au large des côtes que se dirigeaient les puffins — ainsi d'ailleurs que d'autres oiseaux de mer — fournissant à profusion de la nourriture pour l'hiver.

Tribus et familles s'arrogèrent des droits sur les îles des puffins, et, lorsqu'en 1864 l'île Stewart fut rattachée à la Couronne, certaines îles furent réservées à la chasse. A l'époque, on attribua à différents propriétaires des terrains où ils avaient le droit de chasser. Ce droit fut toujours exercé par les mêmes familles de génération en génération, étendu toutefois à ceux qui en devenaient membres par alliance, qu'ils soient maoris ou pakeha.

La chasse aux puffins, dont l'ouverture a lieu le 1er avril, se pratique jusqu'à la mi-mai, et le tableau de chasse peut atteindre le chiffre de deux ou trois cent mille jeunes oiseaux. On les capture dans leur terrier ou bien, lorsque la saison est plus avancée, on les saisit à la sortie du tunnel, par les nuits sans lune, en les attirant avec des torches. Le jeune puffin est tué sur-le-champ, puis, dans le courant de la journée, il est plumé et la plupart du temps découpé en filets pour simplifier l'emballage. Les Maoris ont plusieurs méthodes pour la mise en conserve des puffins : souvent ils les salent, puis les tassent bien serrés dans des sacs fabriqués à base d'algues locales ou dans des boîtes métalliques ; ou bien ils les cuisent et les conservent dans leur graisse. Si le travail est fait avec soin, les oiseaux se garderont pendant deux ou trois ans.

Mais, bien sûr, la chasse a d'autres aspects que celui d'un charmant intermède automnal. Les capturer n'est pas chose facile, et la vie sur ces îles est souvent pénible et dépourvue du plus élémentaire confort. De plus les puffins ont une odeur tenace. Cependant, à l'heure actuelle, cette chasse est d'un gros rapport : un oiseleur adroit et courageux peut, en une saison de six semaines, empocher plusieurs centaines de milliers de francs et, double avantage, il aura garni son garde-manger avec un produit de luxe.

Un matin, j'arrivai tôt à l'embarcadère pour m'apercevoir qu'on pouvait à peine bouger aux alentours du poste d'amarrage du *Wairua*. L'équipement des oiseleurs s'empilait sur le quai et occupait toute la place : des faisceaux de perches fraîchement coupées dans les buissons de *manuka*, des ballots de chanvre, des bidons de dix-huit litres dans leur carton protecteur, des pelles, des fourneaux, du petit bois, des bâches, des nattes, du pétrole, un mouton, des vivres... et en plus, choses presque aussi importantes que les vivres, car les Maoris sont grands amateurs de musique, des radios, des banjos, des *ukuleles* et des gramophones... Et puis, il y avait des centaines de boîtes en fer-blanc toutes neuves, entassées ou empaquetées en attendant l'embarquement.

Lorsque j'arrivai, le chargement était déjà commencé ; les oiseleurs s'occupaient eux-mêmes de l'arrimage de leurs affaires, sous le contrôle des officiers du bord. Les hommes faisaient la chaîne pour charrier le matériel entassé sur le quai. Il régnait une atmosphère de kermesse. Camions et taxis arrivaient sans cesse, amenant un surplus de chasseurs. De vieilles connaissances, séparées le reste de l'année, se retrouvaient et se saluaient chaleureusement à la mode maorie. Les enfants s'agglutinaient en bandes et traînaient sur le quai. Devant le bureau du port, une vieille grand-mère maorie assise sur un paquetage servait de point de ralliement, parfois même de planche de salut pour les plus jeunes enfants.

J'avais pris le petit déjeuner à bord avec le capitaine du navire et une partie de son équipage. L'atmosphère était loin d'être aussi détendue qu'à terre. J'imagine que pour eux le transport des chasseurs vers le sud n'était pas une partie de plaisir, loin de là. C'était une lourde responsabilité, et beaucoup de travail aussi, que de mener à bon port et de débarquer sans encombre des centaines d'embarcations pleines d'hommes, de femmes et d'enfants avec, en plus, des tonnes d'outillage, et ce sur des plages d'îles lointaines n'offrant qu'un abri précaire pour ne pas dire inexistant. Tout dépendait du temps ; s'il se maintenait au beau, tout pouvait être à terre en quelques jours, sinon cela pouvait durer des semaines..., et le débarquement des chasseurs n'était que le premier temps de la tâche qui leur incombait tous les ans : deux mois plus tard, en effet, le *Wairua* aurait à refaire le voyage pour les rembarquer et les ramener chez eux avec leurs prises. Pour ce retour, le bateau serait chargé avec

Puffin adulte. Les puffins arrivent en Nouvelle-Zélande vers la fin de septembre pour s'y reproduire, et, au début d'avril, les petits sont bons à prendre. Un observateur a comparé l'atterrissage des puffins à une averse de grêle. L'air grouille de puffins qui tournent en tous sens. Ils arrivent de la côte ouest d'Amérique, se reproduisent en Nouvelle-Zélande et émigrent vers le nord à la fin de l'été austral.

des tonnes et des tonnes de puffins remplissant la cale et s'entassant jusque sur les ponts. A ce que je crus comprendre, même si l'huile de puffin ne ruisselait pas à proprement parler des dalots pendant ce voyage, n'importe qui, sans voir la cargaison, pourrait deviner à l'odeur la provenance du bateau. Enfin, dernier épisode, il faudrait, après cette traversée éprouvante, astiquer le bateau de fond en comble pour pouvoir le rendre à sa destination première : le transport des passagers.

Le plus jeune de tous les chasseurs était une petite fille maorie; elle n'avait guère plus de trois ou quatre ans et flânait, le nez au vent, au milieu de ce remue-ménage sans s'en soucier le moins du monde. Elle était déjà mignonne à croquer lorsqu'elle était descendue du taxi, vêtue d'un manteau et d'un bonnet à carreaux; on venait de la changer pour lui mettre des habits de tous les jours, un tablier de coton sur le tout, et elle était plus délicieuse encore. Elle évoluait dans un monde à part, un monde fait de pieds et de jambes sans cesse en mouvement; elle y recevait de temps à autre la visite d'un chien bâtard, peu sûr de son droit à être là et heureux de pouvoir se rassurer auprès d'elle.

Un peu plus loin, un groupe de trois garçons se pressait autour d'une bitte d'amarrage. Le plus âgé pouvait avoir dans les dix ans, le plus jeune peut-être huit; les deux aînés avaient déjà fait le voyage, mais, pour le dernier, un petit bonhomme à l'air sérieux, c'était la première expérience. J'entendais les « vétérans » discuter des perspectives de la saison.

— Il a fallu dix-huit voyages pour débarquer toute notre bande l'an dernier; c'était nous les plus nombreux, clamait l'aîné du trio, très fier de ce record.

Je leur demandai comment marchaient les études pendant le séjour sur l'île.

— Nous sommes supposés travailler un peu, deux ou trois livres à lire..., mais, en fait, nous ne le faisons pas, faute de temps. Pas une minute de libre, vous savez, nous sommes écrasés de travail : il faut plumer les oiseaux et leur trancher les pattes.

Belle excuse certes, la plus belle en vérité qu'un garçon de cet âge puisse rêver!

Cet après-midi-là, au moment où le *Wairua* levait l'ancre, le soleil se dégagea des nuages, étincelant. La scène était émouvante : les derniers conseils, les adieux, les derniers rires et les derniers bons mots. Un des joyeux lurons nous fit de grands signes avec son chapeau; nous fûmes alors témoins d'une scène typiquement maorie par son exubérance et sa générosité : un des partants jeta une pleine poignée de petite monnaie sur le quai, à la plus grande joie des enfants qui restaient. Le *Wairua* battit en arrière, manœuvra pour sortir du port et fut bientôt hors de vue; les oiseleurs étaient partis pour une nouvelle expédition.

Plus tard, je conversai longuement avec un vieux Maori qui n'avait jamais manqué une saison de chasse. Il partait lui aussi quelques jours plus tard, sur son propre bateau. Je m'étonnai du grand nombre d'enfants embarqués sur le *Wairua*.

— Certaines années les bateaux sont beaucoup plus chargés que ça, me dit-il; il y a un an ou deux, on voyait couramment des groupes de cent cinquante adultes et quarante à cinquante enfants. Mais maintenant, ils sont plus nombreux à voyager par leurs propres moyens, et il n'y a pas autant de bousculade. C'est un bien bon moment pour les jeunes, poursuivit-il; la vie est pénible mais saine. J'ai vu partir des enfants anémiés qui semblaient peu faits pour ce voyage, mais jamais de ma vie je n'en ai vu qui soient mal portants au retour. Quand la saison se termine, ils sont frais et dispos; oui, c'est vraiment une expérience merveilleuse pour un jeune!

Il était par contre un peu désenchanté devant les changements apportés à la chasse aux puffins depuis que lui-même avait commencé à la pratiquer. Les boîtes de fer remplaçaient les sacs *poha* d'autrefois; or ces sacs avaient rendu de bons et loyaux services, et avaient même fourni aux chasseurs et à leurs familles un travail manuel dont ils pouvaient s'enorgueillir. L'algue que les pakeha appellent varech était moissonnée tout d'abord, puis les thalles étaient ouverts en deux pour former une

Un bébé puffin. La ponte des œufs a lieu fin novembre-début décembre, et les parents couvent tous les deux. Les oisillons naissent en général fin janvier et, trois mois plus tard, ils sont assez forts pour quitter leur terrier et s'envoler vers le nord à travers l'océan Pacifique.

enveloppe, gonflés, puis séchés à l'air et placés enfin dans un endroit frais pour reprendre leur souplesse. Le moment venu, on tassait les oiseaux dans ce sac qu'on fermait ensuite hermétiquement; ainsi on pouvait le retourner sans risquer que la saumure, destinée à imprégner les bêtes, ne s'écoule à l'extérieur. Il y avait deux modèles de sacs, tous deux protégés par une gaine d'écorce: un modèle purement utilitaire et l'autre avec une note artistique; sur ce dernier, on trouvait des décorations séduisantes à l'œil; on y voyait, par exemple, des aiguillées de ficelle entrelacées avec le lin pour former des dessins dans le tissage; ces dessins constituaient en quelque sorte l'estampille de l'oiseleur, qui reconnaissait ainsi son bien. Autre avantage de la décoration: on pouvait dire au premier coup d'œil le nombre d'oiseaux contenus dans un sac grâce à des nœuds qui servaient de repères: un gros nœud pour les dizaines et un plus petit nœud pour les unités.

Art séculaire aussi que celui de la fabrication des torches destinées à éclairer les oiseleurs pendant les dernières semaines de la saison de chasse. Le modèle courant se composait d'huile *tataki* et d'écorce de *totara* largement imprégnée d'huile de puffin. Mais, de nos jours, on utilise des torches électriques. De nouvelles améliorations apparaissent chaque année, mais, comme me le dit ce vieillard, l'esprit n'est plus le même qu'autrefois, et c'était pourtant beaucoup plus amusant lorsqu'on respectait scrupuleusement les coutumes anciennes.

Ce même soir, j'achevai mon voyage vers le sud, allant au bout de la route qui mène au-delà du cap Stirling. La soirée était merveilleuse; j'admirai dans le Sud les couleurs violettes du crépuscule sur la mer, tandis qu'un grand navire de commerce traversait lentement et sans bruit mon champ de vision. Dans le détroit, le phare s'était allumé pour la nuit. Mon esprit était encore avec les chasseurs de puffins; peut-être certains d'entre eux avaient-ils déjà débarqué, puisque la mer était calme...; et cette adorable mioche, la petite chasseresse, où était-elle? Peut-être sur la Grande Ile ou à la crique de l'Assassin? Épuisée par l'excitation de la journée, sans doute était-elle pelotonnée quelque part, bercée par le bruit des vagues venant mourir sur la plage, là où les pirogues de ses ancêtres s'étaient échouées dans le temps passé.

TEMPLE SUTHERLAND.

La capture d'un petit puffin dans son terrier. Le terrier, long de trente centimètres à un mètre vingt, se termine par un petit nid douillet garni de feuilles et de brindilles. Lorsque le tunnel est trop profond pour une longueur de bras, le chasseur maori creuse le sol à l'emplacement du nid, s'empare du puffin et remet les mottes de gazon pour que le terrier puisse resservir l'année suivante. On peut aussi chasser le puffin en l'attirant hors de son terrier la nuit, par la lueur des torches.

135

Une semaine sainte
à Séville

A Séville, pendant la semaine sainte, on porte en procession des images sacrées : celles du Christ, souvent très belles, et celles de la Vierge, qui soulèvent des passions fanatiques. Une foule excitée par les chants et le vin déferle dans les rues de la ville. Chacun éprouve le besoin d'extérioriser sa foi.

Je m'étais fait, pour arriver à Séville en pleine semaine sainte, une âme de pénitent, anonyme et obscure, à la façon de ces nazaréens qui mènent les processions, revêtus de la longue robe de bure et du haut capuchon conique, le visage caché et les mains gantées; seuls sont vivants leurs yeux, que l'on aperçoit par les trous de la cagoule, et parfois, au bas de la robe, leurs pieds déchaussés par un souci de dévotion supplémentaire. Tout m'avait préparé à subir cette transformation : l'indifférente steppe castillane parcourue sous un soleil voilé de nuages sombres; le désert triste de la Manche, sans un arbre, sans une maison, avec les seules ailes des moulins à vent dressées à l'horizon; Cordoue et la forêt pétrifiée de sa mosquée.

On m'avait parlé des processions nocturnes au long des rues obscures, de la lumière des cierges sous la lune, des images douloureuses portées au milieu du cortège gémissant de la foule.

Derrière la statue écrasante, mêlé à la démence religieuse de ce peuple, je voulais, moi aussi, revivre la passion du Christ, parmi ces admirables pénitents chargés de la lourde croix.

Mais je n'ai pu dépasser le stade de spectateur. Ils sont trop loin de notre âme latine, ces hommes nés dans la molle Andalousie, nos frères par la mer et par la langue. Existe-t-il une foi plus allègre que celle des Sévillans? C'est en vain qu'elle s'enveloppe dans des capes noires, en vain qu'elle recherche les ombres mystérieuses de la nuit et les coins obscurs de la cathédrale, en vain qu'elle lance les plaintes angoissées de ses chants.

Foi joyeuse et bruyante, bien que profonde; mais joyeuse précisément parce que solide; joyeuse parce que virile; avec un Dieu qui est un égal et un camarade, à qui l'on s'adresse non par l'intermédiaire de la prière, mais par l'imprécation ou l'invocation, et dont la famille et les saints font tout naturellement partie de la maison... « Saint Jean et la Madeleine jouaient à cache-cache, Saint Jean lui jeta une chaussure, car elle ne jouait pas bien. »

Une station devant l'église Notre-Dame-de-l'Espérance; la scène représente le jugement de Jésus. Les processions de Séville durent une bonne douzaine d'heures; c'est dire l'inhumaine fatigue imposée aux porteurs de statues.

Chaque confraternité possède une ou plusieurs images sacrées, et les confrères, appelés nazaréens, suivent l'image de leur groupe pendant la nuit entière en tenant des cierges. Tous sont vêtus de robes aux couleurs éclatantes et portent la caractéristique cagoule. Les plus dévots n'hésitent pas à suivre la procession les pieds nus.

L'odeur du vin bu à la hâte dans toutes les auberges et celle des œillets que les femmes portent dans les cheveux se confondent, dans les rues étroites, avec la senteur des cierges et de l'encens. C'est une exhalaison lourde et pénétrante, qui s'unit aux premières langueurs du printemps pour engourdir les sens et vous enivrer d'une dense gaieté. Ce Dieu suspendu à la croix, qui souffre avec une angoisse visible, ces vierges éplorées, secouent la foule et la font éclater en hurlements, en cris, en injures contre les soldats romains qui suivent la statue avec les insignes consulaires et les fanions marqués du S.P.Q.R.

La procession s'arrête, et un chanteur entonne à la gloire des images une mélopée âpre et primitive, qui commence par un cri aigu et se termine en un gémissement épuisant, en un sanglot tremblant. Mais on sait que ce Dieu renaîtra demain, dans une apothéose carillonnée par mille cloches, et, après s'être lamenté à l'unisson du chanteur, après l'avoir applaudi d'un olé! semblable à ceux qui soulignent une passe réussie à la course de taureaux, on peut se remettre à rire et à plaisanter, à lancer des compliments piquants aux jeunes filles en mantille, à se rincer la gorge avec un *chato*, c'est-à-dire un verre de ce précieux vin andalou, léger et un peu amer que l'on appelle *manzanilla*.

Il arrive souvent que cette foi, exaltée par les chants et la manzanilla, devienne violente et hardie, que les louanges adressées aux madones se fassent directes et passionnées comme celles d'un amoureux à une fille arrogante, que la rivalité religieuse des différents quartiers entraîne des insultes assez vives proférées contre les images sacrées elles-mêmes.

La Vierge des gitans de Triana et celle de la porte de la Macarena sont de très anciennes rivales et ont des adorateurs jaloux. Il y eut un jour un homme tellement pris de ferveur chevaleresque pour sa dame qu'il voulut lui rendre hommage en défiant, le verre levé, une autre madone de lui ressembler; et comme la douce image en pleurs lui paraissait accepter la provocation, il entra en fureur et lui jeta son verre à travers le visage. La Vierge se mit à verser des larmes de vin couleur de rubis, et elle resta — elle l'est encore — défigurée par les éclats du verre. L'homme, après avoir purgé dix ans de prison pour ce sacrilège, se condamna lui-même à suivre nu-pieds l'effigie qu'il avait offensée, dans la robe de bure des nazaréens et chargé d'une lourde croix.

Une des statues les plus riches, celle de la Très Sainte Madone de l'Espérance, sous un somptueux baldaquin de brocart, entourée de plusieurs dizaines de cierges et de candélabres d'argent.

En même temps que les nazaréens, il y a les pénitents, qui
sont, eux aussi, encapuchonnés
et qui portent de lourdes croix.

Comment se déroule la semaine sainte à Séville ? Il y a une quarantaine de confréries dont chacune possède une ou, plus souvent, deux représentations de Jésus-Christ et de la Vierge ; ce sont des figures de bois, très anciennes et sculptées par des artistes célèbres, Montañes, Gigón, la Roldana, Cepeda : petites madones d'une douceur exquise, christs d'un réalisme déchirant comme, par exemple, le fameux Christ de Cachorro.

Selon un ordre établi d'après l'ancienneté et les privilèges, les membres de la confrérie des nazaréens retirent les images sacrées, des églises où elles sont conservées, pour les apporter à la cathédrale, où ils les déposent pendant quelques minutes dans un temple provisoire en bois, érigé dans la nef centrale ; puis ils les ramènent avec la même solennité. Cette procession exténuante dure environ une douzaine d'heures pendant lesquelles personne ne se plaint de la fatigue.

Les nazaréens, encapuchonnés, comme je l'ai dit, avec des tuniques de coton, de satin ou de velours blanches, noires, rouges, bleues, et ceints de cordelières de chanvre ou de soie, portent tous le gros cierge, à l'exception des confréries de rang majeur, qui ont droit aux crosses ou aux trompettes d'argent. Anonymes sous le bandeau sombre, beaucoup vont nu-pieds, grands d'Espagne, princes du sang, bourgeois de toutes professions, gitans, marins, artisans, toreros, tous unis dans la même foi humble et obscure, précédant ou suivant les statues en d'interminables files ; certains s'astreignent à un rigoureux silence et passent avec des cierges noirs, au son lugubre des bois frappés ; d'autres se font annoncer par le claironnement des soldats à cheval.

Derrière les scènes sacrées portées par les pénitents avancent ceux qui se soumettent à la plus rude épreuve, la croix sur les épaules. Mêlées aux femmes du peuple, on remarque des dames en mantille, un léger voile sur le visage, des infantes d'Espagne, des grands noms, des artistes renommées. Le peuple qui les reconnaît leur lance d'audacieuses déclarations, des commentaires énergiques, les mêmes, peut-être, dont il vient d'honorer la Madone.

Mais les vrais pénitents sont ceux qui supportent pendant toute la procession les groupes de statues posés sur des brancards ; ils sont cachés par des étoffes qui tombent jusqu'à terre, et l'on n'aperçoit que leurs pieds qui progressent très lentement en traînant. De temps en temps, le *capataz* annonce une halte en donnant un coup de marteau ; tous s'accroupissent ensemble, et la pesante machine se pose sur le sol ; un visage ravagé par la fatigue apparaît alors sous la tenture et se tord pour demander quelque chose à boire.

La halte est plus ou moins longue ; on attend que le chanteur finisse son hommage, ou que la rue soit débarrassée du cortège qui précède. Puis retentit un second coup de marteau du capataz pour le signal du départ : « Attention, *muchachos* ! » La lourde masse se dresse en ondulant, et la marche des cinquante pieds qui peinent reprend avec un bruit rythmé et sourd.

Au milieu de la foule massée sur le bord des rues étroites, assise sur les places ou mêlée à la procession des nazaréens, ces images richement parées avancent, madones angoissées ou recueillies, doux visages sculptés avec un art à la fois naïf et magistral, christs en croix ou sur le chemin du Calvaire, scènes de la Passion. Les grandes statues s'élèvent sur leur socle de bois doré, orné de lampes et garni de fleurs ; et les vierges, enveloppées de la flamme de cent cierges, ont de longs et précieux manteaux de velours brodé d'or et d'argent. Au col, aux poignets, sur la tête, sur la poitrine, luisent de prodigieux bijoux que la piété des fidèles amoncelle à l'envi autour de l'image préférée.

Elles sortent des églises au milieu d'une marée humaine qui attend depuis des heures ; toutes les lumières s'éteignent, et, sous la lune pascale, seuls brillent les flammes des cierges et l'incendie des bougies sur les trônes mobiles. Il se fait alors un silence profond. Une voix de femme lance la *saeta*, sorte de cri mourant dans un sanglot, plainte qui se traîne aussi longtemps que dure le souffle vibrant dans la gorge contractée, paroles de foi et de compassion atterrée :

> *Miraslo por donde viene*
> *Er mejó de los nacío*
> *Trae er cuerpo escoyuntao*
> *Y er rostro descolorío*

La mélodie n'obéit à aucune règle, elle bouleverse et ne reste pas dans la mémoire ; sauvage et balbutiante, elle semble issue d'un possédé du démon ; c'est la même que celle des *coplas*, des *seguidillas*, chansons d'amour contrarié, de femmes recluses, de nostalgies inguérissables.

Les dernières notes sont submergées par une ovation, un olé! hurlé de tous les coins de la place ; et l'émotion est surmontée, qui a pourtant tiré de vraies larmes à cette foule à la fois actrice et spectatrice. Le papillotement des torches descend le long des étroites ruelles, et les gens se répandent en hâte pour précéder la procession et l'attendre à un autre passage.

Je fis comme eux ; tout le jeudi, toute la nuit et tout le jour suivant, dans une excitation due aux chants et à l'encens, je courus dans les rues que la cire des cierges avait rendues glissantes. J'errai d'un lieu à l'autre avec une foule qui grossissait sans cesse, toujours plus gaie, exaltée par les *saete* et par le défilé interminable des trônes d'or et de lumière, dans le soleil de l'après-midi, dans la lueur du coucher du soleil, dans l'opacité laiteuse du ciel nocturne, dans les frissons de l'aube.

Toutes les processions se rejoignent sur la voie qui mène de la place de la Campana à la cathédrale, mais c'est par des itinéraires distincts qu'elles affluent vers la Campana et qu'elles reviennent de la cathédrale à leurs églises. A toute heure du jour et de la nuit, il y avait toujours un cortège qui débouchait d'une rue, un trône qui s'arrêtait sur une place, des sonneries de trompettes, des cliquetis d'instruments en bois, ou des gémissements de chanteurs, qui se faisaient entendre au loin. La ville entière était éveillée, avec ses cafés ouverts, ses balcons remplis, ses tavernes assourdissantes. Les tribunes regorgeaient de prêtres passant une nuit blanche, de personnalités officielles, de militaires. Les ritournelles des marchands d'eau, de petits pains et de confiserie se mêlaient aux rires des femmes, aux grommellements des psalmodiants. Les voitures n'ayant pas le droit de circuler, Séville fut pendant quarante-huit heures une fête vociférante, monotone et obsédante, avec des senteurs de vins, de fleurs, de foule, et une lente, une infinie procession de hauts capuchons coniques entre des gens tantôt gais, tantôt recueillis, alternant la prière et les rires moqueurs, l'ardeur et l'indifférence.

Enfin, sur le pont qui traverse le fleuve, s'avança, toutes lumières éteintes, frappé par l'impitoyable lame d'un réflecteur, le Christ torturé de Cachorro, dont les dévots sont les gitans et les parias du faubourg de Triana. Il ondula, il s'arrêta à l'entrée du pont : croix énorme contre le ciel noir. Et, sous ce rayon aveuglant, il semblait qu'une blancheur de chair vive palpitât sur le bois. L'horreur de la tragédie divine rendit muette l'assistance ; l'invocation d'un inconnu qui chantait, avec des paroles improvisées, sa peine personnelle et demandait une consolation réelle s'éleva, vibrante et grêle. Et le Dieu suspendu à la croix fut de nouveau vivant pour un instant parmi la foule hallucinée.

Le hurlement qui accueillit les dernières notes du chant fut comme un soulagement après l'extase trop forte. Le brouhaha revint, une bande d'étudiants versa une pluie de compliments sur un groupe de filles ; le marchand de sucreries se remit à vanter ses gâteaux, et, au passage du fanion marqué du S.P.Q.R., mon voisin traduisit ainsi l'inscription : « Saint Pierre veut des petits pains » *(San Pedro quiere rosquetes)*.

PAOLO MONELLI.

Une image traverse la foule dense sur un pont du quartier de Triana. Nous sommes le matin du vendredi saint.

141

Les géants de l'île de Pâques

Sur l'île de Pâques, à plus de 3 600 kilomètres de la côte chilienne, se dressent mystérieusement de gigantesques statues de pierre. Thor Heyerdahl, héros de la fameuse traversée du *Kon-Tiki*, a réussi à découvrir comment elles ont été sculptées, puis transportées jusqu'à l'endroit où elles se trouvent.

Si l'on rêve de faire un voyage dans la Lune, on peut en avoir un avant-goût en grimpant sur les volcans éteints de l'île de Pâques. On n'a pas seulement laissé derrière soi notre monde fiévreux, qui paraît infiniment lointain, mais le paysage peut donner l'impression d'être lunaire. Une aimable petite planète flottant entre ciel et mer, où l'herbe et les fougères ont envahi des cratères sans arbres, qui, vieux, moussus, à demi somnolents, ayant perdu toute agressivité, contemplent, béants, l'univers. Il y a un certain nombre de ces volcans paisibles un peu partout sur l'île. Ils sont verts extérieurement et intérieurement. Le temps des éruptions est fini depuis si longtemps qu'au fond des plus grands cratères des lacs bleu ciel, où ondoient des joncs verts, reflètent les nuages poussés par des vents alizés. Un de ces volcans remplis d'eau s'appelle Rano Raraku, et c'est là que les hommes de la Lune ont déployé leur plus grande activité. On ne les voit pas, mais on a l'impression qu'ils sont cachés dans les trous noirs du sol, tandis qu'on se promène soi-même tranquillement dans l'herbe en contemplant leur travail interrompu. C'est à la hâte qu'ils ont abandonné leur ouvrage ; voilà pourquoi Rano Raraku demeure un des plus grands et des plus étranges monuments de la création, relique d'un passé inconnu et perdu, en même temps qu'un rappel de la précarité des choses de ce monde. Cette masse rocheuse, à certains endroits déchiquetée, montre que jadis le volcan a été voracement entamé, comme s'il s'agissait d'un gâteau, bien qu'il soit si dur qu'il en jaillit des étincelles lorsqu'on l'attaque à la hache. Des dizaines de milliers de mètres cubes ont été détachés, et des dizaines de milliers de tonnes de pierre transportées ailleurs. Et au milieu de ces blessures béantes de la montagne gisent plus de cent cinquante colosses de pierre, certains finis, d'autres à peine commencés, d'autres encore à des stades intermédiaires.

En s'approchant d'un bloc rocheux, on s'aperçoit qu'il porte sur sa surface inférieure les traits d'un visage ; c'est la tête d'un colosse tombé. A côté des statues du premier rang, qui sont enterrées dans le sol jusqu'à la poitrine, on est effaré de constater qu'on n'est pas de taille à atteindre leur menton. Quant à celles qui gisent par

Une rangée de géants. Roggeveen, le Hollandais qui découvrit l'île de Pâques en 1722, constata que les indigènes se prosternaient devant les statues des géants ; ils semblaient les adorer, à l'instar de divinités.

Les géants gardent leur secret

A côté de ces têtes de géants, dont le torse est enfoui dans le sol, un cavalier paraît minuscule. Les statues de l'île de Pâques reproduisent probablement les caractères physiques d'une race sud-américaine, qui avait coutume de s'allonger les oreilles en y suspendant des poids. Pour fonder cette hypothèse, avancée récemment, il y a le fait que ces statues portaient, à l'origine, d'immenses « couvre-chefs » en roche rouge ; or, on a découvert, sur la côte pacifique de l'Amérique du Sud, des momies revêtues de chapeaux de la même couleur. Selon une légende de l'île, le premier roi de ce peuple mystérieux, qui a débarqué dans le pays par l'est, aurait eu les oreilles longues. Les longues-oreilles dominaient les oreilles-courtes, d'origine polynésienne. Les indigènes de l'île ont expliqué comment ces statues gigantesques étaient dressées sur des plates-formes : amenées d'abord à pied d'œuvre avec des cordes, sur des traîneaux ou des rouleaux de bois, elles étaient graduellement levées le long d'un plan incliné, jusqu'à atteindre la position verticale.

terre, on a les plus grandes difficultés à grimper dessus. Mais une fois sur la statue du Goliath couché, on peut se promener librement, ou s'étendre le long de son nez, qui a souvent la dimension d'un lit normal. Ces statues atteignaient parfois dix mètres; la plus grande, qui n'est d'ailleurs pas terminée, est couchée de biais sur la paroi du volcan; elle mesure vingt-deux mètres de long, et, en comptant trois mètres par étage, on peut dire que cet homme de pierre a la taille d'une maison de sept étages.

A Rano Raraku, l'air est chargé de mystère; cent cinquante figures sans yeux semblent vous dévisager d'un air calme. Vous sentez le regard énigmatique des colosses qui sont encore debout; vous avez l'impression d'être suivi des yeux par chaque gradin, chaque creux de montagne, où des géants ébauchés, sans vie et sans ressort, reposent comme en des crèches ou en des lits de malade, parce qu'ils ont été abandonnés par l'intelligence créatrice.

Une fois les fouilles commencées, les impressions furent de plus en plus étonnantes. Les têtes de pierre de l'île de Pâques étaient déjà bien grandes, telles qu'elles se dressaient sur la pente au pied du volcan, mais, quand nous creusâmes le long du cou, nous découvrîmes la poitrine, puis au-dessous l'énorme corps avec les hanches et le ventre rebondi sous lequel se rejoignaient de grands doigts minces aux ongles courbes et gigantesques.

De temps en temps, nous trouvions des os humains et des vestiges de feux dans les couches de terre devant les statues. Mais cette découverte ne résolvait aucun des problèmes que soulevait ce lieu. Il était en effet encore plus difficile de comprendre comment il avait été possible de transporter jusque sur le crâne d'un de ces géants le grand « chapeau », en tenant compte du fait que ce couvre-chef, qui était aussi en pierre, pouvait représenter un volume de six mètre cubes et le poids de deux éléphants adultes. Comment soulever le poids de deux éléphants à la hauteur d'une maison de quatre étages quand il n'existe ni grue ni un point élevé dans le voisinage? Les quelques hommes qui réussissaient, en se serrant, à tenir tous sur le crâne n'avaient aucune possibilité de hisser un gigantesque chapeau de pierre à un endroit où ils devaient s'agripper eux-mêmes pour ne pas perdre l'équilibre. Et même si un grand nombre de personnes se trouvaient au pied de la statue comme de malheureux Lilliputiens, elles avaient beau lever les bras, elles n'atteignaient que le bas du corps gigantesque. Comment pouvait-on alors hisser ce poids énorme, le faire passer par-dessus la poitrine, le menton, toute la tête, jusqu'au sommet du crâne? Le métal était inconnu, et l'île dépourvue d'arbres. Même nos mécaniciens secouaient la tête sans rien y comprendre.

Nous avons d'abord étudié les nombreuses ébauches de statues qui gisaient sur les gradins de la carrière elle-même. Il était évident que le travail avait été interrompu brusquement: des milliers de haches rudimentaires étaient restées sur les lieux, et les sculpteurs ayant eu à la fois beaucoup de statues en chantier, il y en avait à tous les stades. S'étant d'abord attaqués au mur rocheux pour y sculpter le visage et le devant de la statue, ils avaient ensuite dégagé les côtés, puis entrepris les oreilles, les bras et les mains aux longs doigts toujours croisés sur le ventre. Enfin, ils avaient donné des coups de hache des deux côtés de la statue, de sorte que le dos avait la forme d'un bateau attaché au rocher par une quille droite.

Le devant de la statue achevé dans le moindre détail, elle était encore fignolée et fort soigneusement polie, mais les sculpteurs prenaient grand soin de ne pas marquer l'œil sous les sourcils en saillie. Jusqu'à nouvel ordre, le colosse devait être aveugle. Puis, ayant démoli à la hache la quille du dos, on étayait le colosse avec des pierres pour l'empêcher de glisser dans le vide. Il est clair que les sculpteurs taillaient indifféremment sur un plan horizontal ou sur un plan vertical, et qu'ils mettaient aussi bien la tête de leur statue en bas qu'en haut.

Une fois qu'il était dégagé, le transport périlleux jusqu'au pied du volcan pouvait

Un géant abattu regarde vers le ciel. Dans la première moitié du XVIIIe siècle, beaucoup de statues furent brisées et jetées à bas : ces méfaits remontent sans doute à l'invasion de l'île de Pâques par les Polynésiens, dans les dernières années du XVIIe siècle.

commencer. Dans certains cas, des colosses de plusieurs tonnes avaient été descendus d'un mur vertical et transportés par-dessus des statues, auxquelles on travaillait sur le gradin inférieur. Plusieurs avaient été cassés pendant le trajet, mais la plupart étaient arrivés intacts, sans jambes toutefois, chaque statue ayant été coupée net à la base du torse.

Les sculpteurs avaient rassemblé des milliers de tonnes d'éclats de pierre de la carrière jusqu'au pied de la montagne, où ils formaient à présent des monticules réguliers. C'est dans ces amas de pierrailles qu'étaient creusés les trous où l'on dressait temporairement les colosses. Alors, seulement, les sculpteurs pouvaient atteindre et terminer le dos, qui prenait forme tandis que la taille s'ornait d'une ceinture faite d'anneaux et d'éléments symboliques. Cette ceinture étroite était le seul vêtement que portaient les statues qui, à une exception près, représentaient toutes des hommes.

Mais le voyage mystérieux des colosses ne finissait pas dans le tas de débris. Une fois achevés, ils devaient ensuite continuer leur chemin jusqu'aux emplacements qui leur étaient destinés près des temples. La majorité d'entre eux avaient été déjà transportés, et, par rapport au grand nombre de statues de l'île, il y en avait bien peu qui attendaient dans les creux au pied du volcan leur acheminement ultérieur. Les colosses finis avaient parcouru des kilomètres à travers l'île, certains se trouvaient à quinze kilomètres de la carrière où ils avaient reçu forme humaine.

Le plus curieux était que les colosses n'avaient pas été changés de place quand ils étaient encore au stade de blocs informes, pouvant subir des heurts de toutes sortes, mais lorsqu'ils étaient achevés, fignolés et polis du bout de l'oreille à la racine des ongles.

Arrivés à leur lieu de destination, les hommes de pierre, toujours aveugles, n'avaient pas été basculés dans un trou pour y être placés debout, mais, au contraire, avaient été soulevés et déposés au sommet d'un *ahu*, ou plate-forme de temple. A quelques mètres au-dessus du sol, ils avaient l'air encore plus imposant. Alors seulement étaient creusés des trous pour les yeux, et les colosses voyaient où ils se trouvaient. Puis on leur mettait les fameux chapeaux.

Le terme de chapeau est d'ailleurs inexact. Le vieux nom indigène de ce gigantesque couvre-chef est *pukao*, qui signifie chignon, la coiffure habituelle des hommes de l'île de Pâques à l'époque des découvertes. Pourquoi les vieux maîtres mettaient-ils sur le géant ce pukao, sous la forme d'un bloc supplémentaire? Pourquoi ne pas simplement l'avoir sculpté dans le même bloc que le reste de la statue? Parce que la couleur était le point essentiel de cette coiffure. Les artistes se rendaient de l'autre côté de l'île, à plusieurs kilomètres de la carrière de Rano Raraku, dans un petit cratère couvert de végétation, dont la roche avait une teinte rouge particulière. C'était cette pierre qu'ils désiraient pour les cheveux des colosses. Ils avaient donc traîné leurs statues d'un gris jaunâtre d'un bout de l'île et les chignons rouges de l'autre extrémité, pour placer le tout sur des plates-formes. La plupart d'entre elles portaient deux statues l'une à côté de l'autre; un grand nombre en avaient quatre, cinq ou six, et certaines, quinze géants alignés sur un mur à quatre mètres au-dessus du sol.

Aucun de ces colosses aux cheveux roux ne se dresse plus aujourd'hui au sommet d'une plate-forme de temple. Déjà, l'explorateur danois Roggeveen, qui découvrit l'île de Pâques en 1722, arriva trop tard pour les voir à leur ancienne place. Mais les premiers explorateurs ont pu néanmoins témoigner que la plupart des statues avaient encore leur pukao rouge sur la tête. Au milieu du siècle passé, le dernier géant tomba de son socle, et le chignon rouge roula comme un rouleau compresseur ensanglanté sur la place pavée du temple. Aujourd'hui, seules des statues aveugles et chauves se dressent encore dans une attitude de défi au milieu des débris au pied du volcan.

THOR HEYERDAHL.

Prise encore dans un bloc de roche, l'énorme tête de pierre d'un géant. Les statues portent des dessins que l'on retrouve sur des sculptures de bois, d'un âge moins ancien, récemment découvertes : cela confirmerait l'hypothèse selon laquelle les auteurs des géants sont bien les ancêtres des habitants actuels de l'île.

Perdu dans la foule new-yorkaise

Broadway, la Cinquième Avenue et l'Empire State Building sont des noms connus dans le monde entier. New York, symbole de l'espérance pour des millions d'émigrants, exprime son exubérance dans le volume de ses gratte-ciel, dans les couleurs de ses rues, et dans l'esprit d'entreprise qui anime ses habitants.

Il m'a été donné d'aborder des lieux dont la beauté s'enveloppait de mystère ou s'enrichissait de l'empreinte du temps. J'ai vu Venise silencieuse et voilée : c'était par un matin de printemps dans la brume; elle faisait penser à un chevalier qui a rendu les armes. J'ai vu Moscou, avec sa forteresse qui brillait de tous ses feux; l'Everest, tour de guet sur la dramatique frontière qui sépare le Népal du Thibet; et sur le plateau de Moab le Al-Karak solitaire et hautain des croisés. L'histoire et la fiction les ont rendus célèbres. Mais aucun n'a marqué ma mémoire comme la découverte de New York, la plus noble réussite de l'Amérique.

L'arrivée par mer est merveilleuse, mais trop de souvenirs de films ou de cartes postales émoussent la surprise. C'est la route de l'intérieur qui, aujourd'hui, produit un effet saisissant, quand Manhattan apparaît soudain, dernier avant-poste en bordure du continent. L'atmosphère chargée qui y règne s'étend tout autour en ondes croissantes, et il faut y entrer, comme vous plongeriez dans un torrent au mois d'août. La splendide autoroute que vous empruntez traverse majestueusement la campagne, déroulant deux rubans de béton blanc qui laissent à l'écart les petits villages et les fermes; et, sur toute sa longueur, des véhicules se hâtent en un courant ininterrompu et infini. Ils apportent les saveurs des régions lointaines : voitures de Géorgie, aux banquettes couvertes de fleurs fanées, camions Diesel de l'Indiana, chargés de tuyaux métalliques, grosses Cadillac noires de Washington, et, parfois, évoquant comme une note lointaine de jazz, un fastueux cabriolet de La Nouvelle-Orléans ou de Californie.

Ils roulent à travers des régions riantes et pittoresques, mais dès la banlieue de la grande ville la circulation se fait plus dense, et il leur faut foncer dans des quartiers industriels, noirs de charbon et de fumée, passer devant les raffineries de pétrole, qui crachent flammes et fumées, les navires à quai, les avions sur leur piste d'envol, les lignes de chemin de fer, les incinérateurs publics et tout le triste marécage urbain; jusqu'à l'instant où, miroitant dans le soleil, les gratte-ciel apparaissent au loin.

Un peu étourdi par le spectacle, vous voilà engagé dans le grand passage sous

Voici le Nouveau Monde : New York est, pour les Européens, la porte des États-Unis. A l'entrée de l'immense port, d'où l'on voit s'éloigner le paquebot *France*, la Liberté monte la garde.

Charmante et court vêtue, cette jeune fille porte une robe assortie à la couleur de sa Cadillac; elle intéresse visiblement le marchand de glaces, mais il est improbable qu'elle réussisse à fléchir l'agent de la circulation : elle est en stationnement interdit.

l'Hudson. N'oubliez pas de tourner le bouton de votre radio. Le tunnel Lincoln met sa station radio à votre disposition; vous auriez mauvaise grâce à ne pas l'écouter. Interdiction de rouler sous le tunnel à plus de 55 kilomètres à l'heure et à moins de 45. A mi-chemin, dans une petite cabine de verre, un agent à la mine sévère vous observe. Et vous avancez bientôt comme un objet sans âme sur une chaîne de montage. Mais un miracle se produit : vous voilà soudain dans la lumière, et l'esprit se réveille. Voitures, camions et cars rompent la ligne, foncent dans toutes les directions au milieu du bruit des moteurs et de la fumée noire des tuyaux d'échappement. Plus de discipline, la profusion des initiatives individuelles transforme la circulation. Des agents nerveux hurlent en gesticulant, des hommes de peine manœuvrent des porte-habits à roulettes, où sont accrochées des robes d'été, des trains ébranlent tout sur leur passage, des paquebots actionnent leurs sirènes, des ménagères mal fagotées traînent leurs cabas, des chauffeurs de taxi lancent des imprécations, des boutiques arborent des noms polonais invraisemblables, des casiers débordent de journaux insolites. Vous êtes entouré de couleurs criardes, d'un bruit assourdissant, d'indéfinissables odeurs; vous voyez passer des chats squelettiques, des conducteurs d'autobus au visage las et résigné. Vous ne le savez pas encore, mais déjà vous êtes pris par la « mystique » de Manhattan.

Quelle prodigalité de vie dans cette île extraordinaire. Sa prospérité ne suffit pas à l'expliquer. Elle doit aussi sa fortune au mélange fructueux des races, et à ce souffle de générosité et d'espoir qui enflamma l'époque de la libre immigration et lui survit. D'après la description pittoresque d'un guide, la statue de la Liberté est une femme d'une incontestable corpulence. Mais, perdue dans la magnificence de l'horizon, elle s'amenuise. Du pont d'un paquebot, vous pouvez fort bien ne pas la voir. A New York, plus que partout ailleurs en Amérique, les lignes gravées sur son socle, et reproduites soixante ans plus tard à l'aéroport Kennedy, ont un poids de vérité :

Donnez-moi ceux des vôtres qui sont épuisés, qui sont pauvres
Vos populations entassées, avides de respirer librement
L'infortuné rebut de vos rives surpeuplées.

Dans un espace de quelques kilomètres carrés, toutes les races se côtoient, et les extrêmes s'affrontent. New York n'est pas une ville typiquement américaine; comme le fit un jour remarquer un ambassadeur britannique, c'est plutôt une cité européenne sans appartenance déterminée, à l'esprit éveillé, stimulé par l'idéal américain.

Tout le monde a entendu parler du chatoiement magique de New York. Mais comment imaginer, avant d'y être allé, un décor si étincelant qu'à toute heure du jour ou de la nuit, Fred Astaire pourrait, sans étonner, descendre la Cinquième Avenue en dansant. Ville dont la merveilleuse et infatigable exubérance tient tête aux tristes vents d'automne, qui soufflent parfois dans ses canyons. Ses chauffeurs de taxi ont le verbe abondant et facile. Moins prompts peut-être que les cochers de fiacre cockneys à manier le sarcasme, ils vous font bénéficier d'une expérience plus étendue, peuvent vous entretenir d'un pogrome en Russie tzariste, de l'Irlande en ses jours sombres, vous faire rêver de Naples, berceaux de leurs familles. Les maîtres d'hôtel vous invitent à manger davantage, vous êtes si mince. Au drugstore, la serveuse vous demande, oh! très gentiment, si elle peut prendre la page des bandes dessinées de votre journal. La patinoire Rockefeller vous réserve toujours quelque plaisant spectacle : de jolies filles vous régalent de leurs pirouettes, des enfants tentent frénétiquement de garder leur équilibre; impassible et distant, un vieil excentrique évolue avec aisance; au bras d'un moniteur, une dame d'un certain âge, vêtue de tweed, s'agite dans tous les sens.

Une verve, une vivacité débordantes, voilà l'esprit de Manhattan. Dans les rues du centre, loin des taudis et des banlieues crasseuses, le mouvement et la couleur triomphent. Les bâtiments neufs, vrais palais de glaces, sont réjouissants à regarder comme des gâteaux à la crème. Un jardin forme le rez-de-chaussée d'un immeuble de Park Avenue, des vitres vertes constituent sa superstructure. Des plantes grimpantes décorent le plafond d'une banque de la Cinquième Avenue, et, à travers les immenses verrières, vous pouvez, en passant, apercevoir la porte ronde et noire de la chambre forte. Dans le voisinage, une boutique de machines à écrire présente devant sa façade, à l'intention du premier venu, une vraie machine sur un socle. J'y ai vu, installé à deux heures du matin, un vieillard à la barbe broussailleuse; il tapait avec une concentration fiévreuse, comme si, descendu à la hâte de sa mansarde, il apportait une formule révolutionnaire ou un message capté des lointaines galaxies.

La circulation s'étire comme une pâte à gâteaux. On y voit moins qu'à Londres d'embouteillages compacts, mais la progression continue des véhicules y donne une impression d'enlisement plus inexorable. D'après un observateur du dix-neuvième siècle, la circulation en ville est dense et enchevêtrée. Ni accrochage ni collision, mais une profusion de couleurs vives, du mouvement et des toilettes charmantes. Nous ne sommes pas loin du spectacle actuel. Des robes des femmes à la carrosserie des voitures, en passant par les vitrines éblouissantes, partout les couleurs chantent. Les rues de Manhattan, vues du haut des gratte-ciel, sont un foisonnement de teintes mouvantes.

Tandis que, bousculé dans la foule, vous jouez des coudes (oh! pardon, n'ai-je

A la pointe sud de Manhattan, une forêt de buildings de styles divers : c'est Wall Street, le légendaire quartier de la Bourse et des banques universellement connues. Nulle part ailleurs au monde, on ne traite autant d'affaires que dans cette partie de New York.

pas accroché un de vos bas ?), le hurlement des sirènes retentit soudain, et une petite procession de voitures officielles, en route vers le Waldorf ou le City Hall, arrive en trombe, écartant la circulation sur son passage et brûlant impunément les feux rouges. Les motards qui la précèdent, accrochés à leurs engins, ont un air féroce, et pourtant on les imagine capables d'être fort aimables avec les vieilles dames. Manteaux sombres, chapeaux mous, voici le comité d'accueil extrêmement officiel; au fond de l'imposante voiture, peut-être aurez-vous la chance d'apercevoir le héros du jour. Ténor d'opéra, homme d'État ou explorateur bronzé, il peut se permettre d'ignorer les règles de la circulation, et s'en trouve secrètement ravi. Ayant dû conduire un jour dans un de ces défilés, je fus le témoin de réactions psychologiques troublantes : le petit monsieur timide qui partageait ma voiture apostrophait violemment les piétons trop lents à s'écarter, tandis que l'épouse du distingué visiteur s'évanouissait.

A l'angle de Central Park, vous vous trouvez devant une rangée de fiacres engageants,

Au premier plan : Manhattan Bridge, que double Brooklyn Bridge; ces deux ponts relient Brooklyn et Manhattan, dont on voit ici la partie sud. Les trois autres Boroughs (comtés) de New York sont le Bronx, Queens et Staten Island (Richmond).

Contrastes de New York. *A gauche :* de vieilles dames, dignement chapeautées, bavardent au Rockefeller Center. En plein cœur de Manhattan, on trouve ainsi quelques havres de tranquillité. *A droite :* deux petits Noirs jouent dans la Cinquième Avenue, à l'occasion d'un jour de parade. La moitié seulement des Noirs de New York (qui sont près de 800 000) habitent Harlem; les autres se sont éparpillés à travers les différents quartiers pauvres de la ville.

Un petit building construit avant la guerre. Comme dans les anciens immeubles, ses escaliers de secours (obligatoires à New York) sont disposés à l'extérieur.

153

A partir de la Saint-Patrick (le 17 mars) commence, chaque année, la saison des parades à New York : on voit ainsi, presque tous les dimanches, jusqu'au mois de juillet, défiler les groupes les plus divers, majorettes en tête.

chacun muni, en hiver, de son brasero et gardé par un monsieur d'un certain âge, coiffé du «tube» traditionnel; les chevaux sont plutôt maigres, et les roues branlantes, mais les badinages dans la verdure au milieu des cahots ont toujours été du goût des amoureux. En promenade au bord de l'eau, vous pouvez longer les deux côtés de l'île, vous mettre à l'ombre d'un paquebot ou regarder passer un remorqueur (le patron nonchalant arbore sur sa passerelle un petit air d'insolence yankee), qui annonce son passage sous le pont de Brooklyn en laissant échapper un jet de fumée. Sortant de la gare centrale, vous apercevez, par la grille sur laquelle vous marchez, l'express de Chicago, miroitant de métal jusque dans ses entrailles; les voyageurs des trains de luxe passent sur d'épais tapis rouges. On pourrait séjourner dans Grand Central, sans jamais voir un train, puisque tous sont dissimulés dans des tunnels.

Les grands magasins de Manhattan regorgent des meilleures choses du monde, avec une magnificence qui surclasse les marchés odorants des contes orientaux. « Demandez tout ce que vous voulez, dit le vieux maître d'hôtel du Waldorf Astoria, avec une suffisance excusable, et si nous ne l'avons pas, nous l'enverrons chercher. » Les vitrines présentent des fourrures d'un brillant inaccessible, des confections parisiennes d'un chic inimitable, des vêtements d'allure souple à la mode américaine. Vous trouvez des chaussures pour toutes les tailles, des livres pour les goûts les plus ésotériques, des tableaux et des trésors rassemblés de tous les âges et de tous les continents, des aliments délicieusement exotiques, des petits chiens de races invraisemblables, des réfrigérateurs déjà bourrés de comestibles, d'altières Rolls-Royce, des jouets d'une vertigineuse ingéniosité, et, à l'infini, d'étourdissantes babioles. Cette accumulation de merveilles aussi fabuleuses dans un seul lieu est bien le signe de notre époque. Et quelle aubaine pour une armée de pillards. Imaginez des barbares taillant leur route à travers velours et soieries, enlevant les jeunes vendeuses, s'attablant dans les restaurants français pour dévorer.

A New York, cependant, les extrêmes voisinent de façon dramatique et criante. On rencontre aussi de nombreux mendiants. Solliciteurs timides, décemment habillés, faisant appel poliment à votre bienveillance jusqu'à l'heure où, laissant derrière eux les lumières éblouissantes, ils regagneront quelque sordide asile de nuit. Ce sont les ambassadeurs d'un autre Manhattan, aux innombrables rues ténébreuses, où Porto-Ricains et Noirs, Polonais et Italiens poursuivent un vieux combat, s'ignorant

Au coin d'une rue, des objets usuels de la vie quotidienne à New York : une borne de stationnement payant, une boîte aux lettres, et une corbeille pour rappeler aux passants qu'il faut garder leur ville propre.

Une succursale de la Chase Manhattan Bank, qui est l'une des plus importantes du monde. De nombreux taxis attendent le client en roulant : il n'y a pas de stations prévues pour eux à New York.

155

Times Square, la nuit, brille de tous ses feux. C'est un centre d'attraction, qui comporte la majorité des théâtres, des music-halls et des grands cinémas de New York *(à gauche)*.

Le pont Verrazano, qui enjambe le port de New York, est le plus grand du monde. Inauguré le 21 novembre 1964, il a coûté près de 1 625 millions de francs actuels. Sa travée a 1 295 mètres et ses pylônes sont hauts de 210 mètres *(ci-dessous)*.

Le bac de Staten Island; sa tête de ligne est Battery Park, à l'extrême sud de Manhattan : ces petits bateaux couvrent en vingt minutes environ la distance qui les sépare de Staten Island, dans la partie opposée de l'Upper New York Bay; ils passent devant la statue de la Liberté et offrent à leurs passagers un très bel aperçu du port.

Le base-ball fait fureur aux États-Unis : les joueurs professionnels ont des salaires fabuleux, et les parieurs engagent à tous les matches des sommes importantes sur leurs favoris.

157

Policiers new-yorkais. Tous armés, ils sont maintenant près de 29 000 dans la cité : la violence, ici, est quotidienne.

les uns les autres dans une promiscuité déprimante. New York prend ici un goût qui tourne à l'aigre, un goût de mauvaise humeur et de sourde rancune. Dans un poste de police de Harlem, le registre des crimes est impressionnant à feuilleter. Les pages succèdent aux pages relatant agressions et vols ; des assassinats à coups de poignard, des viols, des actes de cruauté ou de folie perverse. « Bien », dites-vous, affectant de demeurer impassible ; mais cette surabondance de faits divers pour journal du dimanche vous trouble, et vous demandez combien de semaines couvre cette énumération. « C'est le registre d'aujourd'hui », répond le brigadier, avec un sourire bienveillant.

Si vous voulez avoir un aperçu de ces horreurs, il vous suffit de circuler en voiture dans les rues sombres des bas quartiers, ou de traverser Central Park la nuit — allez-y prudemment — ou encore d'entrer prendre un verre dans un bar de la zone est. Vous y serez entouré de voisins à l'instinct bestial tenace, échantillons de la faune des bidonvilles d'une demi-douzaine de pays. Du côté des docks, même tension. Les syndiqués s'opposent aux syndiqués, les dockers aux dockers, avec une violence inquiétante. Ces gens qui parlent beaucoup de langues, marchent comme des automates d'un pas égal et traînant, nourrissent une froide agressivité toujours prête à s'exprimer. Pour peu que le chemin des docks vous devienne familier, vous ne serez plus surpris de lire ces histoires de bagarres sur les quais et de cadavres repêchés.

Ce sont les héritiers de ces millions d'émigrants de l'époque victorienne, qui, fuyant le despotisme ou la famine, passèrent l'Atlantique avec l'espoir de découvrir quelque Eldorado. L'immigrant misérable est la figure dominante de l'histoire de l'Amérique ; à l'extrémité de Manhattan, son esprit hante encore les rues et les places du quartier de Battery, ainsi que les débarcadères du ferry qui conduit vers Staten Island. Il est le témoignage, par excellence, du libéralisme américain, mais si paradoxal que cela puisse paraître, s'il a le plus souvent quitté l'Europe au nom d'une idéologie politique, c'est une ambition toute matérielle qui fait de lui un Américain. L'Amérique est la terre du gain. Peu de citoyens abandonnent cette quête de la richesse, et ils réservent leur admiration à ceux qui la trouvent.

Tous ceux que New York n'a pas assimilés, ces millions de citadins nouvellement Américains, demeurent, toutefois, loyalement respectueux de l'apanage de cette ville : la chance offerte à chacun de parvenir à l'opulence. Leur fierté parfois touche au pathétique : un vieux clochard rencontré dans un bistrot de l'East River vantait, sans arrogance, la richesse fabuleuse de New York. On eût dit que les fonds publics de la cité et tout son luxe étaient siens, plutôt qu'une mansarde grise et une veste aux manches élimées. « Saviez-vous, assurait-il d'un air entendu, que des déchets laissés par New York, de ce que chaque matin elle jette aux ordures, on nourrirait l'Europe toute une semaine. » C'était dit sans aucune envie, avec une satisfaction ingénue de propriétaire. Et tous les manœuvres poussiéreux qui se trouvaient à côté de lui hochaient la tête en une approbation émerveillée.

Dans cette capitale de l'opportunité, au milieu des contrastes de Manhattan, et devant le gouffre tragique qui sépare les riches des pauvres, comment garder une conscience sociale en paix ? Avec l'éclat de ses néons, les énormes blocs scintillants de ses bureaux, ses prestigieux magasins et ses sympathiques vendeurs, New York est une symphonie du capitalisme. Elle vous joue un air stimulant plein de joie et de vigueur. Pourtant, vous ne l'écoutez pas sans malaise, sans une certaine répugnance. C'est qu'en dessous de tout ce qui fait votre plaisir, vous découvrez une base très sûre, toujours la même : l'intérêt personnel. L'espoir d'un profit est l'âme de ces lieux. Partout vous en décelez les signes, bien qu'avec une application scrupuleuse on en dissimule l'évidence. « Apprenez à soigner les autres, conseille l'affiche d'une école infirmière, et vous saurez prendre soin de vous-même. » « La vie que vous sauvez peut être la vôtre », dit un placard de la Sécurité routière. « Si vous n'utilisez

A Broadway, c'est un enchevêtrement d'automobiles, de piétons et de bâtiments. Ce quartier va s'animer encore plus à la tombée du jour *(en haut)*. New York est l'une des capitales du jazz américain, mais les *sessions* ne se tiennent pas seulement dans les boîtes de nuit : voici un orchestre itinérant, le *Jazzmobile*, qui se produit le dimanche dans les rues *(ci-contre)*. Le service des pompiers new-yorkais apporte sa note de couleur avec ses postes d'incendie : la lutte contre le feu tient une grande place dans les préoccupations des édiles *(en bas)*.

159

pas cette place retenue, prévenez-nous. Elle pourra rendre service à l'un de vos amis ou de vos associés d'affaires. » Mais de si constants rappels mettent en garde le visiteur étranger, qui se prend à douter de l'altruisme de ses bienfaiteurs. La réunion est-elle vraiment organisée pour son agrément ou l'hôte veut-il en tirer quelque obscur bénéfice ? Le cadeau-surprise fait grand plaisir, mais qu'attend en retour le donateur ? Et l'on ne tarde pas à se demander si la perversion de l'esprit ou du vouloir, la divagation idéologique, l'excentricité, le chauvinisme, ne seraient pas préférables à cet arrivisme obsessionnel.

Manhattan est un havre pour les ambitieux, et l'on ne s'attend pas à tirer de ses rivalités acharnées une pieuse édification. Mais il faut savoir que tout ici est bâti plus ou moins en fonction de la cupidité. Même les églises de la ville, gothiques jusqu'au grotesque, ou anglicanes au-delà de toute imagination, traduisent l'aspiration de chacun à un avancement social. Ce qui semble extraordinaire, c'est que tant de choses belles et bonnes aient trouvé leur point de départ dans des mobiles assez médiocres. Les richesses artistiques de New York, les chefs-d'œuvre qu'elle abrite, attirent des millions de visiteurs. Elle offre des musées incomparables, des concerts, dont les seules annonces couvrent chaque semaine une page entière de journal, un théâtre florissant, de grandes maisons d'édition, une université célèbre. Le *New York Times* lui-même, avec son slogan — *toutes les nouvelles dignes de la publication* — représente un splendide monument civique. Il lui arrive de se tromper, il est souvent ennuyeux, jamais vulgaire, venimeux ni amer.

A l'heure du repas, dans ses bureaux grandioses, on récite comme bénédicité :

> Venus d'horizons très divers
> Et rassemblés ici (comme des nouvelles)
> Nous te remercions pour ce repas quotidien
> O Dieu, source de tous biens,
> Qui tiens en tes mains notre avenir.
> Bénis tous ceux que voici réunis autour de cette table
> Sous ce vaste toit.
> Puissions-nous voir revenir ceux que nous accueillons,
> Ceux qui restent, puissions-nous les voir heureux.
> Amen.

Forêt de pans coupés, flamboyant de couleurs, New York, surtout vue d'avion, est un monument de beauté. C'est Central Park, d'un vert saisissant au milieu des gratte-ciel, ce sont les hautes tours de Wall Street, noyées de brume, ce sont les deux canaux bleus ensoleillés, c'est le sillage laissé par le paquebot, qui glisse vers la mer. Que de majesté dans ce panorama, et pourtant il n'y a pas de Wordsworth pour le célébrer, il faut se contenter d'un guide armé d'un micro ou d'un petit livre à trois francs.

Quitter Manhattan, c'est descendre d'un pic neigeux après une ascension. Vous avez repris l'autoroute et vous sentez autour de vous une sorte de détente : l'atmosphère chargée tout à l'heure d'électricité s'apaise, les bruits s'éloignent, les couleurs s'estompent et s'effacent, la pression se relâche, la circulation diminue. Vous échappez bientôt à l'envoûtement de la ville. Et vous vous arrêtez pour jeter seulement un regard en arrière, voir encore une fois, au-dessus des habitations et des agglomérats urbains, au-dessus de la nuit, les lumières des gratte-ciel.

JAMES MORRIS.

Park Avenue, l'une des plus élégantes artères de Manhattan, où l'on trouve encore quelques hôtels particuliers. Les frontières de la bonne société se sont élargies : le *Social Register*, équivalent de notre *Bottin mondain*, contient aujourd'hui plus de 30 000 noms.

Au cœur de la jungle malaise

Les soixante mille aborigènes de la jungle malaise appartiennent à des races
extrêmement variées. Parmi elles, les Négritos, qui sont noirs et de petite taille, les Semai,
qui se servent de la sarbacane avec habileté et, enfin, les plus pittoresques de tous,
les Temers, qui vivent autour des rapides du fleuve Jendera, dans l'État de Kelantan.

Les Temers pourraient aussi bien être appelés « le peuple des rêves ». A peine réveillés,
en effet, ils se racontent leurs rêves et, quoi qu'ils fassent pendant la journée — qu'ils
pêchent, qu'ils chassent ou qu'ils plantent du manioc —, ils se laissent toujours guider
par les esprits qui leur parlent dans leur sommeil. C'est qu'en se racontant leurs
songes, ils font venir au jour, comme à la confession, leurs sentiments de culpabilité
de la veille, qui se dissipent ensuite dans les brumes et le soleil du matin.

Le monde des Temers, la jungle, est rempli d'esprits. On peut attirer les esprits
bienveillants en chantant les mélodies qu'il faut, ou en se tressant des fleurs dans les
cheveux et en s'enroulant des colliers de perles autour du cou. Quant aux esprits
malins, qui sont aux aguets dans la jungle, on les tient à l'écart grâce à un vernis rouge,
obtenu à partir des fleurs de *kesumba* écrasées, qu'on s'applique sur le visage.

Les Temers sont très habiles à piloter, sur les fleuves de la forêt, leurs radeaux ou
les canoës creusés dans des troncs d'arbres. Si, en glissant sur les rapides, ils soupçonnent la présence d'esprits malins, ils battent l'eau avec des bâtons.

Comme beaucoup d'indigènes de la jungle, les Temers sont, d'ordinaire, aimables,
gais et hospitaliers. Si vous êtes invité à assister à leurs danses, qui durent trois nuits
consécutives, vous ne devrez jamais refuser la nourriture ni le tabac qu'ils vous offrent.
En acceptant, vous leur ferez plaisir : bien qu'ils n'attendent rien en retour, vous
enchanterez un village tout entier en offrant à son chef un *parang* bien aiguisé (c'est
un couteau qui ressemble à une *machette*), quelques paquets de riz et quelques cigarettes chinoises bon marché.

Dans les villages, les cases sont fraîches : construites sur pilotis, elles ont leurs toits
couverts de feuilles de *bertam* (sorte de palmier); leurs murs sont constitués de tiges
de bambou aplaties, et elles sont souvent entourées de bosquets de feuilles de tapioca,
dont les racines forment la nourriture de base des aborigènes.

Les Temers ne discutent jamais. Si une question posée les embarrasse, ils évitent
tout conflit en s'éclipsant sans faire de bruit. Très habiles au maniement de la sarbacane, ils avertissent gracieusement les visiteurs de ne pas s'approcher quand ils
préparent le poison brun et poisseux, appelé *anti-arin*, dont ils enduiront leurs
flèches. Leur code de vie est très sévère : « Ne parle jamais à ta belle-mère, n'envoie
pas de flèches empoisonnées sur un homme et ne te moque pas des papillons. »

STEWART WAVELL.

Un Semai Senoi peut, avec sa sarbacane de 2 mètres, abattre un
oiseau en vol à 20 mètres. Selon les Semai, le piquant de porc-épic
qu'ils portent en travers du nez les aide à viser les cibles mobiles.

Travaux et jeux sur le fleuve

D'une détente du poignet, un Temer lance un filet dans l'eau; il prendra une douzaine de poissons. Les Temers suivent surtout les suggestions que les esprits leur ont données pendant leur sommeil pour trouver l'endroit du fleuve où ils feront une pêche fructueuse. Ce sont aussi d'extraordinaires marcheurs, qui développent les muscles de leurs jambes, en parcourant, tous les jours, plus de 80 kilomètres à travers la jungle.

Pour naviguer sur le fleuve Jendera, qui est l'un des plus dangereux de la Malaisie, il est indispensable d'avoir ces pagaies en forme de lances et d'en user avec habileté et souplesse. Pour les Temers, le moindre tourbillon, ou le plus petit changement de couleur ou de direction de l'eau signifient qu'il faut précipiter le rythme des rames pour éviter des roches cachées. Les dessins rouges qu'on voit sur le visage de ces rameurs servent à les protéger des esprits malins, tandis que les fleurs et les sarongs brillants doivent attirer les esprits bienveillants.

Des enfants temers jouent dans l'eau froide du fleuve. Les Temers croient que les esprits malins du rapide peuvent provoquer des accidents, mais que les esprits bienveillants, attirés par les fleurs qu'ils portent dans les cheveux, veillent sur eux et sont prêts à voler à leur secours. La plupart des Temers qui vivent sur les rives des fleuves sont d'excellents nageurs.

Une jeune fille de la race des Semai boit de l'eau contenue dans un récipient de bambou. L'eau des fleuves de la jungle est délicieuse et d'une parfaite pureté. Tous les jours, les femmes transportent divers récipients de ce type, remplis d'eau, du fleuve à leurs maisons.

Un Temer se fait peindre le visage par une jeune fille avec du jus rouge protecteur de *kesumba*. Bien que les Occidentaux puissent considérer ces décorations comme une pure et simple excentricité, elles font partie d'un système de croyances cohérent. Ce jeune aborigène sait beaucoup de choses sur la jungle, ses plantes, ses animaux, ses oiseaux : il éprouve constamment la présence des esprits et il consacre une grande part de ses énergies à communiquer avec eux.

Les Temers utilisent comme ponts des troncs d'arbres abattus. Les hommes, de retour d'un long voyage, ont lancé de loin leur cri de salut, et les femmes sont accourues à leur rencontre : elles les entendent se lamenter de n'avoir pas trouvé de gibier dans la jungle. Ce soir, il n'y aura pas au menu de rats ou de souris d'arbres, mais l'éternel tapioca.

166

Un groupe de Temers, qui descendent le fleuve sur un radeau, la tête couronnée de fleurs d'oranger. Ces radeaux, faits de neuf cannes de bambou (ou plus), attachées par des lianes, sont pourvus d'une superstructure, qui sert à protéger de l'eau la nourriture et les objets personnels. Les femmes sont tout aussi habiles que les hommes à manœuvrer les radeaux.

La cueillette des fruits d'un durian. Oiseaux, rongeurs et singes sont en compétition directe avec les Temers : un groupe de renards volants peut nettoyer un durian de tous ses fruits en une seule nuit.

Même les enfants fument, parce que cela apaise la faim. Les Temers troquent les produits de la jungle contre du tabac siamois ou chinois, qu'ils roulent ensuite en feuilles pour en faire des cigarettes. Une odeur de cigarette est souvent le premier signe de la présence d'un groupe d'aborigènes.

Colosses contre colosses

Le Japon, à la pointe du progrès industriel, demeure encore
soumis aux traditions ancestrales. L'art du judo, des bouquets et des jardins
s'est répandu dans le monde entier; les talents des geishas et l'étonnant rituel
des lutteurs sumo sont trop spécifiquement nippons pour être exportés.

Les deux mastodontes se rencontrèrent avec un bruit sourd. Le public les acclama
en criant : « Écrase-le! Tue-le! Vas-y! »

Ces mêmes gens sont-ils bien ceux qui restent assis pendant des heures à contempler la lune tout en récitant des poèmes, qui fabriquent des arbres nains avec une patience infinie, écoutent, extasiés, le concert des sauterelles, hument à pleines narines l'odeur épicée de l'encens tout en mâchant des graines de lotus? Oui, pourtant ce sont les mêmes, mais ce sont des Japonais; et à peine croit-on comprendre leur curieuse mentalité que l'on s'aperçoit qu'il n'en est rien. Au Japon, la lutte sumo, plus que le judo, est le sport national.

D'ordinaire, le Japonais est menu, son ossature est frêle, il a les mains délicates, de petits pieds, il se déplace avec grâce. Il en existe de nombreux types, issus du mélange d'immigrants en provenance de Polynésie, de Malaisie, de Chine, de Corée, de Mongolie; sans parler des Aïnous caucasiens de Hokkaïdo. Certains ont la tête ronde, les mâchoires fortes, les pommettes hautes; d'autres, au visage étroit et aux traits profondément marqués, ressemblent davantage à des Indiens qu'à des Asiatiques. Les uns ont le nez petit et plat, les autres l'ont aquilin. La fente des yeux varie considérablement.

Les lutteurs sumo sont encore différents. Ce sont des géants que l'on remarquerait dans n'importe quel pays. Ils pourraient représenter en quelque sorte le résultat d'une idylle entre un bel hippopotame somnolent et quelque gorille agressif, aux membres épais. Ils sont si gras qu'ils ne peuvent même pas nouer leurs lacets, et beaucoup d'entre eux pourraient difficilement joindre les mains sur leur estomac. Comme la plupart des Orientaux, ils ont peu de poils, sauf sur la tête. Leur chevelure pousse n'importe comment, et ils la nouent au sommet de la tête à la manière des anciens samouraïs. Lorsque, ayant rejeté leur élégant kimono, ils se tiennent quasiment nus sur le ring — car ils ne portent qu'une étroite bande de tissu entre leurs grosses cuisses ballottantes — le reste de leur corps apparaît d'autant plus dépourvu de poils. Une bandelette s'accroche par-devant et par-derrière à une solide ceinture de cuir, recouverte de tissu; devant, une frange tient lieu de tablier.

Les lutteurs japonais pèsent de 100 à 165 kilos, et la plupart d'entre eux mesurent entre 1,80 m et 1,90 m. Le record fut battu par un géant de 2,30 m, qui pesait plus

Les tournois professionnels des lutteurs sumo ont lieu trois
fois par an à Tokyo, au stade Kokugikwan. Entre les assauts
a lieu la cérémonie du *Dohyoiri*, ou présentation des lutteurs.

de 180 kilos. Trois d'entre eux ont mesuré jusqu'à 2,25 m. Il existe des modèles réduits, mais en lutte sumo le poids des adversaires ne détermine pas leur catégorie. Le plus souvent, la victoire appartient à celui qui met en jeu le plus grand nombre de kilos. Contrairement à la boxe, le combat se dispute sur un ring circulaire de 4,50 m de diamètre, délimité par deux cordes en paille, clouées au sol, auxquelles on ne peut donc s'agripper.

Le spectacle du soir débute avec un premier groupe de deux. Ils exécutent quelques entrechats rituels, comme l'ont toujours fait les lutteurs sumo dès avant le début de notre ère. Car il s'agit là d'un sport ancien, dont les racines se perdent dans les brumes du mythe japonais. A l'origine, cette danse rituelle était une prière chorégraphique à l'adresse des dieux pour obtenir la victoire; de nos jours, elle évoquerait plutôt le pas de deux esquissé par un couple d'hippopotames dans *Le Lac des cygnes*. Les Japonais considèrent ce prélude avec le plus grand sérieux. Lorsqu'il prend fin, les deux géants se dirigent vers un seau d'eau qui se trouve dans un coin à l'extérieur du ring. Ils se remplissent la bouche, se la rincent et crachent l'eau sur le sol qui est recouvert de sable; puis ils répandent du sel à l'endroit où ils vont lutter. Car, au Japon, on attribue à ce condiment des vertus magiques purificatrices, et l'on en jette dans les temples et sur les nattes des maisons afin d'en éloigner les mauvais esprits.

L'arbitre pénètre sur le ring vêtu d'un kimono, qui lui descend jusqu'aux chevilles. Il tient un éventail. Les deux géants s'accroupissent l'un en face de l'autre, à six pieds environ de part et d'autre d'une ligne peinte sur le sol, et ils posent à terre leurs grosses phalanges, comme des gorilles prêts à l'attaque. Les deux montagnes de graisse s'affrontent, se défient du regard comme des coqs de combat. L'arbitre agite son éventail. La salle bondée retient son souffle, l'atmosphère est électrique. Les deux géants rompent le charme, ils se redressent, font le tour de la piste chacun de son côté, étendent les bras, fléchissent les genoux et frappent le sol du pied. Ils s'accroupissent de nouveau, phalanges au sol, regardent l'adversaire, se redressent, font un tour, s'accroupissent de nouveau. Cela peut durer un bon quart d'heure. L'arbitre agite son éventail avec la grâce d'une geisha, mais en beaucoup moins beau et, bien entendu, en moins séduisant.

Brusquement, l'étincelle jaillit. L'arbitre pointe son éventail vers le sol : ils sont partis, tels deux locomotives qui fonceraient l'une vers l'autre sur les mêmes rails dans un fracas de tonnerre. En une fraction de seconde ils s'entrechoquent avec un claquement de chair flasque, qui résonne dans toute la salle. De leurs doigts boudinés, ils s'empoignent par l'épaule, sous le bras, ou de part et d'autre de la ceinture. Ils oscillent, culbutent comme un couple de baleines à la saison des amours, ronflant, suant, soufflant, jusqu'à ce que l'un renverse l'autre ou le jette par-dessus l'épaule et l'envoie s'écraser dans le sable avec un bruit retentissant. Parfois, enlacés, ils roulent en dehors du ring, au-delà de la barrière de sacs de sable qui les sépare du public.

La règle est la suivante : celui qui, le premier, touche le sol avec une partie quelconque de son corps a perdu. Pas de rounds, pas de points, on ne compte pas jusqu'à dix; les deux épaules n'ont pas à toucher par terre. D'habitude, tout est joué en moins d'une minute, sans compter le long prélude pendant lequel les adversaires se défient du regard et attendent que le déclic se fasse dans leur poitrine noble et puissante. Le vainqueur, chevaleresque, aide son adversaire vaincu à se relever, et chacun retourne dans son coin. Il n'y a pas à rassembler les bulletins des juges. La proclamation du résultat et la remise du prix en espèces sont instantanées. Les acclamations n'ont pas encore pris fin que le gagnant reçoit déjà son argent dans une enveloppe. Les prix sont offerts par des maisons de commerce, et des panneaux publicitaires les présentent tour à tour dans la salle. C'est alors qu'on fait sortir de leur abri les deux locomotives suivantes.

Les matchs de sumo ont lieu trois fois par an pendant quinze jours. Au cours de cette

La lutte de deux dieux pour la possession de la province de Shimane, telle semble être, dans les légendes les plus anciennes, l'origine de la lutte sumo. Le premier assaut eut lieu devant l'empereur Suinin au IIe siècle avant notre ère. Au VIIIe siècle, les cérémonies de cour comprenaient des démonstrations de lutte. Les athlètes venaient de tout le pays pour y prendre part. Ses guerriers étudiaient le sumo et utilisaient cet art lors des corps à corps. Plus tard, les samouraïs, qui formaient une caste militaire, y furent formés également. Au XVe siècle, le sumo devint un sport professionnel.

période, les théâtres, les cinémas et les restaurants sont déserts, car la population entière reste rivée aux postes de télévision. Seule une petite minorité peut se procurer à des prix effarants un billet pour assister au match. Les combats se succèdent, chaque spectateur a ses favoris. Les lutteurs sont classés d'après le nombre de leurs victoires. Une seule défaite les rejette dans la classe inférieure. Il existe deux écuries rivales, celle de l'Est et celle de l'Ouest, auxquelles ils sont tous affiliés et qui s'opposent au cours des trois rencontres annuelles. Le reste du temps, elles font des démonstrations d'un bout à l'autre du pays.

Ces écuries prennent à leur charge les futurs lutteurs, dont elles assurent l'entraînement dès l'instant où des parents leur amènent un gros et grand garçon qui, d'après eux, a les dons nécessaires. En général, l'enfant a une dizaine d'années. Lorsque les parents sont pauvres, ils comprennent qu'il leur sera matériellement impossible d'élever un pareil loustic qui mange comme quatre enfants normaux. La plupart du temps, les candidats sumo viennent de la campagne. On acceptera plus volontiers un gros garçon qui aura déjà fait montre, soit à la maison, soit à l'école, d'une certaine aptitude à la lutte. Sitôt le garçon accepté par l'entraîneur, sa vie tout entière est concentrée sur le ring. On le gave tant et si bien qu'il s'habitue à manger dix fois les quantités qu'avalent normalement ses camarades. Aucun régime pendant cet entraînement! Il peut boire autant de vin de riz et autant de bière qu'il est capable d'absorber, car l'un et l'autre sont fortifiants. Tout en accumulant des couches de graisse, il entraîne ses muscles par de la gymnastique, du judo et des poids et haltères.

Des journaux, remplis d'images à découper et à encadrer, sont consacrés uniquement à l'entraînement, aux combats et à la vie privée de ces gros ours. On peut y lire avec horreur ou admiration quelles quantités de riz, de poisson ou de porc ces idoles absorbent en un repas. Leurs horoscopes y figurent. La foule se presse autour d'eux pour obtenir leur autographe, car ils sont capables d'écrire leur nom.

Le Japon est le seul pays à produire des combattants gavés comme les oies de Strasbourg pour le pâté de foie gras. Tout comme ces volatiles, les lutteurs meurent jeunes. Si les assureurs ont peu d'illusion sur la santé de ces champions, le public, lui, les applaudit tant que le cœur parvient à irriguer ces énormes masses. Si les géants sumo connaissaient le latin — ce qui n'est pas le cas — ils pourraient adapter ainsi la phrase des gladiateurs romains : « Nous qui allons mourir jeunes, nous te saluons! »

Le judo est tout autre chose. Son principe consiste à utiliser le poids et la force de l'adversaire avec suffisamment de ruse pour qu'il tombe sans qu'on ait à intervenir, ou presque. A Tokyo, les adeptes du judo ont choisi pour quartier général le majestueux institut Kodokan. Des étudiants reconnaissants ont érigé devant l'entrée une statue de bronze à Jigoro Kano, qui, le premier, il y a quelque dix ans, a systématisé ce sport en réunissant et en codifiant les prises et les mises à terre telles qu'elles sont pratiquées par les différentes écoles. Ce fut lui également qui introduisit l'usage de ceintures de couleurs différentes, portées sur la tenue blanche pour indiquer la force des combattants. Le jiu-jitsu, dont dérive le judo, date du VIIIᵉ siècle. Il commença par être une franc-maçonnerie secrète à laquelle seuls les samouraïs pouvaient adhérer. De nos jours, le judo est devenu un sport international que l'on pratique dans le monde entier. Il permet de se défendre en toutes circonstances et il est à la portée des hommes chétifs comme des femmes.

Le sumo et le judo ont tous deux leurs fidèles adeptes dans ce pays du Soleil-Levant, où les autres loisirs consistent à écrire de courts poèmes, à contempler la lune et à écouter le chant des cigales pendant les nuits d'automne; ce pays où un seigneur fit exécuter un page pour avoir brisé l'aile d'un oiseau qui chantait dans son parc.

HAKON MIELCHE.

Cadre
traditionnel
de la vie
japonaise

Le temple Meïji, à Tokyo, lieu du plus important pèlerinage japonais, a été achevé en 1920. On voit, ici, une partie de l'immense parc que l'on appelle le jardin des Iris ; il y fleurit en effet plus de cent variétés.

173

Le point culminant du Japon est le mont Fuji, qui s'élève à 3 776 mètres. Son sommet reste toujours couvert de neige. Les promeneurs envahissent chaque sentier en juillet et en août. La dernière éruption du volcan date de 1707. Tokyo, pourtant distant de plus de 120 kilomètres, avait été recouvert de cendres lors de cette catastrophe.

De la péninsule Miho, l'on a une vue superbe du mont Fuji. Ce banc de sable est un des paysages favoris des peintres.

Il faut deux heures environ pour descendre les chutes de la rivière Kiso, qui serpente à travers la fertile plaine de Nobi. Vallées cultivées encadrées par les pentes abruptes de montagnes boisées, tel est le paysage typique du Japon. Le débit rapide des rivières procure l'eau nécessaire à l'irrigation, ainsi que la houille blanche.

A Mikimoto, l'île de la Perle, des femmes plongent pour recueillir les huîtres perlières. Cet art se transmet de mère en fille.

175

Le bouddhisme, introduit au Japon par la Chine au VIᵉ siècle, est aujourd'hui la principale religion de l'archipel. Le temple de Hokke-ji, à l'entrée de la ville de Nara, a été fondé au VIIIᵉ siècle par l'impératrice Komyo. Nara a été la première capitale permanente du Japon. Ce fut l'époque de l'influence chinoise, et la ville, avec ses merveilleux palais, ses temples et ses sanctuaires, était le siège d'une société brillante et cultivée.

Ces hommes prient devant un sanctuaire shinto, très ancien, à Kamakura, qui fut la capitale du Japon de 1192 à 1333. La religion shinto est basée sur la nature et sur le culte des ancêtres. Son principe essentiel est la pureté rituelle. Le fidèle lave ses mains et sa bouche pour se purifier. Il attire l'attention de la divinité en pénétrant dans les lieux saints, en frappant des mains et en faisant tinter une clochette. Puis, il s'incline et prie.

Près de trois cents îles et des îlots de tuf noir et de grès blanc plus nombreux encore parsèment les 100 kilomètres carrés de la baie de Matsushima, à l'est de la côte de Hondo. Des pins aux formes tourmentées s'accrochent au sol pauvre de ces îles modelées par la mer, le vent et la pluie. Bien qu'inhabitées pour la plupart, ces îles ont été répertoriées et baptisées de noms appropriés à la bizarrerie de leurs formes : Tige de Pivoine, Anguilles Bleues ou Entrée du Bouddha au Paradis. Sur une de ces îles s'élève le temple de Godaido; sur une autre, des grottes, creusées dans la roche, renferment des images du Bouddha et ont, jadis, servi de retraites.

Les petits Japonais passent six ans à apprendre le millier de signes de base de leur langage si complexe. Le parc Nara est un des lieux de détente préférés des enfants : plus de 800 biches sacrées y errent, parmi eux, en liberté.

Une mariée japonaise. La cérémonie a lieu chez le marié ou au temple. Les unions sont souvent arrangées par un tiers.

On rencontre encore à Tokyo des femmes vêtues de kimonos aux couleurs vives ou tendres, mais plus souvent dans les petites rues écartées que dans les grands centres.

Entre Hondo et les grandes îles de Sikok et de Kiou Siou s'étend une mer intérieure par-
semée de centaines d'îles très boisées. Certaines ont une population dense de pêcheurs
et de fermiers. Voici une rue dans un de ces pittoresques villages.

Londres, traditions et avant-garde

De Westminster à Chelsea, de Eaton Square à Carnaby Street,
grâce à sa jeunesse dynamique et audacieuse, Londres n'hésite pas à regarder
vers le futur sans, toutefois, rompre les liens qui le rattachent à son passé,
riche d'histoire, de civilisation et d'anciennes traditions.

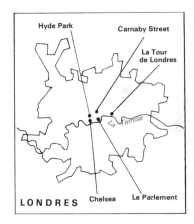

Il y a quelques soirs, un feu de signalisation m'arrêta devant le Parlement. A ma gauche, sur le trottoir, marchait le chancelier de l'Échiquier. Un vague sourire illuminait sa face ronde : on venait d'annoncer que la balance des paiements était nettement bénéficiaire. Le profil gothique de Westminster se détachait, noir sur un beau ciel d'aquarelle, parcouru de gros nuages gris. Je regardais distraitement ce tableau, lorsque Big Ben sonna six heures. Ces coups de cloche, que j'avais entendus pour la première fois avec angoisse dans les émissions de Radio-Londres pendant la guerre, me plongèrent dans la réflexion.

J'ai longtemps vécu dans cette cité quasi maritime, où l'on sent la mer sans jamais la voir, à l'exception peut-être de son reflet dans le ciel aqueux, et où, les jours de brume, on entend de partout le son rauque des sirènes du port. Je suis passé des milliers de fois dans ce quartier célèbre. Mais combien d'autres y sont passés avant moi ? Combien de fois cette rue maintenant bloquée par le feu rouge a-t-elle été traversée à pied par Winston Churchill, par Anthony Eden, par Lloyd George, par lord Palmerston, qui, venant de Downing Street tout à côté, ou bien du Foreign Office, se hâtaient vers le Parlement, cependant que Big Ben sonnait des heures historiques et qui retentissaient dans le monde entier ? Combien de fois les carrosses dorés de Victoria, de George VI, d'Élisabeth et de nombreux souverains, dont le souvenir est désormais lié à celui de Shakespeare, ont-ils tourné autour de ces petits jardins de Parliament Square pour mener Leurs Majestés britanniques aux couronnements ou aux mariages célébrés par l'archevêque de Cantorbéry dans l'abbaye voisine de Westminster, à l'ouverture du Parlement par le roi, ou à de solennelles funérailles nationales ?

Moi-même, comme un grain de sable dans un Sahara d'histoire, j'ai traversé ces carrefours entre l'abbaye de Westminster, Whitehall, Downing Street et le Foreign Office des milliers de fois par des matinées brumeuses et venteuses, par des après-midi pleins de soleil, par ces longues soirées où les lumières de la Chambre des communes brillent encore à l'aube, les discussions des députés se prolongeant jusqu'à

Un panorama insolite de Londres : dans la City, les édifices modernes se mêlent aux traditionnelles façades en brique. *Au fond :* la coupole de la cathédrale Saint Paul.

181

une heure avancée, lors de ces nuits terribles de tempête et de frimas, où l'on put voir une foule d'Anglais attendant en rangs serrés pour saluer la dépouille mortelle de Winston Churchill. J'ai pénétré dans la cour de tous les cloîtres et de toutes les églises, j'ai parcouru le passage souterrain que Guy Fawkes avait emprunté pour mettre le feu au Parlement, j'ai rendu visite au Premier ministre et aux députés, je me suis assis des dizaines de fois sur les grands sièges de cuir réservés aux ministres. Dans la salle des Communes, j'ai aperçu Churchill tassé sur son banc, le visage cireux, alors que les forces lui manquaient déjà, mais que son indomptable volonté lui imposait de refuser l'aide de quiconque, et qu'il se traînait vers la sortie en s'appuyant sur sa canne, s'arrêtant avec peine pour s'incliner devant le speaker. J'ai vu Eden résister, livide, aux attaques de ceux qui l'accusaient d'avoir commis une agression contre Nasser au moment de l'affaire du canal de Suez, et Macmillan essuyer furtivement une larme tout en défendant son gouvernement menacé par les écarts de deux filles de joyeuse vie et par les mensonges de John Profumo. Et combien de fois, poussé par le désir indiscret mais compréhensible de contempler un tableau historique, n'ai-je pas entrouvert la porte où l'on pouvait lire : RIGHT HONOURABLE SIR WINSTON CHURCHILL, pour voir un petit bureau net et propre, mais inexorablement vide ?

Et pourtant, si l'on me demandait si ce fut la solennité des lieux et des hommes qui me frappa le plus, je dirais que non; c'est ce qui arrive, je le suppose, à tous ceux qui ont été témoins de quelques moments d'histoire. Cette partie de Londres ressemble à n'importe quelle autre partie de la ville, y compris les plus extravagantes et les plus modernes, sans exclure Chelsea et Carnaby Street. Le Parlement, avec ses flèches gothiques, ses longues fenêtres, ses statues, ses tapisseries, ses processions

Deux aspects de l'Angleterre d'aujourd'hui : l'un, moderne et très libre, est représenté par ces deux jeunes filles *(photo ci-dessus et, page suivante, photo du milieu)* qui exhibent — plutôt par attitude que par conviction — des inscriptions hardies, et par ces deux garçons qui portent avec désinvolture des uniformes pittoresques; l'autre aspect, traditionnel, est illustré par un garde de la reine *(page suivante, photo de gauche)*, vêtu d'un costume solennel, qui monte la garde à l'entrée de la Tour de Londres, où est conservé le trésor de la Couronne.

rituelles et quotidiennes, son speaker en perruque, mais aussi avec ses cours pleines d'automobiles, les députés qui boivent et discutent de façon animée à la buvette, dînent dans les petites salles qui donnent sur la Tamise, ou écrivent leurs lettres sur un banc dans les couloirs, les hommes illustres qui parcourent l'édifice au milieu d'une foule de touristes, d'élèves des écoles, des gens de couleur qui sont venus là pour travailler ou pour visiter la ville, tout cela reproduit parfaitement le caractère particulier du pays, qui agit de la façon la plus actuelle et la plus tolérante dans un cadre de tradition solennelle.

A chaque pas, et pendant de nombreuses années, j'ai vu tout cela à Londres, et je n'ai jamais cessé d'être stupéfait par cette vie parfaitement ordonnée selon des lois que les étrangers superficiels et malveillants qualifient d'hypocrites et qui sont, au contraire, la seule condition possible d'une existence en commun vraiment civilisée. Je choisirai, entre mille exemples tout aussi caractéristiques, quelques simples épisodes particulièrement frappants.

Il y a quelque temps, l'ancien ministre conservateur Duncan Sandys se leva de son banc pour dire au ministre des Affaires étrangères Brown que « chaque jour de plus où il exerçait ses fonctions rendait plus confuse la politique du pays ». Brown, qui n'est pas homme à observer des règles trop orthodoxes et conventionnelles, fouilla dans ses poches, en tira un billet qu'il avait reçu depuis peu et dit : « Et alors, qu'est-ce que c'est que cela ? » Et il lut : « Cher George, discours merveilleux. Félicitations, et bonne chance. Duncan. »

Duncan Sandys, qui avait envoyé ce mot la veille, expliqua qu'il concernait un discours sur le Marché commun, alors que maintenant il s'agissait de la politique à Aden. Et, furieux, il en appela à la tradition qui interdit de rendre publiques les

Un officier en uniforme et un autre en civil assistent à la Beating Retreat, une cérémonie militaire (la Retraite), qui se déroule deux fois par an et qui remonte au XVIe siècle.

communications privées. Presque tout le monde, des deux côtés de la salle, l'applaudit; d'autres sourirent, alors que Sandys quittait la salle en signe de protestation. L'anecdote montre parfaitement comment ces hommes se battent avec ardeur mais sans rancœur pour les causes qu'ils considèrent justes, et avec le plus honorable fair play, c'est-à-dire avec l'esprit sportif qui, respectant à la perfection les règles du jeu, désire vaincre tout en étant prêt à perdre et à reconnaître les mérites de l'adversaire.

Je préfère pourtant une histoire mineure dont le protagoniste fut un de mes amis, un Italien, mais qui était parfaitement au courant du caractère des Anglais. Cet ami arriva en retard dans un parking où il avait laissé son automobile. Il était dix heures cinq, et le gardien lui donna un avis de contravention qui devait, comme toujours, être sanctionné par un magistrat. Mon ami alla au poste de police le plus proche et montra ce billet. « Regardez, déclara-t-il au sergent, ce papier mentionne qu'à onze heures cinq j'ai commis une infraction. Maintenant, dites-moi, quelle heure est-il? » Il était dix heures vingt. « C'est une erreur, dit le sergent. Mais je parie que vous vous êtes réellement mis dans votre tort et que le gardien a fait une faute en écrivant l'heure. — D'accord, poursuivit mon ami. Mais les horloges de vos parkings ne sont pas des chronomètres suisses et peuvent se tromper. Vous l'admettez? — Je l'admets. — Le garde s'est trompé d'une bonne heure. Vous l'admettez? — Je l'admets. — Et alors, conclut mon ami, pourquoi n'admettez-vous pas que je puisse me tromper de cinq minutes? — C'est bon, c'est bon », dit l'autre en éclatant de rire. Il prit la contravention et la déchira.

Ce sont des histoires de ce genre, des épisodes de tolérance réciproque, de respect pour le citoyen, de rapports amicaux entre l'autorité et le public, qui rendent Londres une ville délicieuse. Et personne ne pourra m'ôter de l'esprit que lorsqu'ils font la guerre, les Anglais combattent pour défendre ce système de vie plutôt que le drapeau ou la reine.

Quelqu'un (Umberto de Savoie, je crois) m'a raconté un jour qu'il avait mené ses enfants dans ce coin de Hyde Park où n'importe qui a le droit de parler librement sur n'importe quel sujet. L'automobile s'était arrêtée devant un orateur qui protestait contre quelque hypothétique abus de pouvoir de la police. Un agent s'approcha de la voiture et dit à celui qui était au volant : « Sir, si vous voulez écouter, coupez le moteur. Le bruit gêne l'orateur. »

Un soir, un sergent me fit un signe avec sa lampe de poche; je le remerciai. L'ami italien qui m'accompagnait voulut savoir ce qui était arrivé. Je lui expliquai que j'avais oublié d'allumer mes phares. « Comment est-ce possible ? me dit mon ami. Il est minuit passé et il ne te siffle pas, ne te réprimande pas, il ne te donne pas de contravention? — Pourquoi? répondis-je. Mes phares ne sont pas allumés, et il m'en avertit.» Pour un étranger, il est difficile de se rendre compte que l'agent de police se considère comme au service du citoyen et de la circulation, et non pas comme le représentant de la pesante autorité de l'État. Une autre fois, je fus contraint de m'arrêter et l'on me fit descendre. « Regardez, votre timbre de circulation est périmé depuis quatre mois. — Je suis désolé, répondis-je, je croyais ne devoir le renouveler qu'en janvier. » Le sergent me demanda mon permis; je l'avais laissé chez moi avec mes papiers. « Mais cette voiture est à vous? Faites-moi voir la carte grise. » Après l'avoir examinée, il déclara : « Ici, il manque votre signature. Pourquoi n'y est-elle pas? — Vraiment, dis-je, je ne le savais pas. » Il me regarda, balançant entre la colère et la stupeur : « Oh! vous pouvez partir. A quelqu'un comme vous

Londres d'hier et d'aujourd'hui. L'hôtel Hilton, l'un des gratte-ciel qui commencent à s'élever dans la capitale, se dresse comme un géant de béton au milieu du West End.

La moue perplexe de ce gentleman en chapeau melon exprime toute la stupeur du vieux Londres devant la vague d'extravagances qui a changé, au moins en partie, le visage austère de la cité.

je ne donnerai même pas un avertissement. » Les résultats furent parfaits. La circulation ne fut pas interrompue. Je renouvelai mon timbre en payant les arriérés et j'apposai ma signature là où il le fallait. Mon admiration pour le système augmenta.

Un autre jour, à Brompton Road, devant une vitrine de chez Harrod's, je vis arrêter un homme. Peut-être n'était-ce pas un criminel. Peut-être y avait-il eu un accident et le conducteur coupable était-il en état de choc. Le visage pâle, tendu, l'individu reculait lentement devant deux policiers qui marchaient vers lui en le regardant droit dans les yeux. Cette scène avait l'élégance d'un ballet. Les policiers ne disaient pas un mot, ne proféraient aucune menace, n'employaient pas la force. Quand l'homme fut adossé à la grande vitrine, chaque policier lui prit un poignet, et, lui pliant le bras derrière le dos, ils l'emmenèrent tranquillement dans leur automobile. Si nous devions être arrêtés, voilà comment nous aimerions l'être.

Il y a quelque temps, à Hyde Park, un agent de police fit un barrage pour laisser passer un piéton. C'était un jeune Noir sans cravate, qui traversa gauchement, mais comme s'il avait été un roi. Voilà un des meilleurs hommages à l'égalité des droits de l'homme qui se puisse concevoir. « L'air de Londres, a dit le juge Mansfield à la fin d'un procès, est depuis longtemps trop pur pour un esclave, et tout homme qui le respire est libre. » Tout homme qui entre en Angleterre jouit de la protection des lois, quelle que soit l'oppression qu'il a subie dans le passé et quelle que soit la couleur de sa peau. *Quamvis ille niger, quamvis tu candidus esses...* (Bien que lui soit noir et bien que tu sois blanc, que l'homme noir soit libéré.) A la fin d'un procès dans lequel des teddy-boys étaient accusés d'avoir maltraité des Noirs, un autre juge prononça une phrase que de nombreux journaux reproduisirent en première page et qui mériterait d'être gravée dans le marbre : « Vous prétendez avoir agi au nom d'une civilisation qui n'est pas la vôtre, en exprimant les règles d'une communauté qui ne vous approuve pas. » Ce policier de Hyde Park qui avait interrompu la circulation pour un jeune Noir, au lieu de le faire pour une vieille dame ou pour un enfant, avait matérialisé, peut-être sans le savoir, le sens de ces paroles.

Je suis un citoyen comme tant d'autres, et non pas un observateur de profession. C'est sans doute pourquoi je ne m'étais pas rendu compte, jusqu'à ce moment précis, que j'avais vécu mes dernières années londoniennes à King's Road, une rue qui est un symbole parfait de la vie de cette cité. King's Road, comme son nom l'indique, est le chemin que le roi Charles II empruntait pour aller rendre visite à sa maîtresse Nell Gwynn, une actrice qui s'était établie dans le quartier de Chelsea. Dans la partie qui va du palais de Buckingham à Sloane Square, la rue longe une grande place rectangulaire appelée Eaton Square; ce n'est qu'ensuite, quand elle traverse Chelsea, qu'on la connaît sous le nom aujourd'hui fameux de King's Road, la rue des nouvelles générations.

C'est un hasard (ce n'est que maintenant qu'il m'arrive d'y réfléchir) si cette voie joint la partie la plus traditionnelle à la partie la plus progressiste de Londres. Eaton Square a succédé de nos jours à Belgrave Square pour représenter ce reste de vie hautement aristocratique qui a toujours eu son centre dans ce quartier dont l'architecture postnapoléonienne a servi de modèle au reste de l'Angleterre, du moins de l'Angleterre prétentieuse. Ses maisons blanches, avec leur péristyle de deux colonnes soutenant un balcon, ont été partout copiées.

Eaton Square tombe en décadence depuis l'époque edwardienne, quand ses habitants répondaient aux administrateurs prudents qui leur conseillaient de renvoyer deux pâtissiers italiens de leur cuisine : « Un gentleman n'a donc plus le droit de manger un biscuit avec son sherry? » Mais, aujourd'hui encore, ces demeures transformées en appartements sont pour la plupart occupées par les principaux représentants de l'*establishment*, les aristocrates, les grands dirigeants politiques, les banquiers, les financiers, et enfin les snobs.

Mais après Sloane Square, vous voici dans l'authentique King's Road, c'est-à-dire à Chelsea, qui, avec son appendice, Carnaby Street, représente la nouvelle Angleterre. C'est, aujourd'hui, la Mecque de la jeunesse du monde entier. Les touristes y accourent, surtout le samedi, pour regarder se promener la plus belle génération de jeunes qu'il soit possible de voir en Europe, la plus libre et la plus extravagante aussi. Les filles, toutes développées de façon longiligne, ont des cheveux blonds et brillants qui leur descendent presque jusqu'à la taille, des jambes qui montent sans fin, des peaux rayonnantes. Elles ressemblent à des figures botticelliennes rendues animées par de puissantes cures de vitamines. Elles sont des Vénus à peine sorties de l'onde, sans artifices, avec des cheveux encore ruisselants, et la puissance innocente de l'adolescence.

Si l'on pense que ces êtres sont les enfants de l'autre partie de King's Road, où, jusqu'à il y a quelques années, et encore aujourd'hui dans certains cas, les femmes étaient vêtues de robes longues et encombrantes, et coiffées de chapeaux à fleurs ressemblant à des paniers de marché, qu'elles affrontaient leur nuit de noces « en fermant les yeux et en pensant à l'Angleterre », il ne peut y avoir de plus grand prodige. Les jeunes gens d'outre-Manche qui ont imité les mœurs de cette génération ne se rendent pas compte de la révolution que ces garçons et ces filles ont apportée dans les structures de leur pays.

L'époque victorienne, avec son idéal de parfait gentleman réservé et raffiné, avait imposé à l'Angleterre un modèle de société inhibée, où les classes et les sexes vivaient nettement séparés, ce qui eut pour résultat l'exaspération des complexes et des conflits jusqu'à l'extrême limite. Mais, alors qu'ailleurs les beatniks américains et les blousons noirs français s'étaient révoltés contre le passé en une explosion de nihilisme aveugle, les jeunes Anglais, après un moment de violence, se sont faits les promoteurs d'une vraie renaissance. C'est, en partie, la répétition de la révolution de Brummel qui l'emporta sur le prince régnant, avec pour seules armes le goût et l'élégance. Aujourd'hui, cette jeunesse enseigne au reste du monde à chanter, à s'habiller, à jouer la comédie.

Comme tous les autres mouvements de renaissance, le mouvement anglais n'est pas dépourvu d'une certaine dose de violence et d'affranchissement vis-à-vis des lois et, par conséquent, de certaines règles morales. Peut-être les jeunes Londoniens ignorent-ils que les quakers se laissaient pousser les cheveux en signe de protestation contre la frivolité des perruques, rendant ainsi hommage aux lois de la nature et au Créateur. Mais le prodige de cette génération nouvelle est, précisément, qu'elle se développe en laissant libre cours à l'intuition naturelle, avec la même spontanéité que les plantes. Ces jeunes gens, qui ne connaissent pas les préoccupations de leurs pères, qui savent peu de chose, ou même rien, de leurs inhibitions, de leurs réflexes de classe, de leur isolement national et individuel, ont tout compris et ont effectué une réaction d'autant plus puissante qu'elle est parfaitement instinctive. D'ici quelques années, quand la moitié de ce pays sera constituée de jeunes de moins de trente-cinq ans — si ces jeunes continuent d'attirer l'attention de leurs contemporains — le monde regardera de nouveau vers l'Angleterre. La partie historique de Londres ne sera plus située à Westminster, entre l'abbaye et le Parlement, ni dans la partie de King's Road appelée Eaton Square, mais à Chelsea. Le miracle sera complet et entièrement en accord avec les traditions anglaises, si Chelsea se répand sur Westminster. Alors, de nouveau, les coups de Big Ben se feront entendre et écouter dans le reste du monde.

ALFREDO PIERONI.

Minijupe et accessoires de couleurs vives : une jeune fille se promène devant les vitrines bariolées de Carnaby Street, cette petite rue proche de Piccadilly Circus qui est devenue le temple de la mode des jeunes.

Chevauchée en Camargue

Une terre, dit Jean Giono, où « l'espace n'existe pas » et où l'on a l'impression de regarder un « paysage intérieur »; un lieu où le temps n'a pas de réalité et où tout se tient aux aguets pour « cueillir l'éternité ». Se promener en Camargue, c'est plonger dans une nature insolite de reflets et de mirages.

Dans ce paysage de ciel et d'eau, les pittoresques cabanes des guardians sont construites sur d'étroites langues de terre; leurs toits sont faits de roseaux.

Souples, fins et musclés, les chevaux de Camargue ont peut-être, dans les veines, du sang qu'ils auraient acquis du temps des Sarrasins; mais la question de leurs origines reste controversée.

Le long d'un étang, un guardian
ramène vers l'écurie un troupeau
de chevaux; il y faut de l'habileté,
du courage et une énergie tranquille. A qui veut faire ce métier
difficile et fatigant, ces qualités
sont indispensables.

Le Rhône a déversé des alluvions et des débris végétaux qui, avec l'exhaussement du fond marin, ont formé des îles flottantes. La végétation a fait d'elles de vastes étendues de terre ferme : ainsi naquit la Camargue, qui n'est ni terre ni mer.

Tous les ans, les hautes eaux du Rhône déversent dans la mer une masse énorme de bois. Les vagues les ramènent au rivage. Lavés et polis par l'eau, le sable et le vent, ces blocs revêtent alors des formes d'une étrange beauté.

Taureaux et chevaux tiennent la première place dans la vie et dans l'esprit des Camarguais. *A gauche :* un groupe de taureaux en liberté. Dans ce pays aux vastes horizons, vit librement une race de chevaux blancs à demi sauvages, qui se nourrissent de jeunes roseaux et de l'herbe des marais. Notre photographie de droite montre quelques bêtes, détachées sur le ciel du crépuscule.

De temps en temps, les chevaux sont conduits dans un enclos, où ils sont soumis à un contrôle. Ils supportent mal d'être enfermés dans cette enceinte étroite : ils en font le tour au galop, par groupes compacts *(à gauche)*. Un visage typique de la Camargue : le propriétaire d'un troupeau appuyé sur son trident *(à droite)*.

Sur le cheval, entravé, on imprime
au fer rouge la marque de son
propriétaire ; l'animal retrouve
ensuite la liberté des grands pâtis.

A vive allure, les guardians conduisent les taureaux de combat du fond des plaines
jusqu'aux arènes où ils affronteront les toreros, mais, contrairement à ce qui se passe
en Espagne, il n'y aura pas de mise à mort.

Un guardian mène vers un autre pâtis un troupeau de taureaux; il se contentera ensuite de le surveiller. En Camargue, le bétail vit librement, on ne trait même pas les vaches.

Les flamants bâtissent leur nid en eau morte; ils le façonnent soigneusement avec du limon, en se servant de leur bec. Les premiers jours qui suivent l'éclosion, les petits, encore courts sur pattes, ne ressemblent guère à leurs parents.

On oublie parfois en Camargue que la mer est toute proche : les lagunes en sont séparées par une bande de sable dont la largeur varie.

Dans les étangs de Camargue vivent plusieurs animaux, comme la tortue des roseaux. Sur notre photographie, la couleuvre à échelons, qui est le serpent le plus répandu de cette région. Sa morsure n'est pas venimeuse.

Dans l'église des Saintes-Maries-de-la-Mer, une gitane fait ses dévotions à sainte Sara. Construit au temps des Sarrasins, ce sanctuaire est un centre de pèlerinage pour tous les gitans d'Europe, qui viennent témoigner ici de leur foi immémoriale.

Formose, l'île de beauté

Un nouvel habitant de Formose contemple son pays d'adoption. Le fracas et les couleurs d'une ville moderne, la beauté et la paix des collines environnantes lui donnent un charme mystérieux. Au cours des siècles, cette terre séduisit successivement les envahisseurs hollandais, espagnols, français et portugais.

En arrivant à Taïpei, la capitale de Formose, nous avons habité pendant une semaine dans un hôtel chinois. Énervés par la chaleur de juin, qui ne nous laissait aucun répit, importunés par le sifflement perçant des trains tout proches, nous ne pouvions fermer l'œil de la nuit. Après avoir passé deux jours à chercher une maison, Peksee, ma femme, avec l'aide d'un conducteur de trishaw cantonais, nous en trouva une. Un soir, très tard, nous nous y sommes installés.

Dans la rue se trouvaient des éventaires remplis de victuailles et des voitures à bras surmontées d'une lanterne et chargées de fruits : melons d'eau, bananes, oranges. La chaussée était encombrée de trishaws ou pousse-pousse à tricycle, de bicyclettes, de charrettes. Une foule bruyante et gaie poussait des cris. Nous fîmes en taxi le trajet de l'hôtel à la maison. Enfin nous arrivâmes devant notre porte, en pleine chaleur, au milieu d'un amoncellement de valises.

Cette nuit-là, nous avons dormi sur des nattes, à même le sol, sans vêtements, sans couvertures, essayant de trouver un peu de fraîcheur dans cette atmosphère étouffante.

Notre maison n'est pas moderne. Elle fut construite sous l'occupation japonaise avant le retour des Chinois dans l'île, à la fin de la guerre. Trapue, elle n'a qu'un seul étage. Les murs sont de bois et de plâtre. Des poutres, en cerisier lisse et poli, soutiennent les lambris du plafond. Tout un côté de ma chambre se compose de portes coulissantes : elles donnent dans le jardin enclos de murs. Le toit, épais, large, couvert de tuiles, fait saillie au-dessus de l'escalier extérieur. Celui-ci descend jusqu'à la pelouse, grande comme un mouchoir de poche.

Il y a plusieurs années, la maison se trouvait au seuil d'un village, au-delà des faubourgs de Taïpei, et le paysage s'étendait à perte de vue sur les rizières jusqu'au mont aux Herbes et aux collines, dans la direction du nord. A cette époque, les routes n'étaient pas pavées et un réseau de sentiers les reliait aux champs. De nos jours, Taïpei s'est agrandie ; elle s'étale au milieu des rizières et elle a absorbé le village. Les routes sont plus larges et garnies de pavés. Et l'on n'aperçoit plus le mont aux Herbes, sinon par les interstices des maisons, bâtisses érodées par le vent, de couleur violette, ou d'un bleu tirant sur le marron.

Taïpei est située au nord de l'île. Actuellement, la muraille d'enceinte a disparu,

Les eaux calmes du lac du Soleil et de la Lune, à 750 mètres d'altitude, dans les collines près de Taïtchoung. C'est un des sites les plus beaux de Formose. Plus de 70 pics de l'île dépassent les 3 000 mètres.

seules demeurent les portes de la ville : amoncellements de grosses pierres surmontées de voûtes cintrées et de toits à la chinoise. Les Japonais démolirent la muraille, car la ville, en se développant, en avait dépassé les limites. Au fond de la cuvette formée par les collines, les maisons s'entassent sur le terrain plat.

Un mélange confus de divers styles d'architecture témoigne de l'extension de la ville, comme les anneaux concentriques sur un tronc de chêne coupé indiquent l'âge de l'arbre.

Le site le plus attrayant de l'île, c'est l'arête montagneuse qui en occupe le centre. En ce moment, les sentiers des collines sont bloqués par la neige et les pistes sont inutilisables. Puis viendra le dégel, avec ses éboulements : les tracés des sentiers seront modifiés, et nous devrons attendre encore. Notre curiosité des premiers jours est devenue une résolution opiniâtre de rester sur les lieux jusqu'à ce que nous ayons escaladé ces montagnes. Chaque matin, j'observe les collines qui encerclent Taïpei comme si elles pouvaient m'éclairer sur l'état des terres hautes, vers le sud : région primitive et sauvage qui couvre l'île de bout en bout dans sa plus grande largeur.

Cette chaîne change constamment de couleur : gris très doux et vert, gris fumée, gris cendré, vert pomme, vert jade, le tout sous un ciel coquille d'œuf, cuivre, rouille, prune, violet, bleu d'orchidée, couleurs sombres, noircies d'une nuance charbon de bois. Les nuages pèsent sur les sommets, masquant la ligne de crête, la brume est telle qu'on n'arrive plus à distinguer nettement du ciel les contours des montagnes : tout est gris perle, estompé. Durant l'été, les pentes raboteuses étaient brûlées par le soleil; les arbres étaient dorés et, là-haut, l'air chaud vibrait et frémissait. Hier, les pics étaient couverts de givre, les montagnes, saupoudrées de glace. Le soleil levant avait une nuance orangée. Au jardin, dans un tonneau, la surface de l'eau s'était figée en un disque fragile.

La couleur et le mouvement passionnent Peksee, et son enthousiasme est contagieux. Nous avons passé trois heures à prendre des photos de la ville, en essayant de retrouver le tracé des anciennes murailles, dont il reste encore des vestiges par endroits.

Nous attendons le dégel et le réchauffement de la température, et nous nous promenons parmi les collines aux alentours du mont aux Herbes. Nous suivons le chemin qui borde le fleuve. De temps à autre, nous prenons des photos sur le front de mer ou près des chantiers de constructions navales. Nous traversons la ville en pousse-pousse, observant cette cité devenue familière.

Un pousse-pousse s'avance sans hâte, sur le bord de la chaussée, loin du centre et des remous de la circulation. Les boutiques sont fixées au trottoir par des piliers carrés. Leurs devantures sont grandes ouvertes sur la rue, et, quand on passe en pousse-pousse, on en voit l'intérieur. Les enseignes se découpent en caractères chinois bien nets. Elles sont disposées verticalement sur des planches de bois, en noir sur fond blanc, en blanc sur rouge, ou en doré sur bleu. Un étameur martèle un seau; il y en a des piles entières amoncelées derrière lui. Voici un magasin de poteries : dehors, sur le trottoir, sont entassés des bols et des assiettes, parsemés de brins de paille. Un menuisier est occupé à raboter, et des copeaux de bois frais jonchent le sol autour de lui comme des épluchures de pommes bien croquantes. Un magasin de meubles expose tables et tabourets, taillés dans un bois de charpente encore vert. Un débit de cigarettes s'adosse à une colonne en briques. Une boutique d'alimentation présente des canards et des poissons fumés, suspendus par la tête à des crochets, des pieds de porc, des canards et des poulets salés et bouillis, de petits paquets de langues de canard, séchées en bottes comme des herbes. Un barbier et un charcutier

Un aspect du fleuve à Taïpei, capitale de Formose. Jusqu'à la construction du réseau routier moderne, le transport des marchandises dans l'île se faisait surtout par voie fluviale.

La plupart des 13 millions d'habitants de Formose travaillent la terre. On récolte surtout le riz, la canne à sucre, le thé, les citrons. L'élevage des bestiaux est prospère. L'île possède aussi, sur de grandes étendues, du bois de construction précieux. Elle occupe le premier rang pour la production du camphre et de l'huile de camphre. Depuis que les nationalistes chinois, en 1953, ont mis au point leur programme de réforme agraire, 85 % des fermiers sont devenus propriétaires fonciers. On estime que 2 millions de Chinois quittèrent le continent à la suite de Tchang Kaïchek quand il se réfugia à Formose, en 1949. Certains groupes minoritaires comprennent environ 200 000 indigènes de race malaise.

se partagent le même pas de porte. Un magasin de thé expose sur des étagères différentes sortes de thé dans des pots de verre étiquetés de rouge. Un cordonnier, abrité sous une tente en toile grossière, est courbé sur une chaussure qu'il maintient entre ses genoux. Voici un marché aux légumes, tout grouillant de femmes jacassantes. Un homme porte trois poissons, de la taille d'une truite à peu près ; pas de papier, mais une ficelle enfilée dans les ouïes. Un jeune enfant passe avec un pantalon de coton rembourré ; pour plus de commodité, on en a découpé le fond ; son petit postérieur, nu, est tout bleu par le froid.

Et les odeurs de la rue ! Odeur de nourriture âcre, poivrée, aromatique, épicée. Odeur de laque et de cuir, d'huile, de véhicules en marche. Faible bouffée passagère d'encens, parfum fugace des bâtonnets brûlés devant les idoles. Effluves confondus de légumes, de poussière, de détritus, de fruits écrasés et piétinés par les buffles d'eau. Senteur pénétrante de charbon de bois, de fumée, de feuilles brûlant lentement. Contrastant avec les enseignes, la rue est d'un gris sombre, mais partout ailleurs la couleur est reine : des papiers multicolores oscillent au-dessus des linteaux ; un drapeau chinois claque au vent ; une porte ouverte laisse entrevoir une bougie qui se consume devant un autel obscur. Dans cette étroite impasse, où ne pénètre pas le soleil, une jeune fille, vêtue de couleurs vives, hèle une amie. Un enfant rit, tout en fouettant une toupie rouge, minuscule point de couleur sur un dallage fraîchement lavé. Au-delà de l'impasse, le soleil étincelle sur les rizières récemment labourées.

La circulation est intense et périlleuse : partout, des taxis, des voitures, des autobus bleu et argent, des fumées d'échappement, des camions, des bicyclettes, des chariots remplis de poisson, qui déversent sur le sol poussiéreux de la glace écrasée, des timbres et des avertisseurs, le grincement d'essieux des charrettes, des pousse-pousse et des deux-roues. On pourrait prendre certains quartiers de Taïpei pour une quelconque ville chinoise du Sud-Est asiatique. L'avenue Chung-Cheng serait à sa place à Hong-Kong, à Kouloun, à Kuala Lumpur ou à Singapour.

L'aspect chinois de la scène m'est familier, mais non pas son idiome; par moments, j'ai l'impression de regarder un film sur des lieux bien connus, mais qui serait doublé dans une langue étrangère.

Ce matin, nous étions en route pour Lung Shan. La barrière du passage à niveau était abaissée, et nous avons dû attendre. Il faisait froid. Le conducteur du pousse-pousse avait rabattu les oreillettes de son bonnet. Un bœuf poussa la barrière, qui oscillait, passa dessous et franchit tranquillement la voie devant le train. Un diesel nous doubla, quittant la ville à toute vitesse, avec un ronflement aigu. Dans son sillage, il laissa de petites volutes tourbillonnantes de poussière.

De Taïpei au Yangmingshan (le mont aux Herbes), il n'y a qu'une demi-heure d'autobus. L'été, nous y allions souvent, fuyant la chaleur gluante de la ville. De la route, la vue était superbe. Des montagnes escarpées, au profil déchiqueté, brillaient sous le soleil d'un éclat jaune et brun. Les collines étaient arrondies et ventrues. Au loin, en contrebas, dans une brume de chaleur, on apercevait un damier de champs verts : du riz brut. Le soleil faisait étinceler le fleuve. Au milieu des collines, on voyait un parc, vaste et bien entretenu : les arbres et les arbustes étaient en fleurs, les allées balayées, les pelouses tondues. L'éclair d'argent inattendu d'une cascade provoquait une brusque surprise; des embruns de cristal éclaboussaient les vertes fougères.

L'eau d'un étang miroitait, plein de poissons rouges et dorés, d'énormes carpes bleues, plus longues que mon bras, grasses, bien nourries, paresseuses. Elles parcouraient l'eau tiède lentement, en groupes, véritables sous-marins miniatures. Peksee les nourrissait de morceaux de biscuits.

L'été, la population se rend fréquemment de Taïpei au Yangmingshan. On se bousculait dans la chaleur visqueuse; les vêtements perdaient leur apprêt : ils pendaient, flasques et humides. Les gens étaient accablés par le soleil brûlant; ils envahissaient les allées et se répandaient sur les pelouses, assis à l'ombre des palmiers ou bien étendus sur l'herbe rare. Il n'y avait pas assez de brise pour remuer les papiers de rebut dont le sol était jonché.

Après une journée passée dans la montagne, les soirées étaient plus fraîches. Mais, à mesure que l'autobus, cahotant et brinquebalant, descendait la colline vers Taïpei, la chaleur montait vers nous en tourbillons, comme une vapeur. Tous les deux cents mètres environ, elle augmentait. Les ténèbres, lourdes et bleuâtres, se rabattaient sur la plaine. L'autobus était une véritable fournaise ambulante. Quand on se retournait vers les collines, le mont aux Herbes, vu du pont à l'extrémité de l'avenue Chung-shan, paraissait tout changé par la chaleur; il devenait sombre et informe; son sommet luisait comme du charbon. En été, les étoiles elles-mêmes semblaient chaudes; d'un jaune ocre ou doré, couleur de paille ou de chrome, elles piquetaient le ciel nocturne.

L'hiver, il fait froid sur le Yangmingshan. Dans le ciel pâle, teinté légèrement de bleu, les nuages gris, argentés et vert-de-gris, ressemblent à des écheveaux de laine grise, accrochés aux sommets des montagnes. Dans le lointain, les plaines, couvertes d'une brume gris perle, sont traversées par le fil brillant et sinueux d'une rivière. Dans le parc, il fait froid. Le vent est âpre. Sur l'étang flottent des plaques de glace, semblables à des vitres brisées. Les poissons, serrés les uns contre les autres, restent immobiles,

Un jeune paysan porte un manteau de pluie grossièrement tissé, pour se protéger des averses, fréquentes sur l'île. La hauteur moyenne des chutes de pluie varie entre 1,25 m et 6,25 m par an, selon les régions. Les typhons du Pacifique y sévissent au printemps et au début de l'automne. A l'arrière-plan, le pylône électrique témoigne du développement régulier de la production industrielle : produits chimiques, textiles, alimentaires.

la bouche béante. Le fracas de la cascade fait croire à une dégringolade de pierres. Des gouttes de cristal tombent sur des rochers lisses. Les camélias n'ont plus ni parfum ni fécondité; ils frissonnent, comme des fleurs de cire gelée. L'hiver, il n'y a personne dans le parc, sinon le jardinier; il est seul sur le flanc de la colline. Il ratisse les allées, s'interrompant de temps à autre pour souffler dans ses doigts.

Dans quelques semaines, l'aspect du Yangmingshan se sera encore modifié. Il fera plus chaud; tout sera en fleurs : cerisiers, pruniers, pêchers. D'autres vents agiteront les branches et de pâles pétales, véritable chute de neige, tourbillonneront sur les pelouses. Le parc, une fois de plus, aura changé, et les gens y retourneront, pour voir.

JOHN SLIMMING.

Un marchand vend des bols de riz bouillant dans le Nouveau Parc, à Taïpei. La population de Taïpei dépasse largement le million. La ville est située à l'extrémité nord de l'île. A Formose, l'instruction est gratuite pour les enfants de six à douze ans; les illettrés sont en voie de disparition.

Aspect bigarré des champs de riz brut. Ce climat pluvieux et subtropical permet d'obtenir jusqu'à trois récoltes de riz par an dans certaines régions.

L'appel du Sahara

Le Sahara, qui s'étend en Afrique comme un océan de sable, est dix fois plus grand que la France. Sur cette terre soustraite à la vie, l'homme est placé devant le silence et l'espace. Mais à la mystique de la contemplation succède aujourd'hui une mystique de l'action. Le Sahara est entré dans l'âge du pétrole.

Sahara : « le grand désert », tel est son nom pour le nomade et pour le poète, « le plus beau désert du monde », à la majesté duquel nulle âme forte ne peut échapper, offre à l'esprit la fascination de l'infini.

Tache couleur du calcaire des ossements blanchis de Flatters ou de Foucauld, étalée au milieu de l'Afrique de nos atlas enfantins, son mystère nous fit rêver comme celui des vertes étendues océanes ou des bleus de nuit des mappemondes célestes. Grâce à l'avion, chaque jour davantage il nous livre les secrets de sa magie. Ses dunes, modelées et remodelées sans cesse au gré des vents, sont comme un linceul mouvant des civilisations mortes, promises à la découverte des archéologues confondus. Mer d'or blanc ou roux venant mourir en vagues géantes sur les rivages pierreux du reg, elle devient pour le pilote comme un nuage minéral roulé par les tempêtes, laissant apparaître la terre ferme ici et là.

Fascination de l'infini marin, fascination du ciel, de l'infini stellaire, fascination du désert sont de même ordre, procèdent de la même attitude de l'homme devant le cosmos. Saisi de vertige devant une immensité qui le dépasse, une pureté que la vie ne souille pas, il y recherche, en l'affrontant, un dépassement de lui-même, une transcendance, une purification dans le dépouillement de cette solitude qui s'offre à lui. Il en est bien ainsi pour l'homme occidental en quête d'un absolu. Dans cette confrontation avec le silence et l'espace, il se retrouve. Placé en dehors de notre temps de la montre-bracelet et de notre espace de la borne kilométrique, il accède au sentiment de l'éternité et de l'infini. L'âme brûle, dans cet univers en fusion, d'une étrange foi dont Psichari et Foucauld eurent la révélation. Il y a peu de différence entre la méditation silencieuse de la cellule monastique et l'appel à l'expérience mystique du désert. Cependant, celle-ci n'est peut-être, au départ, que la prise de cette « conscience cosmique » dont parlait Plotin dans sa lettre à Flaccus, à l'époque où « le grand désert » voyait les légionnaires romains planter des palmeraies près de Tamanrasset, à deux mille kilomètres au sud d'Alger.

L'éternel flux et reflux des conquérants — là comme ailleurs et toujours — abandonna au silence les grands espaces. Et, sur cette terre presque désertée, il ne reste plus que la race souveraine issue du fond des âges, descendant peut-être de ce peuple légendaire des Garamantes, dont une version romanesque fit les Atlantes.

Ici finit le monde et s'engloutissent les civilisations. On ne rencontre pas âme qui vive, hors les Touaregs, hautains seigneurs murés dans leur solitude.

207

A perte de vue, c'est une blancheur toujours recommencée, tirant parfois sur l'ocre ou sur le roux (ici, le Tanezrouft, sur le chemin de Colomb-Béchar).

Perpétuellement en marche à travers les étendues sans fin, les Touaregs, balancés au pas lent des chamelles à l'amble, semblent y poursuivre un rêve éternel ou la recherche de quelque paradis perdu. La chamelle impavide, aux grands yeux noyés, accompagne plus simplement sans doute le Targui vers les rares pâturages qu'Allah le Miséricordieux leur réserve. Tous deux y referont leurs forces, car leurs destins sont liés. La chamelle n'est pas seulement moyen de transport. Elle est aussi rempart protecteur contre la tempête, source de nourriture, de chauffage, d'habitation, et pharmacie relative. Du lait aux fientes séchées et au feutre des tentes, toute la vie du Targui s'ordonne autour d'elle. Mais il convient à celui-ci, en échange, de lui trouver les points d'eau et les maigres pâtures. Cet accord total de l'homme et de la bête se retrouve dans le rythme de leur marche.

Seigneurs obstinés, guerriers orgueilleux devenus pasteurs, ils passent près de vous sans qu'un lien s'établisse, sans que soit atteinte la pureté de la solitude ni que la parole devienne blasphème à la majesté du silence. La mer n'est silence que parce qu'on ne l'écoute plus. La campagne n'est qu'un silence peuplé de chants d'oiseaux, de bruissement d'arbres, de chuintement d'eaux ou de bourdonnement d'insectes. Mais, du désert, on perçoit le silence, un silence dense, écrasant, dont on ne peut s'abstraire et qui a plus de résonance en nous que le tumulte de la vie. Le cri de l'homme s'y perd, dérisoire. On ne peut s'empêcher de penser à cette parabole : « Le bruit est le tonnerre des hommes, le silence est le tonnerre de l'Éternel. »

Seulement quand « le soir donne au désert un sourire de femme », que le Targui allume son feu dans la fraîcheur de la nuit naissante, après avoir bravé la soif, le soleil et les sables, remonte la nostalgie d'un passé millénaire à travers ses chants ancestraux de victoire et d'amour, nobles et tristes, car il sait le prix de la joie. Il célèbre le temps passé des méharées et des rezzous :

Pour me consoler de mon malheur de ne pas avoir tué...
Le combat m'a appelé par mon nom.

Ou encore sa solitude orgueilleuse s'exprime dans l'admirable chant de *Moussa Ag Amastan*, l'Amenôkal du Hoggar :

J'étais seul dans la vie, je veux être seul dans la mort.
Vous m'ensevelirez dans le sein du désert,
Le désert est meilleur que la tombe étroite pour le sommeil de celui qui ne recevra jamais d'offrande ni de prière...
A qui meurt d'amour immense, il faut l'immense oubli.

Mais le désert n'est pas seulement cet océan de sable des grandes dunes orientales. C'est aussi les plateaux désolés et ravinés du Tademaït, sur les falaises desquels il vient mourir. La grève de ce haut rivage, où nul n'aborde, comme celle de nos plages quand la mer se retire, laisse voir du ciel, le lit des eaux, algues géantes pétrifiées, ravinements arborescents des oueds asséchés. Des orages soudains et démentiels leur redonnent une vie brutale et fugitive : au printemps éclosent des fleurs éphémères et mystérieuses comme celles des profondeurs de la mer.

Plus que partout ailleurs, les tempêtes prennent ici une allure de fin du monde. L'atmosphère, elle-même, chargée de sable, devient minérale, la lumière tombe et le verset de l'Apocalypse vous revient en mémoire :

Le soleil devint noir comme un sac de crin...
Le ciel se retira comme un livre qu'on roule...

L'émeri du vent de sable râpe la peau, ronge la peinture des véhicules sur les pistes.

Dans un sifflement vertigineux, les ouragans qui semblent ne devoir jamais finir lancent jour après jour les dunes à l'assaut des terres fermes, écrêtent les hautes vagues, les jettent sur les caps, décharnent les promontoires, corrodent les roches noires qui s'opposent à leur conquête. Quand le soleil réapparaît, un paysage nouveau est né : une mer blonde figée, qui ne se retire pas dans le doux froissement liquide

En marche à travers des étendues sans fin, les nomades plantent, d'étape en étape, leurs tentes bigarrées : ceux-ci sont près de Bou Saâda, dans le Sud algérien.

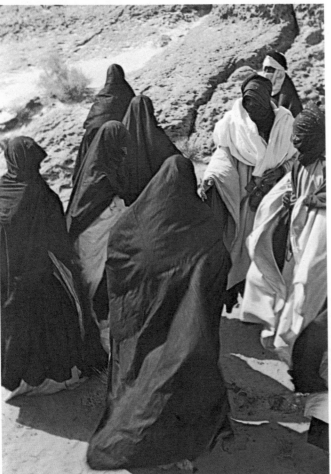

Berbères métissés de Noirs, les Touaregs sont environ 900 000; leurs caravanes parcourent le Sahara, de l'Algérie jusqu'au Soudan, mais elles ne s'adonnent plus guère au pillage comme jadis : elles font plutôt le commerce du sel, des dattes et de divers produits artisanaux.

Paysage de dunes. Sans cesse modelées par les vents, piquetées de loin en loin par une maigre végétation, elles recouvrent sans doute bien des trésors perdus.

L'oasis d'El Oued, dans le Souf, regroupe plus de 85 000 habitants. Comme on le voit, les palmeraies y sont curieusement disposées, dans une série de cuvettes ovales ou rondes.

des océans, a englouti de nouvelles terres. Vue du ciel comme une mer de nuages trouée par les sommets de hautes montagnes, elle repousse vers des abîmes de rêve une terre inexistante, ou bien mer de neige par la blancheur de fusion des sables, elle laisse percer les pics abrupts des premiers contreforts du Hoggar, du massif de l'Atakor, dont le nom sonne comme un cri de guerre.

L'homme qui vient alors du pays de la soif, où sur des territoires grands comme la moitié de la France il n'existe pas de puits, entre aussi dans celui de la peur. Quels Titans hantent ces forteresses noires du Hoggar ou du Tanezrouft, ces citadelles rouges, délitées, de l'Atlas ? Quels esprits font éclater les pierres en détonations mystérieuses, signes de leur volonté de destruction, de nivellement dans la poussière d'un univers mort ? Et cependant, sur ces hautes murailles désolées, l'homme a porté témoignage de son génie. Avec quelle tendresse, il a reproduit ses femmes aux seins menus, allongées, souples et gracieuses, ses dieux hiératiques, ses animaux familiers, ses fauves redoutés ! Il a fixé pour l'éternité sur la pierre ce qui fut son paradis de chasse, de danse, d'amour, dans une pureté de dessin qui nous enthousiasme et nous étonne, opposant sa volonté de survivre à la marche du temps, dans cet espace dantesque qui devait le détruire.

Malgré un combat inégal contre les éléments dévastateurs, l'homme aux mains nues n'a pas renoncé. Sur cette terre inhospitalière et démesurée, grande comme dix fois la France, quelques milliers d'hommes ont survécu, reconstruit, lutté contre l'envahissement des sables, l'érosion de la terre et de l'espace. De la blancheur insoutenable à l'œil jaillit tout à coup le vert reposant des palmeraies, îles lointaines sur lesquelles la vie s'accroche, battues par les marées qu'il faut endiguer et repousser. Combien de métropoles oubliées gisent sous le sable, comme Leptis Magna de Tripolitaine, mise au jour peu avant la guerre par les Italiens, où sous les pieds du promeneur affleurent encore les frontons des temples. Mais l'homme n'est jamais vaincu ; les civilisations passent, renaissent, et, avec elles, la marche vers la reconquête du sol reprend.

Des villages grandissent, des villes se bâtissent. Le Sahara, lentement déserté depuis deux millénaires et plus, se repeuple peu à peu et retrouve la vie qu'il avait perdue. Autant de siècles d'effort et de sacrifices seront peut-être nécessaires pour en refaire une terre humaine qui ne soit plus seulement celle des âmes trempées à la recherche d'un absolu. Dans cette lutte contre la nature hostile, les oasis du Sud comme In Salah offrent à l'orgueil de l'homme le témoignage de ce courage. In Salah, tel un grand port fait d'îles, de caps et de golfes, ruisselante de lumière, marque la permanence de l'homme, sa volonté de fécondation de la Terre. Il lui oppose son allié de toujours pour fixer le sol en mouvement : l'arbre. Et le pilote, quand le soleil est au zénith, voit jaillir de cette mer d'or pâle, ridée par le vent, d'étranges étoiles, de gigantesques anémones. Mais, s'il la survole au couchant, leur ombre, au lieu de s'enfoncer dans des profondeurs transparentes, bute sur la matière, s'allonge sur la réalité : les palmiers deviennent pieux hérissés, dressés dans le sable comme les épis des plages baltiques.

Telle est la réalité saharienne d'aujourd'hui : une volonté de rendre la vie à ces vastes étendues qui semblaient vouées à la mort et dont pourtant, après Fachoda, Salisbury avait pressenti l'avenir en prophétisant : « Le Sahara deviendra autre chose que du sable où le coq gaulois aura à gratter de quoi user ses ergots. »

Aux bordjs de terre battue avec leurs murs de boue protecteurs du soleil succèdent déjà les bâtiments avec réfrigérateurs et air conditionné des chercheurs de pétrole. Les patios à la fois cour, jardin et poulailler, les enceintes ombreuses et secrètes, les cubes qui ne s'ouvrent que sur le ciel ne s'offriront bientôt plus à la curiosité de celui qui les survole. Cette géométrie invariée depuis toujours cédera la place à celle des buildings préfabriqués.

L'oasis d'El Golea, en bordure du Grand Erg occidental, contient plus de 100 000 palmiers et de nombreux arbres fruitiers. Au fond s'élève le ksar, village fortifié qu'enferme une enceinte quadrangulaire flanquée de tours.

Le ruban d'asphalte noir se déroule déjà pour atteindre El Goléa. Il se substitue aux pistes éternelles qui, de l'orient à l'occident, du nord au sud, drainaient les caravanes du sel ou des épices. Le tendre bruit feutré des soles des chameaux sur le sable est couvert par le halètement des camions géants, s'essoufflant à lutter contre la puissance du silence.

Les flammes des gaz de pétrole brûlent nuit et jour comme des phares au cœur de l'océan blond. Les diamants étincellent au creux de la paume des prospecteurs, annonçant de nouvelles ruées de pionniers. Les pipe-lines, jetés à travers les sables, renouvellent, deux mille ans après, l'entreprise plus modeste des Romains à Leptis Magna, qui utilisaient déjà, sous Septime Sévère, un pipe-line pour conduire à port l'huile des oliveraies de l'intérieur.

Les troupeaux des fresques découvertes par Henri Lhote peupleront de nouveau bientôt les paysages.

Le Sahara recommence à palpiter de la vie des civilisations modernes, entreprenantes, à l'affût de ses richesses. Ainsi, le cycle de l'histoire se referme.

Y aura-t-il des hommes pour le regretter? La terre, en effet, comme une étoffe usée, se rétrécit pour ceux qui aspirent à l'aventure dans la solitude. Aussi l'explorateur sous-marin, le spéléologue, l'astronaute cherchent-ils des domaines vierges pour y trouver leur mesure et y poursuivre leur rêve. Mais le vrai poète n'est-il pas cet homme qui grave son songe dans la réalité? Les jeunes hommes partis à l'assaut du désert pour lui arracher ses richesses, et qui sont en train de construire un nouveau monde, ne sont-ils pas des poètes à leur manière qui veulent inscrire leurs aspirations et leur foi dans l'œuvre immense qui les attend?

L'exaltation mystique de l'action qui construit le monde, face à l'exaltation mystique des contemplateurs, tel est le choix que le Sahara pose aujourd'hui. Il est déjà tranché.

RENÉ HARDY.

Les nomades ont toujours un itinéraire précis, jalonné d'oasis. Ils savent que leurs montures ne les trahiront pas : le dromadaire, dont la vitesse de croisière est de 6 kilomètres à l'heure et qui peut supporter 200 kilos de charge, permet aux caravanes de s'adapter admirablement aux voyages dans le désert.

Dans le massif du Hoggar se dresse un enchevêtrement hallucinant de pitons, de plateaux et d'escarpements. C'est l'un des paysages les plus violents, les plus abrupts et les plus décharnés qui existent au monde.

Une vue de la ville maraboutique de Kerzaz. Les marchands, qu'on pourrait comparer à des moines-soldats, vivent dans des couvents fortifiés, qu'on appelle les *ribat*.

Joyaux du Périgord

Peuplé depuis les temps préhistoriques, le Périgord est une terre de vieille civilisation.
Célèbre par la haute saveur de ses produits et par la beauté de ses paysages,
il est aussi constellé de châteaux, de gentilhommières et de manoirs,
qui en font, selon le mot d'André Maurois, une «armoire à joyaux».

On raconte que, lorsque le Père éternel entreprit de couvrir la France de châteaux,
il chargea saint Pierre de les mettre en place. Pour les résidences royales ou princières,
immenses, ordonnées, symétriques, le travail fut fait avec soin. Versailles, Fontaine-
bleau, Chambord, Chenonceaux, Blois, Langeais, Amboise, Chantilly, Saint-Cloud
reçurent les soins empressés du messager. Mais, quand le saint se vit à la fin de son
travail et n'eut plus, dans sa hotte, que de petits manoirs, il vida le sac d'un coup,
et tout tomba sur le Périgord.

Voilà pourquoi il y aurait, en Dordogne, tant de châteaux et de gentilhommières.
La légende est aimable ; on peut chercher une explication plus rationnelle. Le pays,
surtout au XVIe siècle, prospéra par les succès en cour de ses cadets. Ceux-ci restaient
attachés à leur Périgord natal. Chaque famille voulut y avoir son manoir. D'autre
part, les guerres si destructives du XXe siècle ont relativement peu touché le Périgord. Sans doute, des villages comme Rouffignac et des châteaux comme Badefol
d'Ans et Rastignac ont été brûlés, mais la plupart des maisons nobles demeurèrent
intactes. La moisson des siècles est encore sur pied.

Les châteaux du Périgord ont un style bien à eux. Je mets à part Hautefort, qui,
avec son corps de logis du XVIIe siècle qu'encadrent des tours moyenâgeuses, coiffées de dômes insolites, a la majesté d'un château royal. Des autres, on devine le plus
souvent qu'ils ont grandi avec la fortune d'une famille. D'où une sorte de gracieuse négligence dans la distribution des tours rondes ou carrées, des échauguettes,
des mâchicoulis, des terrasses à balustres, qui rappelle le désordre apparent et délicieux des grandes maisons de campagne anglaises.

Les architectes de la région avaient un talent naturel pour bien répartir leurs
volumes. L'alternance de grosses tours rondes et de tours carrées est réglée avec
une adresse consommée, et avec la plus ingénieuse variété. Comparez, par exemple,
la hardiesse du château de La Roque à la symétrie des Bories. Les sites sont heureusement choisis. Ce sont tantôt de hautes tablettes, qui commandent une rivière
(Montfort), tantôt des creux de forêts (Paluel), tantôt le bord de la Vézère (Losse).

Rien ne serait plus vain, ni plus interminable, que l'inventaire de cette armoire
à joyaux. Il faut seulement indiquer des parentés. Les châteaux les plus anciens
remontent au Moyen Age. Les quatre baronnies du Périgord (Biron, Beynac, Mareuil,

Le château de Hautefort, l'un des plus importants de la Dordogne, domine un
admirable paysage; construit au XVIIe et au XVIIIe siècle, il est entouré de douves
enjambées par un pont-levis *(ci-contre)*, qui mène à un parc immense et somptueux.

Le château de Lauzun, dont la façade sur cour est du XVIᵉ siècle. Il garde le souvenir du célè-bre maréchal qui épousa la Grande Mademoiselle, cousine de Louis XIV.

Ci-dessus : le château de Puyguilhem, aux environs de Villars. Bâti au début du XVIe siècle, cet élégant édifice s'apparente à certains châteaux du Val de Loire. La demeure est constituée de deux logis en équerre, dont l'un est encadré par deux tours. *En bas:* une fenêtre à meneaux, où apparaît la virtuosité du maître d'œuvre.

Bourdeilles) avaient chacune leur forteresse. Biron, à l'extrême sud et proche de l'Agenois, garde sa massive grandeur. Les guerres d'Italie ayant accru la faveur des Gontaut, leur seigneurie fut érigée en duché-pairie ; l'influence toscane s'y manifesta dans les constructions du XVIe siècle. Une superbe loggia Renaissance, à trois baies, s'ouvre largement sur des paysages aux lointains bleuâtres. La chapelle supérieure est construite au-dessus de l'église paroissiale (ce qui évoque les deux sanctuaires superposés d'Assise). Elle renferme encore le tombeau de Pons de Gontaut et d'autres monuments secondaires, mais, à la suite d'une émigration posthume, le chef-d'œuvre funéraire de la nécropole familiale est au Metropolitan Museum de New York. Mais qu'importe! Oubliettes, donjon crénelé, four banal, escaliers aux rampes de fer forgé, Biron demeure le château féodal parfait.

Beynac, en plein ciel sur son rocher ocre, à pic sur la Dordogne, est une image de la force seigneuriale. De cet observatoire, on voit, au pied de la falaise, le village ;

C'est entre ces murs qu'est né, en 1651, Fénelon ; ce château des XIVe et XVIe siècles, protégé par d'épais murs d'enceinte et par des tours massives, domine la vallée de la Dordogne *(ci-dessus)*.

Ci-dessus, à droite : le château Renaissance de Losse, à Thonac, a été construit sur une falaise qui surplombe la Vézère.

en face, de l'autre côté du fleuve, les châteaux rivaux : Castelnaud, Fayrac, les Milandes, et la ville fortifiée de Domme, nid d'aigles.

La Dordogne coule entre des merveilles. Si l'on remonte son cours, à peine a-t-on passé Beynac et Cazenac, Castelnaud et Fayrac, que l'on atteint La Roque-Gageac, où la gentilhommière de Tarde, taillée en plein roc, couverte en pierres, élève ses tours comme à l'entrée d'un mystérieux souterrain. Dans le même bourg, le château de la Malartrie, qu'habita longtemps le plus talon rouge des ambassadeurs de France (le comte de Saint-Aulaire), oppose une tour carrée, coiffée de rouge, à une tour ronde coiffée de bleu. Les moellons dorés du pays, les vieilles tuiles des maisons voisines, la douce rivière où se réfléchit le tableau font de ce décor un véritable enchantement.

Mareuil-sur-Belle est imposant, bien qu'en partie ruiné. Ce que nous en voyons aujourd'hui n'est pas la demeure où, au XIIe siècle, vécut le grand troubadour Arnaut de Mareuil. Le château a été reconstruit, au XIVe et au XVe siècle, mais beau-

coup de ses détails sont exquis. Des portes gothiques finement sculptées et des fenêtres à meneaux Renaissance donnent sur une cour de ferme où grouillent les oies et les porcs. La chapelle, minuscule, est ravissante.

Chacun de ces châteaux a sa légende. A Mareuil, c'est celle de cet Arnaut qui, comme Dante, chanta toute sa vie pour une femme qu'il avait à peine entrevue : la comtesse Adalani, en des poèmes qui ont l'élégante simplicité des paysages de la Dordogne. A Jumilhac-le-Grand (d'où Duguesclin chassa les Anglais), on montre la chambre de la Fileuse. Là fut enfermée toute sa vie, par son seigneur et maître, une dame de Jumilhac dont les beaux yeux avaient été infidèles. Elle y fila, elle y peignit son portrait sur la porte, elle y languit quarante années, elle y mourut sans avoir pu fléchir son mari-geôlier.

A Montal, dans la haute vallée de la Dordogne, Jeanne de Balzac, dame de Montal, jeune veuve, a construit le plus harmonieux des châteaux Renaissance. Mais Jeanne de Balzac avait fait ce grand effort pour son fils, Robert de Balzac d'Entragues, qui

Le château de la Grande Filolie est l'un des plus surprenants du Périgord noir : il juxtapose dissymétriquement un repaire du XVe siècle et une demeure Renaissance. Rien de plus harmonieux que ses tonalités roses et grises et que les lignes gracieuses de ses murs.

Du château du Commarque, situé dans la forêt qui domine la vallée de la Beune, il reste ce donjon (XIIe et XIVe siècles), qui se dresse au-dessus des ruines du corps de logis.

Du plus pur style Renaissance, le château de Montal a été édifié entre 1523 et 1534. On voit ici les deux corps de logis en équerre; en contraste avec cette sévérité, la cour intérieure est pleine de charme.

Le château de Jumilhac surplombe les gorges de l'Isle : cette puissante demeure date pour l'essentiel du XIVe siècle.

guerroyait en Italie et en Espagne. En 1534, le château fut achevé. Un peu plus tard, Robert fut tué, et, sur les fenêtres par lesquelles elle avait si souvent guetté le retour du soldat, sa mère fit graver : PLUS D'ESPOIR. On voit encore l'inscription. Nos chagrins nous survivent.

Autre chef-d'œuvre : Puyguilhem. Les Anglais l'occupèrent longtemps. Puis, le roi de France ayant rétabli son autorité sur ces terres, Caumont, seigneur de Lauzun, fut autorisé à relever Puyguilhem. Le château joua un rôle important pendant les guerres de Religion, ce qui lui valut d'être érigé en marquisat par Louis XIII. En 1633, naquit Antonin Nompar de Caumont, qui vint d'abord à la Cour sous le nom de marquis de Puyguilhem et devint le célèbre duc de Lauzun, qui se fit aimer de la Grande Mademoiselle, agita Mme de Sévigné et Saint-Simon, puis finit par vendre Puyguilhem pour payer ses dettes.

Aujourd'hui, les Beaux-Arts restaurent le château, qui appartient maintenant à l'État.

Il faudrait parler de cent, de cinq cents autres châteaux. L'excès même des beautés est l'excuse du silence. Qui habite ces manoirs au XXe siècle? Parfois, ce sont encore des descendants des familles qui les construisirent (Jumilhac, Bonneval). Ailleurs, des Parisiens ou des touristes étrangers ont acheté un château pour son

Bâti au sommet d'un puy, à la limite du Périgord et du Quercy, le château de Biron domine de ses tours et de ses murailles un immense paysage : il a été construit par plusieurs générations de Gontaut-Biron et constamment remanié du XIIIe au XVIIe siècle.

agrément. Parfois aussi, un agriculteur acquiert le domaine pour le cultiver, et le château n'est pour lui que le siège de son entreprise. L'idéal est l'alliance des deux vocations : la mise en valeur du domaine et le culte de la maison.

Certains monuments religieux du Périgord sont parmi les plus beaux de la France et du monde. Où existe-t-il une église romane fortifiée qui ait la nudité grandiose de Saint-Amand de Coly, construite à la fin du XIIe siècle ? Un petit garçon, que son enthousiasme et son émotion rendaient touchant, nous la fit visiter, et bientôt notre admiration passa la sienne. On demeure confondu par le génie hardi de ces moines architectes.

Mais c'est en chaque village du Périgord que l'église mérite d'être vue. La plus simple a son charme, la plus pauvre, sa noblesse. Saint Pierre, de sa hotte, laissa choir sur la Dordogne autant de voûtes romanes que de tourelles.

ANDRÉ MAUROIS,
de l'Académie française.

Démantelé au XVe siècle, le château de Bannes a été reconstruit au XVIe siècle, dans un style à demi militaire, par Armand de Gontaut-Biron, évêque de Sarlat.

Au fil du Mississippi

Le Mississippi et ses affluents arrosent la moitié d'un continent,
des montagnes Rocheuses au golfe du Mexique. Tout comme à l'époque
de Mark Twain, le capitaine doit être doué d'un instinct infaillible
pour conduire les files de péniches le long de cette immense voie.

Les passions soulevées par les problèmes raciaux et religieux ont façonné le Sud
des États-Unis. Mais à peine moins grande a été l'influence du Mississippi, fleuve
mystérieux et excentrique. Son cours est lent, ses eaux troubles et jaunes. («Une
boue liquide et courante», telle est la description qu'en donne Dickens.) Il est en
même temps formidable, impérieux, puissant et chargé de souvenirs séculaires.
Tantôt calme et paisible, tantôt menaçant, toujours houleux et capricieux, il se perd
dans des courants ignorés, des dérivations inconnues ou des méandres inattendus.
Tout en lui est fantasque, étranger et pourtant familier, redoutable et cependant
attachant. On dirait un vieux guerrier, coriace et rebelle, qui se vautre sans retenue
sur le sol, un verre de cognac à la main.

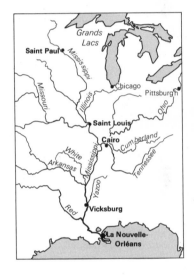

Il a pour affluents une vingtaine de rivières importantes : l'Illinois, le Tennessee,
le Yazoo, l'Arkansas, la North Platte, le Cumberland, l'Allegheny et la White
river. Leurs eaux réunies charrient d'innombrables tonnes de boue. Elles sont
entraînées le long de la vallée et se jettent dans le golfe du Mexique près d'un village
de Louisiane, humide, désolé, marécageux, envahi de moustiques, qui porte le nom
de Venise. Dans sa portion inférieure, le fleuve creuse son propre lit. Son cours
change constamment : toutes les fois qu'il découvre des voies plus courtes, plus
faciles à suivre. Il construit ses barrages, ses berges, ses îles. Tantôt de terribles
inondations couvrent ses rivages, tantôt il modifie son parcours et laisse complètement à sec quelque respectable ville côtière, comme une douairière appauvrie.

En conséquence, le long du Mississippi inférieur, là où les caprices du fleuve le
rendent le plus dangereux, les localités sont prudemment blotties derrière de hautes
digues. Depuis que le Mississippi a creusé sa première vallée, les gens construisent
ces murailles protectrices. Si vous roulez le long du fleuve, vous verrez par endroits
des banquettes de terre pourries, tombant en morceaux, couvertes d'herbe : on dirait
des vestiges des temps préhistoriques. Elles furent bâties par les pionniers français
au début du dix-huitième siècle. Mais partout il existe aussi des digues modernes,
solides et bien construites, sur le sommet desquelles court un chemin de terre.

Vous pourrez goûter la saveur sèche mais prenante de la vallée du Mississippi
en roulant sur ces chemins dans la chaleur d'un matin d'été. Plus bas, sur un des
côtés de la levée, vous verrez probablement une masse désordonnée de feuillage et,

Un bateau du Mississippi. Le premier vapeur parcourut le fleuve de Pittsburgh à La Nouvelle-Orléans en 1811. Ce moyen de transport connut
son apogée vers 1857, année où Mark Twain devint pilote sur le fleuve.

Les Indiens Ojibwas l'appelaient le *missi sipi* ou « grande rivière ». Il prend sa source dans la région des lacs, au nord du Minnesota : c'est alors un cours d'eau étroit, aux eaux claires. Alimenté par plus de deux cent cinquante affluents, il finit par mesurer plus de quinze cents mètres d'une rive à l'autre et, par endroits, son lit atteint une profondeur de plus de trente mètres.

au-delà, à travers les arbres, vous pourrez peut-être apercevoir le vaste fleuve. De l'autre côté, l'immense pays du coton s'étend jusqu'à la ligne d'horizon où les couleurs s'estompent. Les plants de coton sont mathématiquement alignés sur d'interminables rangées. De temps en temps, on voit des Noirs, hommes et femmes, qui travaillent dans les champs, coiffés de grands chapeaux et habillés de couleurs vives. Çà et là, s'élèvent les petites cabanes où ils habitent et, parfois, dans le lointain, la maison d'un propriétaire de plantation, un logis ancien et confortable, entouré de bouquets d'arbres. Sur cet échiquier qu'est le paysage, des nuages de poussière s'élèvent de temps en temps : une auto passe sur une route de terre. Continuez à suivre le chemin de la levée et vous longerez une ville riveraine avec ses maisons démontables, sa grand-rue poussiéreuse, une ou deux églises...

Vous y verrez un grand magasin appartenant peut-être à une compagnie cotonnière où les Noirs se pressent, tout sourires et vêtements bariolés, mais aussi un vieil établissement d'équipement pour bateaux qui fournit aux paquebots du Mississippi tout ce dont ils ont besoin. Largement ouvert sur la rue, il est encombré de casseroles, de poêles, de marteaux. Assis sur les larges marches, un vieillard — un Blanc — fume la pipe; deux enfants noirs jouent à cache-cache entre les comptoirs. Du Missouri méridional, au nord, à la Louisiane, au sud, le décor change peu. Mais le facteur d'unité, qui enrichit le pays après lui avoir donné naissance, et force les petites villes à se recroqueviller prudemment derrière leurs digues, c'est le fleuve qui en même temps engendre la vie et la détruit.

Presque partout sur son cours inférieur, le Mississippi est bordé d'une étroite bande inculte. On y trouve de gros arbres, dont les racines baignent dans les eaux, de hautes herbes, des insectes, et l'on y entend les cris d'invraisemblables oiseaux. C'est le royaume des moustiques, des ronces; de temps en temps, on aperçoit un daim, ou bien une tortue d'eau qui se chauffe au soleil. Mais frayez-vous un chemin à travers cette petite jungle et atteignez la rive même du fleuve : vous ne serez plus longtemps seul. Avant une heure, vous entendrez certainement, dans le lointain, le bruit sourd des moteurs, et vous verrez une longue file de péniches remorquées, glissant vers l'aval. Désormais, le fleuve est une voie de communication prodigieuse; hiver comme été, la circulation y est incessante.

Bien peu d'Américains estiment à sa juste valeur l'importance du Mississippi; on leur a appris depuis toujours que la route et le rail ont fait disparaître la circulation fluviale. Pour eux, le Mississippi est une légende : dans leur imagination surgissent aussitôt les bateaux à aubes, les maisons de jeu, les commandants de steamer et le radeau d'Huckleberry Finn. Il est vrai qu'on ne transporte presque plus de passagers malgré de courageuses tentatives de réorganisation; et il y a probablement moins de bateaux qu'à l'époque héroïque. (En 1849, plus de mille paquebots naviguaient sur le Mississippi.) Mais le tonnage transporté de nos jours est infiniment plus fort qu'il ne l'a jamais été. Il y a bien encore quelques bateaux à roue, pleins de dignité : leurs cheminées vomissent de la fumée, leurs superstructures sont blanches, et leurs grandes pales font bouillonner l'eau boueuse. Mais, désormais, la plupart des embarcations sont munies d'une hélice et marchent au diesel ou à la vapeur. En outre, ils ne tirent plus, mais poussent les énormes péniches modernes un peu partout de Pittsburgh au Texas.

Tels sont les bateaux que vous verrez passer de votre observatoire parmi les ronces. Ils sont puissants, bien manœuvrés, et d'aspect généralement pimpant. Ils arborent fièrement sur leurs cheminées les armes des différentes compagnies, et sur les superstructures des écrans de radar et des antennes de radio. Tantôt ils poussent un assemblage de péniches variées, attachées les unes derrière les autres et surmontées de tas informes de charbon ou de soufre jaune. Tantôt, c'est une file de péniches « intégrées », construites de façon à s'emboîter les unes dans les autres et qui le plus

souvent contiennent du pétrole. De temps en temps, on voit même une péniche à trois ponts qui descend directement de Detroit, chargée de voitures.

Désirant en apprendre davantage sur ces bateaux qui passaient majestueusement avec un bruit régulier de moteurs, je me trouvai un beau soir d'été près d'un débarcadère, sur une des rives du Mississippi. La soirée était chaude, véritablement méridionale. Je devais embarquer sur le remorqueur *Or-Blanc*. Le lieu de rendez-vous qui avait été fixé était le débarcadère : un canot automobile envoyé par le remorqueur m'y cueillerait. L'appontement se trouvait sur un canal secondaire et, dans le lointain, j'apercevais de temps à autre la lumière d'un bateau sur le fleuve proprement dit. Derrière moi, sur une falaise, dormait la ville de Vicksburg, et, la plupart du temps, seuls se faisaient entendre le bruit des trains en manœuvre et le bourdonnement des moustiques. Une seule fois, un remorqueur passa tout près de moi, avec un grondement de moteurs. Sur le pont, on apercevait quelques vagues lumières et deux silhouettes en ombres chinoises, et l'on entendait des voix assourdies parlant à bâtons rompus. Mais bientôt, là-bas, au-delà des falaises, je vis briller l'éclair répété d'un projecteur et, en même temps, je perçus le battement des diesels. Peu après, dans un nuage d'écume, mon canot automobile émergea de l'obscurité. Deux matelots, pleins d'entrain, hissèrent mes bagages à bord et nous partîmes dans un rugissement de moteurs, directement vers le fleuve.

La nuit, une obscurité absolue règne sur le Mississippi. Les rives, véritable fouillis végétal, sont toutes noires et l'eau, même, est obscure. Par moments, on voyait le long du canot un tronc flottant ou des branchages emmêlés. Mais, les yeux fixés sur le projecteur, nous repérâmes promptement la longue file sombre des péniches. L'*Or-Blanc* allait de la Louisiane à Chicago. Il transportait du pétrole et remorquait cinq péniches « intégrées ». Nous l'accostâmes après avoir décrit un large cercle et, une fois les moteurs du canot coupés, un treuil nous hissa à bord. Un instant plus

Le vapeur *Delta Queen*, en croisière sur le Mississippi. Environ 45 kilomètres avant de recevoir l'Ohio, le Mississippi parcourt une plaine alluviale fertile; il y décrit de longs méandres et des courbes sinueuses.

227

Ces femmes cueillent des plants de laitue, à Carlisle en Louisiane. La région arrosée par le Mississippi est l'une des plus riches du monde en cultures potagères. Depuis des siècles, les inondations ont recouvert de limon fertile la vallée inférieure du fleuve. En Louisiane pousse du coton en grandes quantités, de la canne à sucre, du riz, du soja, des fruits et des légumes.

Remorqueurs sur le Mississippi. Au début du dix-neuvième siècle, tous les transports commerciaux se faisaient par le fleuve sur des navires à quille ou des bateaux plats. Puis ils furent supplantés par les vapeurs à roue et à aubes. Avec les chemins de fer, la navigation fluviale connut un déclin. Mais depuis 1920 elle reprend, sous l'aspect de puissants remorqueurs qui poussent des files de péniches mesurant trois cents mètres de long et plus.

tard, nous nous trouvions sur une péniche, glissant toujours sur l'eau. Notre oreille était remplie du clapotement des vagues; notre œil apercevait, loin derrière nous, les lumières du poste de pilotage, à l'avant du remorqueur. Ces embarquements clandestins ne sont pas rares : souvent, les hommes d'équipage doivent aller à terre d'urgence et ils rejoignent plus tard le train de péniches. De rares étrangers se débrouillent aussi, malgré la disparition des paquebots de passagers, pour faire un trajet sur le Mississippi.

La vie sur un remorqueur du Mississippi donne une impression d'isolement absolu. Je m'en étais douté, du reste. Pendant des heures, pendant des journées entières, les rives silencieuses défilent. On se sent tout à fait coupé de la vie que peuvent mener les gens qui habitent de l'autre côté des levées. Peu à peu, le fleuve vous enserre. Lorsqu'on dépasse une ville, on la regarde comme une scène d'un film, un jouet ou un objet de musée. On est en état d'hypnose. Vue à travers les fenêtres du poste de pilotage, l'étendue d'eau jaune et vaseuse semble indéfinie. Le ciel est sans nuages et le soleil tellement brûlant que les ponts miroitent et que les dos des matelots sont luisants de sueur. Parfois, par une brèche dans la levée, on aperçoit une vieille ville commerçante avec sa grand-rue longue et chaude, quelques Noirs flânant sur les trottoirs et une mule, attelée à une carriole, qui tente de ruer dans la poussière. De temps à autre, au bord de l'eau, on voit un vieux bateau vermoulu, transformé en maison flottante et qui grouille d'enfants. Assis sur un des balcons, un vieux philosophe hâlé passe ses journées à ne rien faire. Le plus souvent, il n'y a que le soleil implacable, le fleuve, les rives sombres, boisées et désolées.

Toutefois, dans le poste de pilotage, on a une impression de tension; naviguer sur le Mississippi est une tâche des plus astreignantes. Le patron et pilote de l'*Or-Blanc*, c'était le commandant Robert Shelton, un homme jeune, qui représentait parfaitement la nouvelle race des pilotes du fleuve. De nos jours, les remorqueurs ne possèdent pas de roue de gouvernail; une légère poussée sur une barre de métal poli suffit à diriger la file des péniches. Le plus souvent, Shelton était donc assis là, une main sur un levier, les pieds sur un rebord et dissertant avec aisance sur les sujets les plus divers, depuis Tennessee Williams jusqu'à la politique française. Il sirotait une tasse de café qu'un matelot remplissait fréquemment, mais son regard pénétrant parcourait sans cesse le fleuve et les berges.

Encore maintenant, un pilote du Mississippi doit en savoir plus long qu'aucun être humain ne le devrait, comme le disait Mark Twain. Il faut que chaque mètre du fleuve et de ses bords lui soit familier et que, d'un seul coup d'œil, il puisse le reconnaître. Or, tout change constamment sur le Mississippi, aucun endroit n'a le même aspect deux jours d'affilée. Le pilote doit donc, d'instinct, saisir tous les changements et avoir immédiatement le réflexe qui convient. Il doit connaître le nom de tous les feux qui existent sur les berges, depuis La Nouvelle-Orléans jusqu'à Pittsburgh. Il doit savoir où trouver les eaux calmes dans un courant dangereux, où se placer pour naviguer au milieu du flot ou serrer de près le rivage, festonné de troncs d'arbres. Il doit prévoir les mille pièges tendus par le fleuve. Entièrement responsable, jour et nuit, du remorqueur et de sa précieuse cargaison, il se trouve souvent séparé de son port d'attache par une moitié de continent et plusieurs semaines de voyage.

Un bon pilote est extrêmement bien payé, et il ne connaît pas de chômage. S'il lui arrive de quitter une compagnie, il aura immédiatement d'autres offres. L'époque est révolue des anciennes tenues clinquantes des pilotes de vapeur, et Shelton regrette parfois les chapeaux de soie, les épingles de cravate en diamant, les gilets brodés et les gants de chevreau que portait encore son grand-père. Mais le pilote du Mississippi a gardé son prestige.

Il n'est pas rare qu'un commandant de remorqueur donne un coup de main à un ami dans l'embarras. C'est ainsi qu'un matin de très bonne heure nous remontions

Une cabane dans la région des bayous près de Natchez. Dans son cours méridional, le fleuve serpente à travers des lacs et des marais envahis de moustiques. Il se perd dans un dédale de bras secondaires à peu près morts, les bayous. Ici, la vie des habitants n'a guère changé depuis plus d'un siècle.

le courant, quand il nous arriva de dépasser un gros bateau qui peinait, lourdement chargé, dans un méandre du fleuve. Le courant y était particulièrement fort, et le remorqueur n'avançait presque pas. Shelton l'identifia aussitôt. Il en connaissait le pilote, et s'approcha avec précaution pour l'aider. Les péniches de l'*Or-Blanc* mesuraient deux cent quarante mètres de long, celles de l'autre remorqueur, plus de trois cents. Et il fallait, sans s'arrêter, dans un endroit balayé par des remous et des tourbillons, réunir ces deux files, plus longues que des transatlantiques, afin que les deux remorqueurs puissent joindre leurs forces.

Lorsque, l'œil ensommeillé et le menton non rasé — car le jour était à peine levé — je grimpai jusqu'à la cabine de pilotage, il y régnait une certaine excitation. Le timonier, une sorte d'apprenti pilote, se tenait debout dans un coin, l'air concentré. Shelton était calme et plein de sang-froid, devant ses deux barres jumelles. Et là-bas, sur les péniches, deux matelots attendaient, avec des câbles de remorque à la main. Aux hublots de l'autre bateau, se montraient quelques visages à moitié endormis. L'un d'eux était même surmonté de bigoudis : beaucoup de ces remorqueurs ont en effet à bord des cuisinières, des blanchisseuses, des femmes de service. Avec une extrême lenteur, les deux remorqueurs s'approchèrent l'un de l'autre. Par leur fenêtre, les deux pilotes échangeaient des regards, les habitants des hublots se penchaient un peu plus vers l'extérieur et les matelots se tenaient prêts à lancer leurs amarres. Un choc à peine perceptible : les péniches se frôlèrent, les câbles furent jetés, et les deux files de péniches n'en firent plus qu'une. Shelton passa les commandes au timonier, et nous allâmes d'un pas tranquille jusqu'à l'autre remorqueur bavarder et prendre un café, dont le goût serait différent du nôtre.

Pendant le voyage, Shelton me passa quelquefois la barre. Manœuvrer pour la première fois un remorqueur sur le Mississippi, quelle sensation déconcertante! L'atmosphère du poste de pilotage est à la fois paisible et énervante. Le silence est celui d'une salle d'opération. Il n'est interrompu que par le cliquetis des leviers et quelques observations marmonnées par un quelconque matelot qui, son service terminé, en a profité pour venir s'asseoir sur la haute banquette de cuir, tout au fond de la cabine. Les instructions sont de garder l'avant du train des péniches dans l'axe de tel banc de sable ou de tel arbre. Bien. Mais bientôt une brume de chaleur s'élève du fleuve, les bancs de sable se confondent, la forme de l'arbre n'est plus la même, l'horizon se brouille et l'on ne distingue plus rien. Une petite poussée sur les leviers, et voilà l'énorme file qui fait une embardée brusque et effrayante. Pendant un instant, on se demande si le courant ne va pas prendre les péniches par le travers et les emporter, impuissantes, dans la mauvaise direction.

« Suivez bien la berge », dit le pilote avec indulgence. Et, s'il le faut, il vous le répétera dix, vingt fois, jusqu'à ce que les péniches frôlent presque les racines des arbres, et que le sombre feuillage balaie les superstructures du remorqueur.

Le pilote du Mississippi exerce sa profession avec enthousiasme. Généralement, les imprévus ne se présentent pas sans avertissement : peu à peu, on dérive avec le courant, et la péniche de tête en vient à heurter la pile d'un pont; ou bien la collision est causée par un déplacement continu, à peine perceptible. Mais le danger est bien réel. Parfois même, il surgit brusquement. En période d'inondation, par exemple, il arrive qu'on soit obligé de manœuvrer un train de péniches dans le sens du courant, à trente ou trente-cinq kilomètres à l'heure au milieu des pièges et des embûches que vous tend le fleuve.

Quant aux matelots, leur vie sur un remorqueur peut sembler paisible et attrayante. Au cours des longues journées sur le fleuve, ils n'ont pas grand-chose à faire et ils passent une grande partie du temps à nettoyer à fond le bateau, à peindre les superstructures, à polir les cuivres. A chaque instant, ils retournent tranquillement à la cuisine pour prendre une tasse de café constamment tenu au chaud; ou, penchés au soleil sur le bastingage arrière, ils échangent des anecdotes parfois grivoises tout en contemplant l'écume brassée par l'hélice, qu'ils appellent « la roue », si fortes sont les traditions du Mississippi. Ils n'ont pas à se préoccuper des courants ni des feux sur les berges. Quelques-uns ne savent même absolument pas où ils se trouvent; ils évaluent la progression du bateau d'après le nombre de jours écoulés depuis le départ. Il peut y avoir des accidents imprévisibles, bien sûr. Ainsi, il n'y a pas long-temps, seize hommes se noyèrent quand un remorqueur heurta un pont dans l'État de l'Ohio, et une des péniches de l'*Or-Blanc* a eu l'avant gondolé par une explosion de pétrole. Mais, en général, les matelots ont une vie facile et agréable.

Si le remorqueur est moderne, le poste d'équipage est équipé de couchettes confor-tables et de douches, et les repas sont copieux et bons. Sur l'*Or-Blanc*, commandant, second et ingénieur en chef étaient servis sur des hauts tabourets par un cuisinier philippin très pince-sans-rire. Quant au menu, il était excellent.

Les souvenirs de l'âge d'or du fleuve influencent la mentalité des marins modernes du Mississippi, qui sont beaucoup plus imbus de l'esprit de tradition que leurs collègues du Rhin, par exemple. Ils vivent dans un monde silencieux et solitaire, et tandis que passent les mois et les années, que défilent les berges encombrées de végétation, ils fondent peu à peu leur personnalité dans celle du Mississippi.

J'ai été en partie témoin de ce phénomène. Puis un soir, à la nuit tombante, je quittai mon remorqueur. Le canot automobile me déposa sur un débarcadère désaf-fecté, en Arkansas, non loin d'un pont et d'une grand-route peu fréquentée. Je quittai mes amis, chargeai mon bagage sur l'épaule et m'engageai sur la piste poussiéreuse qui conduisait au sommet de la levée. Arrivé en haut du remblai, je jetai un regard en arrière : on entendait encore le bruit sourd des moteurs du remorqueur et on aperce-vait la lumière du projecteur, tantôt vacillante, tantôt flamboyante, fouillant les rives comme une main sans cesse en mouvement. Il semblait que le train de péniches ne pouvait pas plus s'empêcher de continuer sa marche que les courants eux-mêmes de tourbillonner entre les piles du pont.

JAMES MORRIS.

Linden, une maison de plantation de Natchez qui fut bâtie à la fin du dix-huitième siècle. Dans la vallée inférieure du Mississippi, les planteurs de coton et de canne à sucre amassèrent d'énormes fortunes. Ils se construisirent des maisons au centre de collectivités qui se suffisaient à elles-mêmes. Natchez était un centre culturel important avant la guerre de Sécession. Un festival intitulé le *Pilgrimage* s'y tient chaque année en mars. A cette occasion, des hôtesses en costumes 1860 accueil-lent les visiteurs dans ces impo-santes demeures.

Noël au Mexique

Dans tous les pays du monde chrétien, on rivalise d'imagination et de ferveur pour célébrer Noël, mais c'est peut-être le Mexique qui fête l'Enfant Dieu avec la plus touchante poésie. A travers ces coutumes colorées et naïves, l'âme d'un peuple transparaît dans sa spontanéité première.

J'ai fêté la Noël dans une vingtaine de pays différents, depuis l'église copte du Caire et le bourg d'Ung Hradisck, en Moravie, jusqu'à Rurutu, une des îles Australes; mais je n'ai jamais rien vu qui soit comparable à la Pâque de Noël — *Pascua de Navidad* — telle qu'on la célèbre au Mexique. Elle y est d'une fraîcheur, d'une ferveur, d'une poésie qui laissent loin derrière elle tout ce que les autres peuples chrétiens du monde ont imaginé pour fêter la naissance de Jésus.

Elle ne se borne pas, comme chez nous et dans la plupart des pays, à la veillée du 24 décembre et aux cérémonies du lendemain; elle commence le 16 décembre et se termine le 6 janvier, jour de l'Épiphanie, c'est-à-dire à l'arrivée des Mages à Bethléem. Faire figurer ceux-ci dans la crèche le 24 décembre est une erreur chronologique, que ne commettent ni les Italiens ni les Mexicains. A cette date les Rois mages, dans leur Orient biblique, voient apparaître l'étoile et se mettent en route; il leur faudra onze jours et deux nuits pour arriver à Bethléem, ce qui n'est pas trop pour un si long voyage à dos de cheval, avec toute une suite de serviteurs, de musiciens, d'astrologues, de sultanes, sans compter les provisions de bouche, d'encens, d'or, de myrrhe, ni les caisses de dinars pour payer les droits de péage.

Or, donc, le 16 décembre, commence la neuvaine qu'on appelle ici *las Posadas* — les Auberges. On a pensé, en effet, que dans leur voyage de Nazareth à Bethléem, avec un seul âne portant une jeune femme enceinte de près de neuf mois, Joseph et Marie avaient besoin d'escales où se reposer, c'est-à-dire d'auberges, ou de posadas. Les Mexicains ont arrangé la chose avec une telle poésie qu'il est bien difficile d'en parler sans émotion. Neuf familles du *pueblo* s'entendent pour donner asile au couple évangélique jusqu'à son arrivée dans l'étable. A cette fin, la première se rend à l'église de la paroisse pour y chercher les adorables statues qu'on voit un peu partout, près de l'autel, et qui figurent Marie, toute blanche et voilée, assise sur un âne, et Joseph marchant devant elle, un lis en main.

C'est à San Domingo, de Puebla, que nous avons vu le plus joli de ces couples en voyage. Marie, souriante, en chapeau de paille, tient un petit sac à main où elle a dû mettre son mouchoir de dentelle, son rouge à lèvres et ses menus bijoux. Joseph, en grand manteau de satin, coiffé du chapeau à jugulaire des *peones poblados*, porte une petite valise de bazar, en simili-peau de caïman, où il a rangé les pièces d'identité,

Alors que l'artisanat populaire s'en donne à cœur joie pour célébrer Noël dans les petites villes mexicaines, c'est une féerie électrique qui illustre la Nativité à Mexico; voici les somptueuses illuminations d'une grande artère de la capitale.

A San Miguel de Allende, toute la population est dehors, et le marchand de ballons passe au milieu de la foule.

les clefs de sa maison de Nazareth, les langes du bébé à venir et, dans un porte-monnaie, les deniers à verser aux scribes du dénombrement. Ces deux poupées saintes et leur bête sont solidement fixées sur un brancard, que des jeunes filles porteront de porte en porte au cours de la neuvaine.

La première famille assiste à un office pendant lequel on récite force Pater noster et Ave Maria et chante des motets accompagnés par des cuivres, des tambours de basque et des flûtes de roseau. Après quoi, deux jeunes filles prennent le couple sur leurs épaules, et on se rend en cortège, cierges en main, *pedir posada*, c'est-à-dire demander asile.

Arrivée devant une maison désignée d'avance, la procession s'arrête près de la porte et chante de jolis vers où l'on demande l'hospitalité pour les saints voyageurs. Ceux qui sont derrière la porte répondent par d'autres versets, jusqu'à ce que celle-ci s'ouvre toute grande à la venue des deux époux et de leur suite. On les dépose sur un autel tout prêt, parmi les fleurs et les cierges, et l'on célèbre, alors, le plus souvent dans le patio, la fête enfantine où la *piñata* joue le premier rôle.

C'est une jarre de terre cuite, habillée de papier de soie de couleurs vives, découpé, taillé en copeaux, qui peut représenter un monde de choses : personnages, cloches, bateaux, tranches de pastèque, éléphants couverts de plumes, perroquets sur leur perchoir, jusqu'aux Mickey et Donald créés par Walt Disney. On en trouve dans tous les marchés couverts, à peu près toute l'année. Nous avons vu, parfois, de ces piñatas, si amusantes de verve populaire que nous avons dû nous raisonner l'un l'autre pour ne pas les emporter : deux d'entre elles auraient suffi à remplir l'arrière de la voiture et nous auraient encombrés pendant le reste de notre voyage. Je les regrette encore...

On attache la piñata à une corde passée dans une poulie qu'on fixe au plafond ou à la branche maîtresse d'un arbre, selon que la fête a lieu dans un salon ou dans le patio. Une jeune fille la hisse ensuite à la hauteur voulue, et les enfants, tour à tour, les yeux bandés, armés d'un bâton, s'efforcent de l'atteindre et de la briser. On triche un peu, en tirant sur la ficelle, car on veut favoriser les plus petits. Finalement, le bâton la touchant, la jarre vole en éclats et déverse sur les gosses toutes les friandises et cadeaux qu'elle contenait : oranges, chocolat, bonbons, cacahuètes, morceaux de canne à sucre, petits jouets et surprises, sur lesquels la marmaille se jette en poussant des cris. Chez les gens riches, les piñatas — car il y en a plusieurs — renferment aussi des cadeaux plus précieux : bijoux, bas de soie, paires de gants, pour les jeunes filles et les jeunes femmes des deux familles, celle qui a conduit jusque-là Marie et son époux, et celle qui les a recueillis dans sa posada.

Le lendemain, les hôtes de la veille transportent les saints voyageurs jusqu'à leur seconde escale, avec le même cortège, le même cérémonial de cierges et de chansons, et la même fête des piñatas. Et cela dure tout au long de la neuvaine, jusqu'à la veille de Noël, où le saint couple arrive enfin à sa destination, le *nacimiento*, la crèche où le petit Jésus va être apporté de l'église.

On sait que la crèche de Noël, avec l'Enfant Jésus dans la mangeoire, « la famille Christ », comme me disait un gosse, l'âne, le bœuf et les bergers, a été imaginée par saint François d'Assise. Toute l'âme du Poverello est dans cette création délicieuse, l'une des plus poétiques images que l'Évangile selon saint Luc ait éveillées dans la sensibilité humaine. Il va de soi que les franciscains, en débarquant au Mexique, l'ont amenée dans leurs bagages et en ont communiqué l'idée aux Indiens. Ceux-ci devaient l'adopter avec enthousiasme et l'embellir de tout ce que pouvait donner leur génie de la décoration. La première crèche de Noël fut édifiée à Tlaxcala, devant le monastère des franciscains. La coutume s'en est répandue très vite dans tout le pays, et elle s'y est si fortement établie qu'aujourd'hui encore il n'est peut-être pas une maison, sauf quelques repaires de mécréants, où ne figurent, du 24 décembre au 6 janvier, les plus beaux nacimientos du monde chrétien.

La *posada* à San Domingo. Solidement fixés sur un brancard que des jeunes filles promènent de maison en maison, Joseph et Marie sont vêtus à la mode du pays; elle, toute souriante, porte un chapeau de paille, tandis que lui, enveloppé dans un manteau de satin, tient à la main une petite valise de bazar. Les saints voyageurs seront enfin déposés sur un autel.

Ce sont de véritables édifices qui occupent parfois tout un mur d'une salle, dans sa hauteur et sa largeur, et s'avancent en talus de mousse et de plantes vertes jusqu'au tiers du plancher, l'enfant couché au centre, l'âne et le bœuf à ses côtés, Marie et Joseph agenouillés devant lui, et, tout autour, un peuple de statuettes, d'objets hétéroclites, tout ce qu'on a pu trouver de plus riche et de plus brillant dans la demeure, avec une illumination de petites ampoules électriques de toutes les couleurs. Il faut plusieurs jours, et le concours de la famille entière, pour édifier ces crèches qui sont le théâtre non seulement de la Nativité mais de toute la vie mexicaine.

Nous avions vu, le 19 décembre, au marché d'Oaxaca, plusieurs rues occupées par les marchands et les marchandes de mousse, de minuscules arbustes en caisse, d'orchidées en pot, de santons, de scènes familières, en terre cuite peinte, de menus objets coloriés, tout cela destiné à l'embellissement des nacimientos. Parmi les mousses de toutes les espèces décoratives figure le *heno*, dit aussi mousse espagnole, dont les filaments grisâtres figureront la neige sur les sapins de Noël, car la crèche est souvent flanquée d'un de ces arbustes, usage certainement importé des États-Unis et qui doit être récent.

Les santons, dont nous avions vu chez des particuliers des figurines d'une savoureuse expression populaire, à ce marché se rapprochent un peu trop des types et des couleurs saint-sulpiciens. On sent poindre l'industrie. L'ingénuité de l'artisan indien n'y est plus. En revanche, elle s'abandonne à toutes ses fantaisies dans les figurines d'animaux et, plus encore, dans les scènes de la vie des champs, comme ce peon surpris par un serpent, ou ces femmes qui cueillent les fruits des nopals, ou ce *tlachiquero* qui pompe le suc de l'agave.

A. T'SERSTEVENS.

La messe de minuit dans une petite ville du Yucatan; ici fleurit jadis la civilisation maya, mais le christianisme y a poussé des racines séculaires.

Dans la ville d'Atotonilco, c'est le moment de la grande ferveur; des jeunes filles, vêtues à la mode moderne, coudoient des femmes plus vieilles, toutes coiffées du fichu blanc traditionnel.

La neuvaine touche à sa fin; les saints voyageurs arrivent à destination le 24 décembre. On voit ici l'entrée solennelle du cortège dans la basilique d'Atotonilco (État de Guanajuato).

Ci-dessous : dans une rue illuminée de Mexico, voici, stylisée, la *piñata*, ou traditionnelle jarre de terre cuite habillée de couleurs vives; on en trouve dans les marchés, à peu près toute l'année.

237

Le monde fantastique du cirque russe

Le cirque, qui est l'une des plus pures expressions du caractère russe,
tient une grande place dans la vie de ce peuple. A travers le symbolisme du trapèze volant,
la pantomime des paillasses ou le domptage des fauves, on trouve ici une ardeur
et un goût du danger qu'on dirait directement issus des cirques antiques.

Mon avion, partant de Moscou pour l'Asie centrale, devait s'envoler à minuit. La jeune fille d'*Intourist* qui me servait de guide me suggéra que j'avais d'ici là tout le loisir d'aller au ballet, au théâtre, à l'opéra ou au cirque. J'optai pour le cirque, pensant qu'il me permettrait d'approcher de près le peuple russe; tout enfant, du reste, j'avais toujours aimé les cirques et n'y avais pas été depuis des années. Je ne devais pas regretter mon choix : cette soirée au cirque de Moscou m'a tellement diverti et appris tant de choses que, dans mes périples suivants, je ne voulus jamais manquer ce genre de spectacle.

L'expérience que j'acquis ainsi fut pour moi révélatrice. Elle me donnait l'impression d'entrer dans un monde à la fois très ancien et très actuel. Le cirque me paraissait encore plus significatif que le ballet, le théâtre ou l'opéra, du fait de son importance pour les classes populaires. En effet, dans toutes les plus grandes villes de l'Union soviétique, le cirque possède un édifice permanent, et sur les plans des villes nouvelles qui surgissent dans tout le pays, un bâtiment lui est toujours réservé. Certains paraissaient presque trop beaux à quelqu'un comme moi qui ne connaissais des cirques que leur forme ambulante : leurs chapiteaux entassés dans des roulottes peintes, tirées avec force grincements le long des chemins de campagne par des pachydermes dociles et ridés.

A Rostov-sur-le-Don, par exemple, il faut avoir vu l'immeuble du cirque pour y croire : des colonnes corinthiennes élancées et un fronton classique; il fut entièrement et patiemment reconstruit après l'anéantissement de la ville par les hordes hitlériennes. L'intérieur comporte plus d'étages scintillants qu'un gâteau de mariage à Hollywood. De balcon en balcon, tous plus éblouissants les uns que les autres, on s'élève jusqu'au dôme. Les loges, capitonnées d'un somptueux velours rouge, se terminent par des avancées courbes et dorées, ornées de fleurs en stuc, le tout surmonté de fruits et de figurines.

Quant au spectacle lui-même, les exercices traditionnels sur la corde raide, le trapèze volant et la barre fixe, la célèbre pantomime du clown et d'Arlequin, les chiens, les chevaux et les fauves, qui trouvent leur raison d'être dans la soumission

L'un des numéros favoris du public est celui qui met aux prises l'irrésistible Popov, le plus célèbre des clowns russes, avec le mangeur de feu. Ils déchaînent toujours l'hilarité.

à la volonté de l'homme, tout y était présenté avec une souveraine désinvolture, un appétit forcené du danger et un mépris téméraire des risques, qui semblaient venir tout droit de l'Antiquité.

De plus en plus, j'avais le sentiment d'être le témoin d'une tradition qui datait des gladiateurs, pour être mise ensuite à l'épreuve des arènes cruelles et des amphithéâtres implacables de Byzance et de Rome. La participation au spectacle de cette foule marquée par le travail, en vêtements usés, ajoutait encore à cette impression. Leurs visages ne reflétaient plus que l'admiration quand apparaissaient les lions, les singes, les léopards, les hippopotames et les pythons. Ainsi, un lien se tendait entre les spectateurs et les exécutants, et semblait pousser ceux-ci à rechercher toujours plus de précision et de risque.

J'ai vu une jeune et belle Arménienne prendre avec un trapèze plus de libertés qu'il n'était permis d'espérer, quand, grisée par l'exaltation de la foule, elle n'hésita pas à aller plus loin encore.

Ses acolytes présentèrent un énorme aigle noir qui fut déchaperonné et placé sur la barre supérieure du trapèze, sans attaches ni sécurité d'aucune sorte. Il se balançait, les ailes déployées, et ses yeux verts, durs comme des diamants sous l'effet de l'appréhension et du courroux, au-dessus d'un bec aussi tranchant qu'un cimeterre, considéraient fixement à travers la lumière des projecteurs les rangées de visages haletants. Ses serres étaient si longues qu'elles semblaient faire deux fois le tour de la barre et si puissantes qu'elles auraient pu saisir plus d'un agneau pour le transporter jusqu'à ses montagnes arméniennes.

Cependant, la mince jeune fille, saisissant d'une main la barre inférieure du trapèze, s'était élevée à une trentaine de mètres au-dessus de la piste. Alors elle commença à se balancer très haut et très rapidement de part et d'autre du dôme. Toutes les lumières étaient éteintes, hormis celle d'un projecteur braqué sur l'aigle et la jeune fille, et qui oscillait à une vitesse folle à travers un espace désormais vide et sans support.

Les ailes de l'aigle s'étaient encore plus largement déployées, tremblantes comme les branches d'un diapason. On avait l'impression qu'à tout instant il pouvait fondre sur la frêle silhouette au profil de médaille, qui, au-dessous de lui, le provoquait. Parfois en effet, ils s'élevaient et redescendaient ensemble à une telle vitesse qu'on aurait cru que l'aigle la tenait dans ses serres et l'enlevait dans la nuit. Mais elle-même paraissait tout à fait insensible au danger. Pour le final, elle se lança dans une suite terrifiante de circonvolutions et d'acrobaties sur le trapèze, qu'elle acheva suspendue par un pied à la barre la plus basse, traversant l'air comme une hirondelle, les bras en croix, une étrange expression d'extase éclairant son jeune visage. Le public silencieux ne la quittait pas des yeux.

Pendant ce temps, le regard de l'aigle fixé sur elle devenait de plus en plus noir de fureur, comme si c'était lui qui eût été assujetti à la terre, et elle, libérée de toute pesanteur, qui fût dotée d'ailes. Là, sous nos yeux, à des hauteurs vertigineuses au-dessus du sable de la piste, sans filet, tout se métamorphosa en une étrange et fascinante figure héraldique.

Puis, les numéros des fauves et des chevaux furent tout aussi impressionnants. Le cheval n'était plus en quelque sorte que le prolongement de la volonté de l'homme. Il n'y avait rien, semblait-il, que l'homme ne pût faire avec un cheval. Outre cette sauvage et téméraire chevauchée, je vis les troupes de Cosaques et de cavaliers arméniens s'affronter à cheval dans un tel scintillement de lames et avec une habileté si farouche que ce combat semblait à une épaisseur de sabre de la réalité. C'est ainsi que je les vis jouer à la crosse canadienne, sorte de polo, où seule une extraordinaire adresse les empêchait de se faire broyer ou de recevoir une ruade mortelle dans cette mêlée de sabots déchaînés.

Roulement de tambours. Les spectateurs retiennent leur souffle. La danseuse de corde va aborder la partie la plus difficile de son exercice de voltige. Ensuite retentiront les applaudissements, et l'acrobate remerciera le public, qui, tous les soirs, lui renouvelle les marques de son admiration enthousiaste.

De même pour les fauves, il n'y avait pas deux numéros semblables. Ils avaient toujours quelque chose d'inimaginable à ajouter qui semblait dépasser les limites de la témérité.

Malgré ma passion pour les chevaux, je ne peux m'empêcher de le dire : les numéros avec les tigres furent particulièrement remarquables. A Alma Ata, en Asie centrale, où je vis un ensemble de tigres sibériens si beaux qu'ils semblaient sortir tout droit d'un poème de Blake, « feux étincelants dans les forêts de la nuit », j'eus la chance de faire la connaissance de l'homme qui les avait capturés et domptés. J'en gardai un souvenir inoubliable.

Une nuit, je me réveillai en sursaut, ayant l'impression d'entendre un lion ronfler dans ma chambre. En fait, revenant le lendemain à mon hôtel pour déjeuner, j'en découvris l'explication : une foule compacte s'était rassemblée devant l'immeuble, les yeux rivés sur la fenêtre juste à côté de la mienne au premier étage. Un énorme tigre s'y trouvait, considérant la foule d'un air bénin, avec sur le dos une petite fille aux boucles blondes, qui n'avait pas deux ans. A côté, se trouvait sa charmante jeune mère ainsi que son père, homme de grande stature, aux yeux d'un bleu profond, dans un visage triste.

C'est là, il me semble, le témoignage le plus évident que je puisse donner de la place très importante que tiennent les jeux du cirque dans la vie et l'imagination de toute la population russe.

LAURENS VAN DER POST.

La lumière de Hollande

Un paysage de carte postale : à perte de vue, des prés fleuris,
des moulins à vent, des couleurs dignes de Ruysdael ou de Rembrandt.
Les Hollandais ont arraché leur pays, hectare par hectare, à l'emprise de l'eau :
ils sont les auteurs à la fois de leur histoire et de leur géographie.

« S'il n'y avait pas la Pologne, il n'y aurait pas de Polonais », a dit l'écrivain Alfred Jarry. Ici, c'est juste le contraire : s'il n'y avait pas de Hollandais, il n'y aurait pas de Hollande.

Quand le premier Batave est arrivé, il n'a trouvé que la mer, des deltas boueux et des marais. Alors, il a creusé le premier fossé, monté la première digue et créé son pays. Les autres peuples font leur histoire, celui-ci fait son histoire et sa géographie.

Je suis entré en Hollande sans m'en apercevoir.

— Je n'ai pas vu de poteau frontière? ai-je demandé à mon voisin dans le train.

— Un poteau frontière, pour quoi faire?

« Le train filait dans la campagne verte et fleurie. » C'est un cliché, j'en suis désolé, mais c'est ainsi.

Pendant quinze jours, j'ai cherché autre chose, sans trouver : trente-trois mille kilomètres carrés de paysage de carte postale. Et, là-haut, de grands châteaux de nuages. Chaque matin, le ciel de Hollande échafaude ses nuages : « Dois-je imiter Ruysdael ou Hobbema? » Quand il est en colère, il fait penser à Rembrandt. Et, comme Rembrandt, qui retravaillait ses eaux-fortes, il change tout le temps de costume. Mais il ne tourne jamais au bleu.

Prés verts à l'infini sans clôture — les fossés en tiennent lieu — avec quelques vaches blanches et noires. Monotonie, repos de l'esprit. De loin en loin, un bouquet d'arbres pareil à une eau-forte de Rembrandt. Et le moulin à vent qui se montre partout où vous avez envie de le voir. Le moulin à vent, dans le paysage hollandais, c'est le cyprès en Provence, le bistrot à Paris : il est là où il faut.

J'ai vu le premier près de Rotterdam : un brave petit moulin qui montrait le bout de ses ailes par-dessus le toit d'une usine. Immobile.

— Voulez-vous en voir un tourner? me demanda mon voisin. Allez à Dordrecht, le samedi après-midi. Il y en a dix-neuf qui marchent ensemble. Nous en avons plus de mille trois cents...

— Ils servent encore?

— Bien sûr, à cause de l'eau. Il y a maintenant des moulins électriques; mais, quand il a trop plu, les pompes ne suffisent plus à monter l'eau vers le fleuve. Alors nous reprenons les vieux moulins.

Amsterdam, tout entière construite sur pilotis, est par excellence la ville de l'eau. Parcourue par 65 canaux, elle possède un port important, qui accueille surtout des navires chargés de denrées tropicales (ici, le quai Damrak).

C'est toute l'histoire de la Hollande. Ce pays est volé à l'eau. D'abord, il est plat, et les fleuves s'y étalent en gigantesques deltas qui noieraient tout si l'on n'y veillait pas. Ensuite, il s'enfonce dans la mer.

Depuis l'an mille, la Hollande descend de vingt-cinq centimètres par siècle. C'est peu, mais, quand l'altitude moyenne est le « moins quatre mètres » d'Amsterdam, c'est beaucoup.

Pline l'Ancien est venu ici, vers 50 avant Jésus-Christ. Tout ce qu'il a su en dire, c'est qu'*on ne sait si ce pays appartient à la terre ou à la mer*.

Les hommes se terraient sur des monticules qu'ils appelaient *terpen*, puis ils ont bâti des digues pour diriger l'eau et creusé des fossés pour qu'elle coule. Mais, quand vous faites un fossé dans les Alpes, l'eau file le long de la pente. Ici tout est plat. Alors il a fallu la faire monter pour qu'elle s'en aille!

En 1250, un inconnu a eu l'idée de mettre une roue à godets à son moulin à blé. Il y en avait alors quelques-uns dans l'Est du pays, là où le Rhin coule encore comme un fleuve normal, sans patauger partout. L'inconnu pouvait monter l'eau d'un mètre cinquante. Avec un autre moulin un peu plus loin, il la hissait de trois mètres! Encore un, et il arrivait à quatre mètres cinquante. L'eau était, enfin, au-dessus du niveau de la mer. La Hollande devenait *possible*. Les terres ont commencé à émerger, l'eau s'en allait. Alors — c'était vers l'an 1300 — la mer s'est mise en colère. Une effroyable tempête a balayé les pauvres digues, submergé un million quatre cent mille acres de terre. Le Zuiderzee était né.

Les Hollandais sont gens têtus. Ils ont amélioré le moulin à vent — une très vieille invention : les Perses s'en servaient depuis plusieurs siècles — inventé le *kokkermolen*, dont seule la tête tourne. Surtout, ils ont remplacé la roue à godets par un vérin, qui montait l'eau à cinq mètres. Et la grande bataille a commencé.

— Il y a bien eu un homme célèbre, dans cette guerre contre l'eau?

— Tous les Hollandais depuis sept siècles, monsieur, répondit mon voisin, car les fleuves apportaient de l'eau tous les jours. On se souvient pourtant de celui qui, en 1631, a asséché le lac Schermer : quatre mille huit cents hectares qu'il a tirés de l'eau avec plus de cinquante moulins. C'était Leeghwater, ce qui veut dire « basse eau ».

Force motrice gratuite, le vent a créé l'industrie hollandaise en faisant tourner les ailes des moulins : moulins à émonder l'orge à Koog, sur le Zaan, moulins à papier où naît le fameux vélin de Hollande...

Beaucoup se sont arrêtés : l'électricité est là. Mais les moulins à blé demeurent et surtout les moulins de polder qui luttent contre l'eau, l'éternelle ennemie.

Nous arrivions à Rotterdam.

Provincial émerveillé, j'ai marché entre les longues façades de vitrines qui encadrent les allées dallées. Des blocs de vingt étages, tout en vitres, proclamaient sur le ciel gris le triomphe de l'architecture moderne. Tout un quartier rasé par les Allemands et qu'il a fallu reconstruire à partir de zéro. C'est un succès.

Sur une cheminée, j'ai lu la devise de cette ville orgueilleuse et marchande : *Orbi ex orbe*. (Nous donnons au monde ce qui vient du monde.)

Heureusement, j'ai rencontré mon premier Rotterdamois. En bronze. Il est à Rotterdam ce que Marius est à Marseille et s'appelle Monsieur Jacques. Imaginez un comique troupier en manteau de serge bien coupé, son petit chapeau rond à la main. Nez flaireur, yeux finauds, compte en banque et bonne assurance sur la vie. Plaisanteries laborieuses sur fond de bon sens. Un bourgeois satisfait et vertueux. Mais, symbole de Rotterdam, cet homme a accepté que les Allemands bombardent sa ville avec des V2, parce que c'était la guerre et qu'il fallait bien que les Alliés débarquent leur matériel quelque part. Une fois le cauchemar fini, il a reconstruit son port avant de rebâtir ses maisons. Il mérite le respect.

Il fallait une statue pour dire que la ville avait été martyrisée. Le bourgmestre et

Des patineurs évoluent gracieusement dans un paysage de polders gelés. Depuis le XVIᵉ siècle, près de 600 000 hectares ont été gagnés petit à petit sur la mer : dans ces champs artificiels que sont les polders, les Hollandais obtiennent des rendements fabuleux.

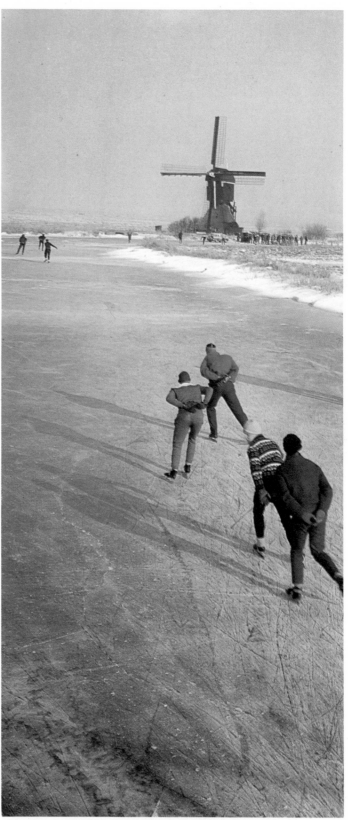

Voici le marché aux fromages d'Alkmaar, le plus important de Hollande. Les transactions se font tous les vendredis, sur la grande place. Des porteurs, vêtus de blanc et coiffés de chapeaux de paille rouges, chargent les lots vendus sur des brancards de bois.

Dans ses champs immenses, dans ses jardins et dans ses serres, la Hollande produit d'innombrables fleurs : jacinthes, narcisses et tulipes, surtout. En avril et en mai, c'est une extraordinaire explosion de couleurs variées dans la campagne, autour de Leyde et de Haarlem.

les échevins l'ont demandée à Zadkine. Le grand statuaire leur a apporté une œuvre magnifique, mais terriblement moderne. Ils l'ont prise, et la ville entière l'a acceptée et comprise. Cinq fois, dans les rues et sur le port, j'ai demandé à un passant : « Zadkine? » et cinq fois, un ouvrier du port, un petit employé, des femmes qui faisaient leurs courses m'ont indiqué le chemin. Essayez un peu, à Paris, de demander où est le musée Rodin! Il y a trois cents ans, ses grands-parents acceptaient Rembrandt, qui était en avance sur l'art de son temps; le Rotterdamois d'aujourd'hui accepte Zadkine.

Et puis j'ai visité le port. C'est le premier du monde et c'est un monde. Des bassins où Le Havre tiendrait à l'aise, des fleuves comme des bras de mer. Les petits remorqueurs couraient, pressés, avec leur mât à trois lanternes, vers les docks flottants, qui portent des bateaux de quinze mille tonnes.

Dans un coin du port aux grains, une troupe d'animaux étranges semblait attendre. Haut de trois étages, chacun portait, sur son bâti de fer, une longue trompe. J'ai cru voir les éléphants de quelque souverain indien. Un grand bateau glissait, arrivant d'Australie. Les remorqueurs se sont mis à fumer plus vite. Ils amenaient les éléphants autour du navire. Un quart d'heure après, les trompes grises étaient plongées dans les panneaux des cales. Encore une ronde de remorqueurs, et cinq grandes péniches de trois mille tonnes étaient collées au groupe de fer noir. Tout se mit en action. Les trompes — ce sont les suceuses — aspiraient le blé et le versaient dans les chalands. Dix heures après, tout était fini. Le grand navire, vidé, était maintenant haut sur l'eau, et les chalands par contre, leur avant plongeant dans le fleuve tant ils étaient chargés, partaient vers le Rhin. Quatre-vingt-cinq heures plus tard, ils seraient à Bâle.

C'est cela le port de Rotterdam : n'importe quel navire peut y entrer, il y sera déchargé plus vite que n'importe où. Voici des tours et des fraiseuses qui arrivent

d'Allemagne et vont à Buenos Aires. Et des montagnes d'engrais pour l'Extrême-Orient. Et des caisses de bière qu'on boira à Dakar, et des bois, des hectares de bois de Norvège qui deviendront papier à Strasbourg.

Un proverbe dit : « On gagne son argent à Rotterdam, on vit à La Haye, on s'amuse à Amsterdam. »

Amsterdam, c'est une amie. Tout le monde en a été un peu amoureux, et elle a su rester l'amie de tous. Elle vous attend, souriant en silence.

Soixante-dix canaux, cinq cent sept ponts, et les petites maisons le long des quais étroits. Amsterdam, c'est une digue, un *dam* sur l'Amstel, c'est d'ailleurs pour cela qu'on appelle les gens d'ici les Amstellodamois, qui ont, depuis le XVIᵉ siècle, tracé ces canaux. Chaque génération a ajouté un canal, cent mètres plus loin que le précédent, en mettant ses maisons.

Tout le monde les a décrites. Petites maisons à trois étages avec leurs hauts frontons triangulaires en dentelures d'escalier et leurs potences tendues, tout en haut : elles servent à monter le bois et les meubles, parce que les escaliers sont trop étroits. De guingois, appuyées les unes sur les autres, elles regardent la maison d'en face, de l'autre côté du canal. Semblables et jamais identiques. Devant elles, les arbres aux longs troncs noirs. Et le calme.

Une rue, cela roule, cela hurle. Deux quais, qui longent un canal, perdent leur fracas dans le matelas de vide au-dessus de l'eau. C'est aussi cela, Amsterdam. Une ville qui chuchote.

Amsterdam cache ses beautés. La maison de Rembrandt et ses courts volets rouges, c'est la seconde, après un petit pont bourru. Il faut la découvrir.

Amsterdam, c'est aussi cette petite rue, près du théâtre, où je me suis cru un moment aux Deux-Magots, et ces ponts à balancier qui semblent toujours attendre que quelqu'un vienne.

Des pêcheurs font secher leurs filets et leurs nasses à Volendam, petit village sur les bords de l'Ijsselmeer. Ce lac d'eau douce (125 000 hectares) est issu de la transformation du Zuiderzee, dont la majeure partie a été asséchée et transformée en polders. Commencée en 1920, selon les plans de l'ingénieur Lely, cette colossale entreprise n'est pas encore tout à fait achevée.

Fin d'après-midi sur le canal circulaire de Leyde. Cette ville fut l'un des principaux foyers de l'humanisme européen. Rembrandt y naquit et Descartes y fit un séjour mémorable.

Rotterdam, où entrent 25 000 bateaux par an, est le plus grand port d'Europe : il a 18 km de quais et comporte une trentaine de bassins, dont le seul Waalhaven peut recevoir 41 cargos.

Aussi cette maison, baptisée hôtel, où j'ai logé, et qui m'a appris l'alpinisme hollandais. Vous entrez et, tout de suite, c'est l'escalier. Mais là, un escalier comme vous n'en avez jamais vu : tout droit, montant vers le ciel avec une pente de cinquante degrés. Vous reprenez votre souffle et entamez l'ascension.

Et puis, Amsterdam, c'est une couleur, un mélange de rouge sombre et de vert, avec l'huile des canaux, où flotte une feuille jaune, entre les lourds poteaux noirs qui déchirent l'eau.

Dans cette Hollande, où il est d'usage d'adorer Amsterdam, Haarlem, ou les villages-folklore, j'ai trouvé le coin rare : Alkmaar. J'y suis allé par le train, un jeudi après-midi.

L'accueil d'Alkmaar, c'est le bout des ailes d'un grand moulin qu'on voit tourner, par-dessus l'épaule d'une usine. Les canaux portent des barques de plaisance, les maisons sont plus basses qu'à Amsterdam, et les petites rues débouchent sur des ponts à bascule. Deux énormes tours dominent la ville : celle du poids public, où, demain vendredi, on pèsera les fromages en cérémonie, et celle de la Grote-Kerk, la cathédrale nue sous ses hautes ogives. Un des mérites du calvinisme est d'avoir ôté l'enchevêtrement des statues qui alourdissent les voûtes gothiques. Imaginez la cathédrale de Tolède sans ses prélats de pierre ni ses anges jouant de leurs harpes de marbre, et vous aurez celle d'Alkmaar. Je regardais cela, pensant que l'iconoclastie a du bon, quand je sursautai. Je venais de voir les orgues.

Ce sont des orgues comme vous n'en avez jamais vues. Des tuyaux comme un immeuble de trois étages, le buffet comme une maison, avec deux portes de bois courbé et peint, entrouvertes, aussi immenses que l'ensemble.

Je regardais cela, songeant aux maîtres luthiers qui avaient fait cette merveille, quand le miracle s'accomplit : dans l'église vide, où mes pas résonnaient, ces orgues ont attaqué la *Toccata* ! L'appel des trois premières notes m'a saisi, debout, et je suis resté figé, pendant que la somptuosité même emplissait les voûtes. J'étais baigné par les vagues de la plus belle musique que l'homme ait jamais écrite, et on la jouait pour moi seul.

J'ai eu l'explication ensuite : l'organiste répétait. Le soir, mille personnes étaient là, mais j'étais plus riche qu'elles toutes, d'avoir eu, pour moi seul, cette splendeur.

L'après-midi, dans la petite ville, j'ai pu comprendre la douceur hollandaise. J'ai erré longtemps, mon petit carnet à la main, et je notais au fur et à mesure.

« Canal noir-brillant-doux..., on voit tout, dans les maisons..., femme de dos tournant les pages d'un album..., calme et paix... »

Puis, touriste discipliné, je suis allé au marché aux fromages. C'est merveilleusement pittoresque, au pied de la grande tour du poids public, sur une placette.

Les camions déversent des tonnes de petites sphères bises, qu'on range par terre, sur des draps. Les courtiers se promènent, sérieux, parmi les lots de fromages, discutent, échangent avec l'acheteur une terrible poignée de main — on dirait un coup de poing — quand ils sont d'accord. Alors, portant une civière, deux hommes, très dignes, arrivent en trottinant. Ils sont vêtus de blanc, comme des joueurs de pelote basque, et arborent de grands chapeaux de paille aux rubans de couleur : bleu, jaune, rouge ou vert selon l'équipe.

Un aide charge les fromages et, toujours trottinant, les deux hommes — l'un d'eux ressemblait à Churchill et l'autre à un notaire de Pithiviers — portent la civière jusqu'au poids public. J'ai regardé cela dix minutes.

Mais, ce que je gardais d'Alkmaar, c'est la cathédrale, le concert d'orgues et le calme de cette petite ville où j'avais déambulé parmi de vivants tableaux de maîtres hollandais.

J. DE SUGNY.

En Hollande, tout le monde patine dès l'hiver venu : jeunes et vieux, hommes et femmes, riches et pauvres. Sur les lacs, les étangs et les canaux gelés, c'est une vraie fête. Les universités elles-mêmes, au moment des grands froids, ont leurs « congés de glace ».

A la recherche du Canada

Le voyageur qui doit parcourir les 10 millions de kilomètres carrés que représente à peu près le Canada sera sans doute décontenancé devant la taille du défi que la nature réserve à l'homme. Les Canadiens, eux, sont fiers de cette lutte qu'ils doivent constamment mener.

Partis de San Francisco, nous volions vers le nord. Après la cité ensoleillée, la lutte contre les éléments. Les pluies d'orage commencèrent au-dessus de l'État de Washington, tandis que, sous nos pieds, les forêts rampaient à notre rencontre comme le cortège interminable d'une armée de soldats détrempés. La couleur de la mer tournait au gris, et il nous semblait qu'elle aussi avait ses forêts, car d'innombrables îles boisées filaient à la surface, à la manière d'un troupeau de baleines, accompagnant notre progression en direction du nord et du mauvais temps. Puis l'océan prit une teinte jaunâtre, qui vira franchement à l'ocre sous l'effet du limon que le fleuve Fraser répand bien au-delà de son delta. Enfin se dressa subitement devant nous une sorte de décor vertical composé de montagnes, de nuages, de mer, de forêts et de longues rues rectilignes, bordées de bungalows et de pelouses vertes. C'était la ville de Vancouver.

Nous commencions tout juste à effectuer la traversée du Canada dans toute sa largeur, et les montagnes Rocheuses se dressaient comme un lion sur notre chemin.

Étions-nous dans un autre pays? Le fonctionnaire des services d'immigration avait la tête d'un Chinois; les employés de l'hôtel étaient italiens, allemands ou hongrois; il y avait des Irlandais dans les rues. Jusque-là, nous aurions pu aussi bien nous trouver encore aux États-Unis. Mais de petits détails montraient qu'il n'en était rien : cette grande tasse de thé noir qu'on nous avait servie à l'hôtel, les épais vêtements de laine, l'aspect provincial des boutiques et l'accent américain atténué par la flegmatique intonation britannique. Un pays calme et tranquille, évidemment moins riche que la Californie. Les quelques jurons que l'on pouvait entendre trahissaient une origine anglaise.

La jeunesse féminine préférait le style européen — ou présumé tel — à la sophistication américaine. Les automobiles étaient plus petites. L'ambiance, plutôt qu'exubérante, était réservée, comme celle d'une maison bourgeoise bien tenue.

D'une façon générale, le Canada est un mélange de traits britanniques et américains. Sous des dehors américains, c'est un pays à l'âme britannique, à moins que ce ne soit l'inverse..., et si en fin de compte il était canadien tout simplement? Il fallait attendre pour se prononcer.

Jusqu'à la grande révolution technique de l'époque moderne, les Canadiens eurent

« Maintiens le droit » : c'est la devise de la police montée canadienne, qui fut fondée en 1873. Elle compte actuellement 4 500 hommes environ.

Le château Frontenac, à Québec, a été construit en 1892, sur l'emplacement du château Saint-Louis, qui datait du XVIIe siècle et qui fut détruit en 1834 par un incendie. C'est le plus grand hôtel de la ville.

L'église de Chibougamau (province de Québec), aux lignes hardies. Cette petite ville, située sur la rive occidentale du lac qui lui a donné son nom, est au cœur d'une magnifique réserve de pêche.

Le vieux Montréal n'a gardé, malgré son nom, que peu d'édifices anciens. A l'instar des autres quartiers de la ville, il a été remodelé par l'architecture moderne; *ci-dessous :* l'impressionnant building de la Banque de commerce.

à soutenir une lutte aussi dure que patiente contre le climat, les distances épuisantes et, pour couronner le tout, les Rocheuses, dont les cols, du côté canadien, étaient presque infranchissables. La nature s'y manifestait sous son plus redoutable aspect.

Il a fallu aux Canadiens près d'un siècle de plus qu'aux Américains pour sortir péniblement des temps héroïques. Encore est-ce loin d'être le cas pour les régions arctiques, qui demeurent inchangées malgré l'avion, le moteur Diesel, l'électricité et l'exploitation de fabuleuses richesses minérales. La zone de population la plus étendue en largeur ne passe pas 350 kilomètres, et la plupart des 20 millions d'habitants du Canada sont concentrés autour de Toronto et de la région de Québec, dans la vallée du Saint-Laurent. L'homme est comme refoulé par les arbres, les montagnes, l'herbe et l'eau de dizaines de milliers de lacs. Les vents septentrionaux empruntant le couloir central s'engouffrent dans les villes : l'idée du nord est toujours présente à l'esprit des gens. La brièveté de l'été et la longueur de l'hiver ne permettent jamais d'oublier le rôle que joue la nature, et même les citadins en sont toujours conscients.

Nous étions donc en juin. Dans les grandes rues de Vancouver, nous sentions la fraîcheur du nord. La douceur de l'été tardait à se manifester, et l'on se rendait compte, quand le soleil se montrait, que la température aurait pu être plus élevée. Il y a 80 ans, Vancouver n'était qu'un petit port équipé de façon rudimentaire pour l'exportation du bois; aujourd'hui, c'est la troisième ville du Canada, et elle est fière de son université. Son site est prodigieux. Les fjords et les détroits de la côte canadienne du Pacifique comptent parmi les plus grandioses paysages de l'Amérique du Nord. Les nuages roulent sur les cimes enneigées, et les forêts semblent vouloir avaler l'océan.

Les gens de Vancouver aiment la mer. Ils prennent souvent le large, et nous n'avons pas tardé à naviguer dans les goulets et les fjords, parmi les îles, très nombreuses à proximité de la ville. Rien ne pouvait mieux nous faire sentir le caractère sauvage du pays. La forêt est omniprésente; elle s'étend partout, et les montagnes succèdent aux montagnes. Nous avions parfois l'illusion, en débouchant d'un bras de mer, de surprendre une joyeuse conversation entre l'eau et la forêt; mais un silence méfiant s'établissait à notre arrivée, tandis que nous cherchions à esquiver les troncs d'arbres et les débris flottants.

Çà et là, au hasard de quelque pente abrupte, la forêt était comme éventrée; et c'était encore un aspect caractéristique du Canada : les arbres abattus, les troncs roulant jusque dans l'eau. On entendait le bruit des haches, le craquement des arbres qui tombent. Ici, le bois était traité comme une matière de rebut, mais nous devions voir sur d'autres fleuves des radeaux avec leur charge de bois bien empilé, formant d'énormes figures géométriques et portés par le courant jusqu'aux scieries ou aux ports. Le bois, entassé ou flottant, constitue dans l'immense et sauvage paysage canadien le premier signe réconfortant d'une activité humaine, d'une technique née de la civilisation.

Il y a toujours assez d'arbres et de rochers pour rappeler au voyageur qui se dirige vers le nord qu'il ne doit pas aller trop loin. Plus tard, confortablement assis en compagnie d'hommes d'affaires dans un club de Vancouver, vous regarderez les navires charger du blé pour la Chine et l'Europe ou ce bois des forêts canadiennes qui fournit près de la moitié de la pâte à papier du monde occidental. Vous laisserez vos pensées vagabonder en direction du Pôle et vous vous demanderez ce que font les hommes à 150 ou 200 kilomètres de là.

La réponse a de quoi surprendre. D'abord, ces hommes sont très peu nombreux. Mais, selon une curieuse statistique officielle, personne au monde n'utilise le téléphone plus fréquemment. On sait donc que, là-bas, ils parlent. Passez quelques jours dans un chalet en forêt et vous ne vous rappellerez que deux bruits : la galopade des écureuils sur le toit et la sonnerie, à longueur de journée, du téléphone rural. Le Canadien, pourtant, n'est pas volubile; mais la sonnerie témoigne du fait

Trains de bois et piles de planches dans la baie de Burrard, un peu au nord de Vancouver.
Le bois descend des forêts de la Colombie britannique, porté par les courants des fleuves;
arrivé à destination, il est transformé en planches ou en pâte de cellulose.

Dans l'espoir d'amorcer une truite ou un brochet, ce pêcheur jette son hameçon dans les eaux d'un petit lac du parc de Banff (province d'Alberta). Dans les montagnes Rocheuses, il n'est pas rare qu'un pêcheur ait pour lui seul un lac entier.

que, parmi les milliards d'arbres, il existe un être humain, même s'il est tout seul.

L'unité physique du Canada est délimitée par deux gares terminales de chemin de fer et par 6 500 kilomètres de fils télégraphiques. Prenez le train à Vancouver, et vous ne tarderez pas à vous rendre compte de ce que signifie la distance dans un pays faiblement peuplé. Pendant la première étape, qui conduit à Banff, en remontant sur bien des kilomètres le cours large et jaunâtre du fleuve Fraser, on reste dans un pays de cultures. Les heures passent. De l'autre côté du fleuve, on ne distingue, dans un crépuscule mélancolique, que les lumières de quelques rares maisons ou la silhouette d'un bateau amarré pour la nuit, image parfaite de la solitude. Quand nous avons fait le voyage, la saison n'était pas assez avancée pour qu'il y eût beaucoup de monde dans le train; nos compagnons de route se déplaçaient pour leurs affaires. La nuit venue, quand commence l'ascension des Rocheuses, on est entouré d'arbres; au petit matin, en pleine montagne, toujours des arbres : aux armées de sapins succèdent des légions de peupliers racornis par le gel.

Le train roule le long des eaux cuivreuses et écumantes de la Kicking Horse River (la rivière du Cheval-qui-rue). Dénudées, à l'exception de quelques plaques de neige, les parois grises de la montagne se dressent avec çà et là d'effrayants précipices. Ces montagnes ont la noblesse imposante des cathédrales. Il se dégage de leur masse une force brutale. Ce fut un tour de force que de prolonger la voie ferrée jusqu'à Vancouver, et un autre, réalisé en 1962, que de la doubler en cet endroit d'une autoroute transcontinentale. Le parcours est l'un des plus spectaculaires du monde occidental.

Le train, ayant dépassé la barrière naturelle qui coupe en deux le pays, arrive maintenant à Banff, dans l'un des magnifiques parcs nationaux des Rocheuses. La ville, propre et coquette, a un aspect très écossais. La rivière Bow coule majestueusement sous son pont de granit.

Banff est un lieu de divertissement où abondent les jeunes gens sains et gais, au visage ouvert, empreint d'une candeur nordique. Le ski tient une bonne part dans leurs occupations. Mais pour moi qui n'ai pas l'esprit montagnard, j'ai surtout apprécié les Rocheuses à distance, quand nous les avons quittées pour la prairie. Le mois de juin, ici, est plus doux; le peuplier remplace le sapin, et les bestiaux paissent une herbe qui pousse haut et dru. A Calgary, on est encore à 900 mètres d'altitude, et le pays est vallonné. Le blé commençait à lever dans la terre noire, et nous avons constaté dans cette ville les premiers signes d'une grande prospérité, celle des éleveurs et des pétroliers. L'Alberta ainsi que certaines parties de la Colombie britannique et de la Saskatchewan flottent littéralement sur le pétrole et le gaz naturel.

On a dit que les plaines étaient monotones. Mais, en ce qui concerne la prairie canadienne, le spectacle m'émeut autant que la steppe polonaise ou russe.

L'œil du voyageur est charmé à la fois par la texture de la végétation et par les coloris subtils. Les verts tournent au jaune et au rouge garance, en passant par des gris et des bleus délicats. On admire la terre elle-même, sans cesse modifiée par un éclairage changeant, et dont la masse semble avoir été coulée entre deux plis, entre deux horizons. Des canards sauvages s'envolent parmi les fleurs des champs et les rivières invisibles, car même la Saskatchewan reste cachée jusqu'à ce que l'on se trouve sur sa rive. Un être humain n'est guère plus qu'un point dans le paysage; il est possible de voir une maison ou un silo dont on est séparé par une heure de marche. Il n'y a pas de brume. On n'entend que le vent. Et la rencontre d'un ciel vide et d'une terre déserte qui se rejoignent à l'horizon remplit le spectateur d'exaltation et de crainte.

Un des sites les plus majestueux des montagnes Rocheuses : le lac Louise, situé dans le parc national de Banff. En 1913, le poète anglais Rupert Brooke a écrit de ce lac : « Il appartient à un autre monde. »

Une machine agricole bat à elle toute seule le grain de l'un de ces champs immenses de la Saskatchewan. Vue d'en haut, cette scène champêtre fait songer à une création graphique d'un audacieux modernisme.

A Winnipeg, nous étions toujours en pays plat, mais il y avait maintenant des fourrés verdoyants et de longs taillis de trembles et de peupliers. C'est traditionnellement une terre à blé, qui prolonge au nord le Dakota et le Minnesota. Winnipeg, que l'on continue à surnommer la porte de l'Ouest, correspond à la région industrielle des Midlands en Angleterre, mais agrémentée de beaux arbres.

Dans cette ville poussiéreuse d'un demi-million d'habitants, on se trouve enfin en présence d'un Canada bien réel et solidement enraciné. Winnipeg n'est pas aussi distingué que Toronto ni, tant s'en faut, aussi évolué que Montréal, mais elle n'a pas moins d'originalité que les autres villes du pays et elle illustre parfaitement un des aspects fondamentaux du Canada. L'œil du visiteur est tout d'abord attiré par les dômes des églises orthodoxes ukrainiennes et russes. L'immigrant non britannique, en effet, prend ici de l'importance. Les Ukrainiens, venus des plus riches terres à blé de l'Empire russe, sont arrivés au début du siècle. Aujourd'hui encore, les anciens portent la barbe longue et la veste de peau de mouton, et les femmes âgées ont le visage tanné comme les paysannes russes. Plus au nord, sur le lac Winnipeg, se sont établis les Scandinaves et les Islandais. Il y a, dans la ville même, une colonie juive, ainsi que des colons allemands et italiens arrivés ces dernières années. Quant à la population d'origine, elle comprend un fort pourcentage de Canadiens français. Leurs églises, à Saint-Boniface, de l'autre côté de la rivière, ainsi que leur séminaire comptent parmi les plus beaux édifices de la ville. Mais la puissance financière et politique est aux mains de l'élément britannique, bien que celui-ci ne représente plus aujourd'hui que la moitié à peine de la population.

Une autre surprise attend le voyageur qui quitte Winnipeg par avion : en voyant les milliers de lacs qui le regardent comme autant d'yeux bleus au milieu de la végétation, il se rend compte de la place que tient l'eau vive dans la composition du Canada. Sur tout le trajet jusqu'aux Grands Lacs, ce ne sont qu'eaux et forêts. Y a-t-il seulement une route quelque part ? On comprend que ce pays ait été exploré d'abord par voie d'eau, et non par terre, et que ce soit aujourd'hui l'avion qui desserve la plupart des territoires du Nord. Par quel autre moyen y parviendrait-on ?

Nous avons laissé les Rocheuses et les Prairies derrière nous. Voici maintenant les Grands Lacs et le Saint-Laurent, la grande artère du pays. Ces mers intérieures toutes bleues, argentées par le sillage des vapeurs, reflètent le ciel comme d'immenses miroirs balayés par le vent. Les premiers drames de la conquête du continent reviennent à la mémoire : Cavelier de La Salle, Jolliet, les guerres indiennes. La personnalité de ces premiers Américains du Nord fut marquée par des caractéristiques naturelles qui étaient nouvelles à leurs yeux d'Européens, comme, par exemple, des forêts sans limites, des rivières énormes, des océans fermés.

Nous voici dans l'Ontario, l'éden du Canada, avec son climat septentrional, quoique supportable, et ses terres fertiles. Ici à Toronto, comme plus haut à Ottawa et à Montréal, nous sommes dans la région la plus peuplée, la plus active et la plus industrialisée du Canada. Conservateur, solide, prudent, l'Ontario pourrait être l'Angleterre méridionale, à une particularité près : sa raideur. Toronto tient Vancouver pour une ville exaltée et dangereusement anticonformiste; Vancouver trouve les gens de Toronto traditionalistes et assommants. Jusqu'au mouvement d'immigration des vingt dernières années, Toronto était engoncé dans la rigueur presbytérienne. De nos jours, Toronto est visiblement plus gai et plus vivant qu'autrefois. Intellectuellement, la ville s'est réveillée. Elle produit maintenant des poètes et des chansonniers. C'est un endroit où l'on s'amuse.

Toronto, empreint de charme victorien, est également marqué par l'influence américaine. Les rues, avec leurs jolies villas aux pignons incurvés, sont toujours bordées d'érables. Les maisons sont toujours fraîchement repeintes, et la ville, comme toutes les cités du Canada, a une physionomie bien à elle. C'est surtout vrai

Tous les ans, pendant le carnaval, ont lieu de spectaculaires courses de canoës entre Québec et Lévis (sur la rive opposée du Saint-Laurent); à cette époque de l'année, le fleuve charrie de la glace, comme on le voit sur notre photographie.

dans l'Ontario, où Windsor, Kingston et London sont toutes dissemblables.

Descendre le Saint-Laurent en été ou longer la rive du lac Ontario sont des excursions reposantes et pleines de charme. Les fermes sont imposantes et les granges vraiment impressionnantes. Il y a quelques années, tout un village se mobilisait pour « lever des granges », c'est-à-dire soulever et mettre en place les grandes poutres de la charpente. Puis c'est au tour des clochers d'attirer notre regard. Ils sont généralement hexagonaux et construits en aluminium (le Canada regorge de ce métal), ce qui les rend éblouissants et donne aux églises une originalité frappante. Les granges, les clochers de métal, les longues palissades séparant les champs qui descendent en pente douce vers le Saint-Laurent, tels sont les souvenirs que je garderai de l'architecture canadienne.

Là où le train s'enfonce dans les bois en direction d'Ottawa, le pays est presque surpeuplé. La cloche de la locomotive Diesel sonne sans arrêt, signalant l'approche d'une gare ou d'un passage à niveau. Arrivé au bord de l'Outaouais, on découvre avec plaisir, surplombant la rivière du haut de sa falaise, cette capitale de granit aux toits de cuivre verdi. Voilà enfin une ville pourvue d'un horizon. Et si l'on se prend à sourire de l'intrusion de l'architecture classique française dans l'ensemble victorien, il faut se rappeler que l'architecture canadienne, dans son ensemble, est beaucoup plus récente que l'architecture américaine.

Il y a un très joli monument victorien à Ottawa, sur la colline du Parlement, où les Écossais versent des larmes d'émotion patriotique pendant la cérémonie du salut aux couleurs. C'est la bibliothèque du Parlement, avec les petites colonnes rose bonbon de son dôme et ses rayonnages délicatement sculptés. Le bâtiment central du Parlement, à l'intérieur, a le charme d'une miniature, tandis que le caractère imposant de l'extérieur, très presbytérien, n'est égayé que par la fantaisie pittoresque de la toiture vert-de-grisée.

Les Canadiens ont une sorte de génie pour faire des parcs de toutes dimensions; le parc de la Gatineau, au nord d'Ottawa, est le plus agréable parc naturel que l'on

A perte de vue, jusqu'à l'horizon, les champs s'étendent et forment, sans le moindre relief, des rectangles d'une précision quasi géométrique; seule une exploitation agricole s'insère dans cette monotonie.

257

Un rodeo à Calgary. Les rodeos ont lieu au mois de juillet et durent une semaine. Le spectacle commence par un long défilé de 9 kilomètres dans les rues. Ensuite, les cow-boys essaient, dans l'arène, de maîtriser des chevaux ou des taureaux sauvages.

puisse visiter à proximité d'un endroit civilisé. Mais là, les arbres et le bois commencent à appartenir à un autre Canada, dont on a déjà eu un aperçu à Winnipeg : le Canada français. Le Canadien — à ne pas confondre avec le Canadian — fait sentir sa présence. Les gens accordent peu d'importance à la ville de Hull, située en face d'Ottawa, de l'autre côté de la rivière, et que les montagnes de troncs d'arbres empêchent de voir. Mais cette ville, qui possède le meilleur restaurant de la région, est une agglomération entièrement française.

Dans les rues de Hull, tout comme sur le marché en plein air d'Ottawa, on entend parler un « français canadien » qui date en partie du XVIIe siècle et auquel viennent se mêler quelques mots d'anglais.

Quand on gagne Montréal par la fort jolie vallée de l'Outaouais, le caractère français des agglomérations va en s'accentuant. A Rigaud, les beaux bâtiments du collège rappellent Tours ou Poitiers. Dans le train, on commençait à voir des buveurs de vin. A Vaudreuil, on aurait pu se croire sur la Seine : le ravissant lac se divise en petits bras dans lesquels se mirent les bouleaux et les érables, et les haricots poussent gentiment dans les jardins. Paysage aquatique digne du pinceau d'un Monet, comme si l'intimité de la lumière de France s'était transportée ici.

A Montréal, la ville la plus passionnante du Canada, on assiste à la confrontation massive de deux races. En tant que port industriel, cette métropole a un petit air londonien auquel contribue la fumée des navires à quai. C'est visiblement une cité importante. De nuit, les hauts immeubles tranchent sur le ciel avec leurs lumières électriques. De jour, une circulation intense règne sur les grands ponts du superbe Saint-Laurent, et les rues sont très animées. Pour gravir le mont Royal, qui se dresse comme un volcan en plein milieu de la ville, on passe par des voies grouillantes de vie et pleines d'intérêt. Dans les quartiers français les escaliers extérieurs, les balcons surchargés, où des familles entières se prélassent sur les fauteuils à bascule à l'ombre des érables, donnent à l'architecture son originalité. Il y a de belles églises et deux universités célèbres.

Le mélange franco-anglais de Montréal ne va pas sans bizarrerie. Il est curieux de déjeuner dans un club canadien-français qui paraît entièrement anglais par la tenue et le décor. Il n'est pas désagréable de voir des tavernes au lieu des tristes « débits autorisés » du reste du Canada. Montréal a quelque chose du luxe américain, de la sagesse de Londres, de la vivacité de New York et de la gaieté française.

La tension même entre les deux cultures et les deux religions opère comme un ferment intellectuel, encore que les deux fractions de la population se mêlent très peu en dehors des milieux politiques ou d'affaires. Ils sont comme les courants séparés de deux fleuves qui auraient été réunis par des événements vieux de deux siècles et même plus si l'on remonte à l'époque du trafic des fourrures. Les Canadiens français représentent près d'un tiers de la population totale du pays; ils sont les plus anciens occupants de la partie nord du continent, et c'est là que le bât blesse : leur part de puissance économique n'est pas proportionnelle, il s'en faut de beaucoup. Il y a seulement quelques années, ils étaient résignés à cette situation. Ce n'est plus le cas maintenant. La race de cultivateurs qui avait formé une communauté stagnante et peu exigeante — la seule véritable paysannerie de type européen en Amérique du Nord — qui n'avait presque rien changé à ses idées depuis le XVIIe siècle, dont la vie politique était vide et corrompue, et que l'instruction, monopole religieux, ne préparait pas à vivre dans le monde moderne, a beaucoup évolué depuis la Seconde Guerre mondiale et pourrait bien imposer de sérieuses modifications à l'équilibre canadien.

La ville de Québec a un avantage : elle est presque entièrement française. La toute petite minorité anglo-canadienne fréquente ses églises au centre de la ville et a peu de rapports avec les Canadiens français (bien que j'aie rencontré à l'université des gens qui avaient des contacts avec les *Canadians*). Je trouve les Québécois d'excellente compagnie ; ce sont des gens cordiaux et ouverts. Le Canadien français a gardé une bonne dose de vieille gaieté française.

Quel contraste entre cette ville et Vancouver ! Ici, le Canada et le Saint-Laurent, qui porte maintenant les navires sur un millier de kilomètres jusqu'aux mers intérieures, sont gardés par un bastion que chaque génération a consolidé jusqu'au XIXe siècle : une vraie forteresse de style européen. Québec est la seule ville franchement européenne de l'Amérique du Nord, et sa vie n'est en rien affectée par les nuées de touristes qui y déferlent, à la recherche de pittoresque. Le panorama qui s'étend au pied de son rocher enchante l'imagination. La pierre grise de la ville a un aspect à la fois rude et guindé. L'ensemble allie le sévère au gracieux, avec le concours des beaux et grands arbres.

Idéalement, Québec devrait marquer le terme d'un voyage transcontinental à travers ce pays bilingue. Mais cette capitale a cessé d'être la forteresse qui en commande l'entrée. La véritable extrémité de la terre canadienne, et la fin de mon périple

Un éleveur et ses quelque 15 000 têtes de bétail dans un ranch près de Calgary (province d'Alberta), au cœur du pays d'élevage du Canada. Ce ranch de 2 600 hectares, une étendue moyenne pour le Canada, est régi par un homme seul assisté de deux aides.

Le hockey sur glace est le sport national du Canada. Ici, une phase d'un match entre les « Canadiens » de Montréal (en rouge) et les « Red Wings » (en blanc), équipe américaine de Détroit, au Michigan.

Les Canadiens anglais et les Canadiens français sont également attachés à leurs cultures respectives. Cette partie de boules *(en bas, à gauche)* pourrait fort bien se dérouler à Cheltenham ou à Torquay plutôt qu'au Lawn Bowling Club de Montréal; il n'y aurait rien à changer aux joueurs en flanelle blanche et au service à thé qu'on voit au premier plan. *En bas, à droite :* la principale artère de Montréal, la rue Sainte-Catherine.

personnel, c'est le port de Halifax. Son immense rade a abrité pendant la dernière guerre les convois en formation pour la traversée de l'Atlantique. Pour le Canada oriental, il présente un intérêt accru du fait qu'il est, avec Saint-Jean, dans le Nouveau-Brunswick, le seul port utilisable quand le Saint-Laurent est pris par les glaces. Ville anglo-écossaise de l'ère victorienne, Halifax n'est pas dépourvu de caractère. On y trouve de beaux hôpitaux, l'université Dalhousie et plusieurs collèges, sans parler des environs, qui sont jolis et fort romantiques. Lacs et rivières abondent parmi les forêts et les cultures de la Nouvelle-Écosse.

Mais ce pays est tout en paradoxes, et, jusque dans ces provinces maritimes, le

La principale avenue de Calgary (province d'Alberta), qui débouche sur le centre commercial. Calgary, grand marché traditionnel du bétail, est rapidement devenu un des centres les plus importants de l'industrie du pétrole et du gaz naturel. Plus de 400 compagnies pétrolières y ont des bureaux, dont la plupart sont dans le bâtiment qu'on voit sur la photographie.

Dans la campagne canadienne, on trouve encore des coins d'une beauté sereine et traditionnelle. Cette petite église peinte en blanc s'élève aux environs de Rossport, sur l'Ontario, non loin du Trans Canadian Highway; elle doit de subsister à la piété des habitants de la ville (les plus vieux, du moins, qui restent sensibles au charme du passé).

grand problème canadien se fait sentir. Cette région — la Nouvelle-Écosse en particulier — est un prolongement naturel du Maine, mais elle constitue la partie la plus profondément britannique, en même temps que la plus anciennement américaine, du Canada. Ses habitants parlent du Canada comme d'un pays étranger. Ils observent un genre de vie à eux qui n'est pas plus américain que canadien, mais britannique à l'ancienne mode. Ils en sont encore en quelque sorte à l'existence coloniale insouciante du début du XVIIIᵉ siècle. On n'attache pas d'importance à l'argent, sauf s'il s'agit d'une fortune acquise par héritage; c'est la caste, et non le compte en banque, qui détermine le rang d'un homme. La pauvreté, loin d'être considérée comme une disgrâce, est entourée de respect. La Nouvelle-Écosse, aux yeux du visiteur étonné, est quelque chose comme l'Irlande, les Highlands d'Écosse ou les parties excentriques de la Cornouailles. Les habitants des Provinces maritimes opposent une bienheureuse indifférence à tout ce que révère l'Amérique du Nord; ils se flattent de produire plus de grands cerveaux et plus de dirigeants qu'aucune autre région du Canada. Ils soutiennent que leur culture est plus profonde et que leur province est la plus heureuse de ce continent maudit. Une paix délicieuse règne en effet dans les villages et les ports de la côte, qui est rocheuse et sauvage. Une petite ville comme Lunenburg, avec ses églises de bois peintes en blanc, son charme un peu cocasse et ses chantiers de construction de bateaux, est un véritable bijou. Les villas de bois sont garnies de vérandas et de balustrades; c'est le pays du homard et du célèbre saumon de l'Atlantique. La pêche, si incroyable que cela puisse paraître à des Européens, est souvent libre.

En ce printemps, le lapin foisonnait dans les champs, et l'on trouvait encore du lilas en fleur dans les jardins. Il y a plus de 150 ans, l'écrivain anglais William Cobbett écrivit des pages ferventes sur ce pays où, plus jeune, il avait voulu exploiter une ferme pour l'amour d'une jeune beauté locale. Le pays est probablement moins prospère et moins peuplé que de son temps, mais il plaît toujours. Six races, que le Nouveau Monde n'a pas mêlées, y sont représentées et y vivent côte à côte : d'anciens Écossais des Highlands, qui parfois parlent encore le gaélique (enseigné dans certaines écoles), des Acadiens de langue française, des Allemands, des descendants des loyalistes, enfin des Irlandais et des Britanniques.

V. S. PRITCHETT.

Pétra, ville morte

Au temps de l'Évangile, c'est de cette fabuleuse forteresse, construite
au milieu des rochers, qu'une tribu de nomades arabes contrôlait
le trafic des caravanes entre Rome et l'Extrême-Orient. Creusés dans la
montagne, ses monuments aux somptueuses façades forment un ensemble grandiose.

La seule ville morte comparable à Pétra, malgré bien des différences, est Machu
Picchu, au Pérou. Le même caractère irréel et un destin identique les rapprochent.
Totalement effacées l'une et l'autre de la conscience des hommes, elles n'ont resurgi
du passé qu'à une époque récente. Machu Picchu s'est perdue dans le labyrinthe
des montagnes qui la cachent lors de l'invasion espagnole, et ce n'est que quatre
siècles plus tard, en 1911, qu'un explorateur l'a découverte par hasard. Dans les
pays arabes, l'histoire s'étend sur une période plus longue qu'en Amérique du Sud :
abandonnée au IIIe siècle, Pétra vit son nom même disparaître de la mémoire du
monde avec le départ des croisades. Plus aucune chronique n'en fit mention et,
selon le mot d'un voyageur romantique, « seuls les aigles pouvaient la voir ».

Les aigles, et aussi quelques tribus de Bédouins qui se gardaient de révéler son
existence. Ils pensaient que des trésors y étaient enfouis, et elle constituait, de plus,
une forteresse naturelle et un abri sûr pour servir de point de départ à leurs razzias.

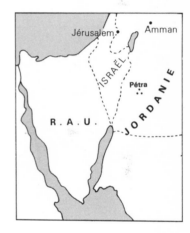

Le premier Occidental à y pénétrer, fut, en 1812, l'explorateur Burkhardt (j'ignore
s'il appartenait à la célèbre famille d'érudits suisses). Ayant flairé quelque chose, il
se déguisa en musulman et réussit à se faire accompagner à Pétra, sous le prétexte
de sacrifier une chèvre sur la tombe d'Aaron. Selon la tradition, en effet, ce dernier
serait enterré dans cette montagne. Burkhardt ne put voir la ville que de façon som-
maire et à la hâte : il en fut brusquement chassé par des Bédouins armés craignant
qu'il ne fût un témoin de leurs rapines et un chercheur de trésors. Ce n'est que vers
1925 qu'il devint possible de visiter Pétra en toute sécurité.

Ensuite, les choses se modifièrent rapidement. Cette ville morte est maintenant
la principale attraction de la Jordanie, si l'on met à part les Lieux saints. Une route
carrossable mène en quatre heures de Jérusalem ou d'Amman à l'entrée de la gorge.
En partant dès l'aube, on peut même faire l'aller et retour en une journée. Des groupes
nombreux de gens de tout âge et de toute provenance circulent à cheval, se coudoyant
les uns les autres à la sortie du défilé. Les Bédouins louent des chevaux, les escortent,
et des enfants les conduisent par la bride, au pas. A l'intérieur de la ville se trouve
un hôtel correct, un seul, Dieu merci, qui reste discret.

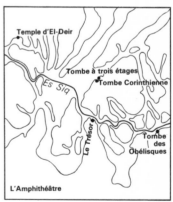

Pétra est réellement stupéfiante, mais il y a plus : elle appartient aux catégories
de la mode intellectuelle d'aujourd'hui bien plus que Baalbek et Palmyre, qui sont

La Tombe des Obélisques est le premier des temples qu'on
trouve en se dirigeant vers Pétra; il est situé à l'extrémité
orientale de l'étroit défilé d'Es Siq, voie d'accès à la cité.

263

Vue saisissante du temple naba-
téen d'El Khazna (le Trésor),
aperçu à travers une gorge.

des villes mortes comme les autres. Elle fait partie de ce répertoire du touriste de qualité et légèrement excentrique, répertoire qui, de nos jours, est en train de s'intégrer à la culture de masse. Les Anglo-Saxons, en particulier, ont répandu la renommée de Pétra. J'ai lu chez Julian Huxley que Pétra était un des dix endroits au monde qu'il souhaitait le plus connaître, au même titre que Machu Picchu et les récifs orientaux de l'île de Formose. Pétra correspond au goût surréaliste qui inventa, lui aussi, des villes imaginaires et hallucinatoires. C'est un site étrange, où l'on voit surgir devant soi ce à quoi on s'attend le moins, et qui, selon la logique, ne devrait pas y être, où l'on ne peut attribuer aux choses ni fonction ni cause, et où tout paraît d'une absurdité grandiose. Il est désormais banal de le dire. Le même Huxley, il y a dix ans, ne voulait pas entendre parler d'un surréalisme de Pétra. C'était seulement, pour lui, une ville merveilleuse. Vieille de plusieurs millénaires, on ne peut la rendre responsable de nos goûts ni des tableaux de Salvador Dali.

Je suis arrivé vers le milieu de l'après-midi à l'entrée de la gorge, car je voulais passer la nuit à Pétra. On y est aux trois quarts de la route entre Jérusalem et la mer Rouge, et près de la frontière israélienne. C'est l'explication probable à la sévère vigilance du contrôle de police. Il n'est pas difficile d'effectuer la traversée par les montagnes, et les Israéliens archéologues ne semblent pas s'en priver. De l'endroit où on loue les montures jusqu'à l'intérieur de Pétra, la distance est de quatre kilomètres et demi. Bien qu'on puisse les faire à pied, la majorité des visiteurs préfère prendre des chevaux.

Le défilé qui conduit à Pétra est un couloir très étroit et long d'environ trois kilomètres, entre des murs de rochers à pic. Dans l'ouverture, très haute, par laquelle on voit le ciel, la lune commence à luire. Sur les parois se dessinent peu à peu les formes de tombes et de petits temples. Il y a quelques années, un orage imprévu et d'une violence extrême fit gonfler et déborder un torrent situé près de l'entrée de la gorge. Le flot envahit le défilé, tandis que de violentes chutes d'eau s'y précipitaient du haut des parois rocheuses. Le tout ne dura pas plus de dix minutes. Vingt-deux touristes françaises accompagnées d'un prêtre se trouvaient à mi-chemin dans la gorge. Vingt femmes et le prêtre se noyèrent, deux seulement parvinrent à se sauver.

L'histoire de Pétra est restée en grande partie obscure. On sait que des peuples variés, dont on n'a pas retrouvé de traces, s'y succédèrent, qu'elle fut conquise par les Hébreux, et que la Bible mentionne son existence. Mais sa splendeur, qui est l'œuvre des Nabatéens, une tribu de nomades arabes, date du Iᵉʳ siècle avant Jésus-Christ et du siècle suivant. Pétra était donc au faîte de sa gloire quand se déroulèrent les événements racontés dans l'Évangile. C'est à la domination des Nabatéens, qui s'étendait jusqu'à Damas, que l'on doit les monuments dont l'aspect mystérieux impressionne le visiteur. Pétra était située sur le passage des caravanes qui se rendaient de la mer Rouge à la Méditerranée. Dans les premiers temps, les Nabatéens profitèrent de sa position pour piller et rançonner les voyageurs qui la traversaient. Une fois enrichis, ils donnèrent à leurs rapines une allure légale, établirent un péage et escortèrent les caravanes pour les protéger des autres pillards. La cité, enfermée entre des murailles d'une centaine de mètres de haut, sans autre entrée qu'une étroite ouverture, devint aussi un dépôt de marchandises. Des produits orientaux et africains : encens, épices, esclaves nègres, soies chinoises, perles, ivoires, étaient acheminés par caravanes de l'Arabie vers l'Égypte, Damas, Alep, Constantinople, et parvenaient jusqu'à Rome. Des personnages célèbres s'y arrêtèrent, de la reine de Saba à Cléopâtre. Pétra dut son déclin et sa mort, sous la domination romaine, au

Le Trésor, une importante tombe royale de style grec, a été construit au VIIᵉ siècle av. J.-C. : c'est l'un des monuments les mieux conservés de Pétra.

A la base des hautes roches qui entourent la cité et en font une forteresse naturelle, les anciens habitants ont sculpté la grande Tombe du Palais, appelée aussi Tombe à trois étages *(à gauche, sur la photo)*, et la Tombe Corinthienne *(au centre)*.

Les groupes de visiteurs, accompagnés de guides bédouins, progressent entre les vertigineuses parois rocheuses de la gorge d'Es Siq. Le lit du torrent qui coule dans le fond de la gorge était, à l'époque des Romains, une route pavée.

changement d'itinéraire des caravanes, qui remontèrent désormais l'Euphrate et firent, ainsi, la prospérité de Palmyre. Pendant la Première Guerre mondiale, Lawrence d'Arabie vint visiter la cité, sans bien la voir ni la comprendre, malgré ses connaissances universitaires en archéologie.

John Burgon, un poète anglais, a baptisé Pétra « la ville rose ». Bien que ce soit encore la définition dont se sert la propagande touristique, bon nombre de ceux qui ont écrit depuis sur Pétra s'en prennent à Burgon et ironisent sur le mot « rose ». Et chacun de pêcher dans son abondant vivier d'adjectifs chromatiques une vingtaine de mots pour en remplacer un seul. Ce qu'on appelle le Trésor est d'un rose vif, tout le monde l'accorde. Ce monument se trouve sur un petit emplacement situé avant la ville, à mi-chemin du défilé d'accès, et sa façade resplendit, au fond de la faille obscure, comme à l'extrémité d'une longue-vue. On débouche ensuite sur un espace élargi, et c'est la cité proprement dite, sorte d'amphithéâtre immense, cerné par un réseau de vallées et de défilés, et enserré dans le cercle des montagnes.

La pierre domine de façon absolue. La couleur de base est le rouge, qui, en certains points, s'éclaircit et devient vraiment rose, et, en d'autres, se concentre et vire au violet. Ajoutez des flammes d'ocre, des bandes jaunes, grises, blanches ou corail, qui donnent aux roches striées de teintes différentes un aspect d'agate. J'ai vu des couleurs semblables dans les cañons de l'Arizona, mais il ne s'agit pas là de l'œuvre des hommes; on y est en présence de la nature seule et non pas de l'histoire. A Pétra, disséminées parmi les rochers et comme aplaties sur eux, se dessinent de somptueuses façades, ornées d'arcs et de colonnades. Certaines sont groupées sur une même paroi; d'autres, dispersées, solitaires, se dressent au milieu des vallées escarpées ou au sommet de petits cols. Pour admirer l'une d'entre elles, appelée le Monastère, j'ai dû monter pendant plus d'une heure. Il faut une bonne semaine si l'on veut tout voir.

Le «tissu conjonctif» de la cité, sa logique topographique, ont disparu, et l'ensemble paraît produit par des rochers intelligents en des lieux choisis par le hasard. La ville contenait des tombes, des temples, des palais, des maisons, parfois difficiles à identifier. Les monuments les plus solennels sont probablement des tombeaux, ou des palais creusés dans des cavernes et destinés aux cérémonies funéraires. La ville des vivants n'est plus, et celle qui reste, c'est la ville des morts, avec un théâtre au centre de ce cimetière.

Quelle que soit leur destination première, ces édifices s'enfoncent dans la roche, qui est taillée et souvent ornée, de manière à former des pièces régulières. Mais l'art se concentre dans les façades, directement sculptées dans la roche vive, et de même couleur rouge, violette, dorée, que les parois. Somptueuses et purement décoratives, beaucoup sont restées presque intactes. Quelques-unes, érodées, conservent encore leur dessin et semblent avoir été fixées un instant avant de devenir fluides, comme si elles étaient vues à travers un miroir d'eau agitée, qui étire ou qui brise les lignes. Le style est celui que l'on définit comme hellénistique, et il unit aux apports grecs et romains, aux colonnes, aux arcs et aux tympans, des éléments égyptiens et des réminiscences mésopotamiennes. Des noms comme ceux de Palladio ou du Bernin viennent aussi à l'esprit, par des rapprochements incertains qui ont pour effet de nous rendre Pétra encore plus abstraite et lointaine.

Pétra est d'une extrême beauté, s'il est vrai, comme je le crois, que le beau est lié au surprenant, au merveilleux, à l'insolite. Sa beauté est funèbre, et j'espère qu'elle le restera. Personne n'y habite, excepté les gens de l'hôtel, et quelques Bédouins qui vivent dans des grottes fermées par des murs de pierre troués d'ouvertures étroites.

GUIDO PIOVENE.

Le fait semble incroyable, mais le gigantesque temple d'El-Deir, dont la façade mesure 45 mètres de large et à peu près autant de haut, a été taillé par l'homme à même le roc. Au premier plan de la photographie, des visiteurs donnent l'échelle du monument.

267

Une journée au Mont-Saint-Michel

Au point de rencontre de la Normandie et de la Bretagne, s'élève l'abbaye du Mont-Saint-Michel, citadelle et couvent, colosse millénaire dont la force le dispute à la grâce équilibrée. C'est Jacques Soubielle, rédacteur en chef de la *Revue du Touring Club de France*, qui présente ici ce prodigieux édifice.

Sous les grands arbres du jardin d'Avranches, comme depuis les pâturages marins de Genêts, le Mont révèle déjà son étrange et mystérieuse silhouette. Quand le ciel est gris, la mer est grise et l'horizon devient imperceptible. Alors l'îlot triangulaire semble flotter dans une brume pâle. Pourtant la lumière, si ténue qu'elle soit, suffit à établir d'aussi loin un relief sensible. Figée sous le ciel mouvant, la pyramide singulière intrigue, retient le regard et sollicite déjà l'imagination autant que la curiosité. Il est difficile d'apercevoir cet édifice sans céder au désir d'approcher. Aussi ne résisterons-nous pas.

A la sortie de Pontorson, le Mont est dans l'axe de la route, droite comme un I, que prolonge une digue par-dessus les sables. Cible que le voyageur vise tout au long du chemin, il grandit démesurément en un travelling que la vitesse d'approche rend plus impressionnant encore.

Bientôt l'on arrive au pied d'un fantastique agglomérat de hautes murailles bardées de contreforts.

On s'arrête, on regarde de tous ses yeux, ébahi, cette formidable citadelle corsetée de remparts épais, et dont la tête porte orgueilleusement une église, hérissée de pinacles, qui lance une flèche aiguë.

Depuis dix siècles et davantage, forteresse protectrice du sanctuaire, isolée au milieu des grèves, complètement cernée par les hautes mers, le Mont affirme, dès l'abord, sa mission et sa signification : la prière à Dieu sous l'aile salvatrice de l'Archange.

Franchies les portes sévères, franchies la barbacane et la porte du Roi, on entre dans l'unique artère de la petite cité.

Étroite et pittoresque, cette ruelle tourne et monte en spirale entre de charmantes maisons à pignon. Les aubergistes disputent la place aux boutiquiers, et les spécialités gastronomiques sont en concurrence permanente avec d'invraisemblables pacotilles cuivrées, audacieusement baptisées souvenirs, brillantes entre des céramiques criardes et des tourniquets de cartes postales.

Aux grandes marées, l'abbaye ressemble à un énorme navire immobile, mais c'est au milieu de bancs de sable qu'elle se dresse d'ordinaire; cet édifice a 80 mètres de haut et près de 900 mètres de tour.

Au bout de la rue le village se termine brusquement. On entre alors dans un décor d'interminables escaliers, coupés de paliers aux pavés ronds, de tours énormes, d'échauguettes, de chemins de ronde, de créneaux, de mâchicoulis, de galeries et de cryptes. Dans cent décors faits pour jouer *Hamlet*...

Dès que l'on pénètre dans tant de bâtiments enchevêtrés, incroyablement imbriqués, c'est un véritable festival de piliers qui, à profusion, s'épanouissent en palmes et composent des arcs qui s'entrecroisent en voûtes simples ou compliquées. Fûts cylindriques de l'aumônerie, d'une simplicité cistercienne, piliers énormes et cannelés du chœur de l'abbatiale, colonnettes maigres et polies du cloître si célèbre, piliers robustes et coiffés de chapiteaux du promenoir des Moines ou de la salle des Chevaliers, ou bien encore carrés et rudes comme ceux du Cellier. Quelle forêt de granit aux troncs si divers!

Et tant de salles splendides! Celles des Hôtes et des Chevaliers, aussi vastes — ou presque — que celles du palais des Papes en Avignon, ce qui n'est pas peu dire; celle de l'ancien réfectoire, couverte d'un ample berceau de bois, et celle des Gardes, voûtée d'ogives, d'autres encore qui montrent des cheminées monumentales et des chapiteaux finement sculptés...

Quel saisissement admiratif, quand on entre dans l'église dominatrice, au vaisseau roman qui s'achève en un chœur flamboyant! Certes, l'amateur d'archéologie peut en visitant ces monuments agglutinés satisfaire interminablement sa passion...

Il faudrait pouvoir, au risque de s'égarer, se promener en liberté, pouvoir détailler l'ornementation des écoinçons et des chapiteaux, flâner sur les chemins de ronde ou dans la cour claustrale, descendre par les rochers jusqu'à la chapelle Saint-Aubert posée au bord du vide, prendre le temps d'admirer tout à loisir, par chaque ouverture dans la muraille, le spectacle fascinant de la mer et de la grève immense.

A l'extérieur des remparts aux redans anguleux, on peut, aisément, faire à pied le tour du Mont. De chaque point du cercle que l'on décrit, on le découvre alors sous un aspect différent.

Par-delà l'enceinte, les maisons montent en ordre dispersé jusqu'aux portes de l'abbaye. Au-dessus d'elles, les murailles de la Merveille s'élancent splendidement comme des tuyaux d'orgue.

On passe au pied de dix tours rondes et puissantes, ourlées de mâchicoulis, percées de meurtrières où nichent des herbes fleuries agrippées au granit. Çà et là des arbres émergent de jardins secrets et, brusquement, du côté du large, les fortifications s'écartent largement pour laisser passer un bois touffu, imprévu et bien camouflé, qui dévale jusqu'à la grève...

Des nuages boursouflés encombrent le ciel immense, traversés de jets de lumière qui tombent obliquement sur les tangues et les illuminent fugitivement. Lorsque la mer s'est retirée, elles luisent jusqu'à perte de vue en une variété de gris raffinée. L'eau demeurée brille en sinuosités claires entre les ondulations du sable. Ailleurs, il apparaît mat, élément indéfinissable et inquiétant...

A travers cette étendue d'une platitude absolue, animée seulement par les vols de mouettes piaillardes, des rivières serpentines, chargées de scintillements, courent vers la mer en larges arabesques. Ici et là, une barque attend sur le flanc l'inéluctable retour du flot.

A moins d'une lieue, Tombelaine, rocher désert et broussailleux, est étendu, informe, comme une épave échouée. Tandis que, dans la lumière du couchant, l'ombre aiguë du Mont s'allonge démesurément...

Aux marées d'équinoxe la mer l'assiège, battant ses remparts, l'encerclant avec une violence entêtée mais inutile. L'île de Saint-Michel ressemble alors aux gravures anciennes qui la montrent portant son abbaye comme une châsse, au centre d'une mer déchaînée couverte de galères agressives...

Ci-contre : le promenoir des moines, au-dessus de la salle de l'Aquilon. Les visiteurs peuvent y admirer deux nefs dont les colonnes et les chapiteaux sont de pur style roman. A l'étage supérieur se trouvait le dortoir, de plain-pied avec l'église.

Ci-dessous : les contreforts de la Merveille. On donne ce nom à la puissante construction gothique, tout en granit, qui occupe la face nord de l'abbaye. Elle fut bâtie dans le premier tiers du XIIIe siècle.

Le Mont n'a jamais cessé d'attirer des multitudes de pèlerins et de touristes. La Grand-Rue *(ci-contre)*, aux échoppes colorées, est bordée par de charmantes maisons du XVe et du XVIe siècle.

Ci-dessus : le Mont-Saint-Michel à marée basse. Sur près de 15 kilomètres, une immense étendue de sable et de vase est mise à nu par le retrait des flots; dans cette baie l'amplitude des marées est la plus considérable de France. Quant à la vitesse des eaux, elle atteint celle d'un cheval au galop.

Ci-dessus : à l'intérieur de l'église gothique, l'escalier de dentelle, chef-d'œuvre d'élégance et de grâce, est taillé dans un des arcs-boutants; il donne accès à une galerie qui, à 120 mètres au-dessus de la mer, fait le tour de la toiture du chœur de l'église.

Ci-contre : la crypte de l'Aquilon; cette superbe salle, partagée en deux par une rangée de colonnes, fut l'aumônerie de l'abbaye romane. Elle est située au nord, d'où son nom d'Aquilon.

Car l'histoire du Mont est emplie d'assauts anglais, de ruses huguenotes, de sièges interminables et de chocs d'escadres. De la guerre de Cent Ans à celles de Religion, la place forte fut sans cesse convoitée et assaillie. Mais jamais réduite.

Pendant un si long temps — et après — les moines bâtirent sans cesse. Alors le rayonnement de l'abbaye, édifiée selon la volonté de l'Archange, s'étendit à travers l'Occident. Les pèlerins d'Irlande et d'Espagne, d'Italie et de Flandre s'y dirigeaient par milliers tout au long de routes dangereuses, louant Dieu et le « cher seigneur saint Michel »...

« Monument de rêve, bijou monstrueux, grand comme une montagne et ciselé comme un camée », écrit Maupassant.

Oui, vraiment, quel prodigieux spectacle que cet entassement d'édifices si chargés d'histoire et d'histoires, et quelle extraordinaire promenade que celle qui conduit à travers le dédale des galeries et des salles superposées qui s'ouvrent, étonnamment, sur des jardins suspendus, des panoramas marins, des chaos rocheux et des précipices...

Pour ce rocher porteur de tant de chefs-d'œuvre, ancré au fond de sa baie grande ouverte sur la Manche, tous les superlatifs admiratifs pourraient être justement utilisés. Mais comment décrire, en vérité, ce que Hugo se contentait d'apprécier comme « le plus beau lieu du monde » !

Il faut le voir, y demeurer des heures et même, si on le peut, y passer une nuit. Alors seulement, gorgé d'inoubliables sensations, on conviendra, sous l'épée brandie de l'Archange doré, que ce « monument de rêve, bijou monstrueux » ne cessera jamais de nous émerveiller...

JACQUES SOUBIELLE.

Le Mont-Saint-Michel est aussi une forteresse : l'abbaye est protégée par de magnifiques remparts, qui ceinturent presque entièrement l'île et où s'insèrent huit tours. *Ci-dessous* : la puissante tour Gabriel, qui se dresse à l'ouest, entre le ciel et l'eau.

A la poursuite des grands fauves

Traquées par l'homme depuis l'aube des temps, exterminées par races entières,
les bêtes sauvages possèdent encore un havre de paix : c'est l'Est africain,
qui constitue pour elles une immense réserve. Là, sur les hauts plateaux, à travers la
brousse et la forêt, dans les eaux des fleuves et des lacs, les fauves sont chez eux.

Timbres-poste représentant des rhinocéros ou des léopards, monnaie frappée à l'effigie du lion, la griffe de l'Est africain, c'est celle des grands fauves. Ils sont chez eux dans cette brousse des hauts plateaux de l'équateur, fondus dans le paysage : tache fauve du lion tapi, tache sombre du rhinocéros trottant de ses quatre courtes pattes, extraordinairement véloces, qui propulsent sa tonne de chair immangeable au ras des herbes, taches brunes des cobes (variété d'antilopes) qui gambadent en faisant rebondir leur croupe curieusement neigeuse, masses tranquilles des éléphants qui balancent leur trompe comme un arbre sa cime.

Le bus Volkswagen qui nous voiture s'approche d'une harde de lions en train de faire la sieste. Le roi des animaux ne bronche pas; il sait ce que sont les automobiles : inoffensives et incomestibles, donc sans intérêt. Et cette indifférence nous vaut d'observer un quart d'heure d'intimité royale. Sa Majesté manque singulièrement de tenue : elle est là, allongée au soleil, l'air d'un gringalet hydropique avec son ventre proéminent. A ses côtés, la lionne, renversée sur le dos, fait sa ribaude pour attirer l'attention de son royal époux. Lui n'en a cure, il prend son air «lion de la Metro Goldwyn Mayer», se redresse sur ses deux pattes de devant et bâille formidablement. A cet instant-là il est vraiment le roi, et l'on ne regrette pas d'être à l'intérieur d'une voiture, sinon on détalerait. Pourtant, ce n'est pas ce qu'il faut faire, disent les *white-hunters* (chasseurs-guides des safaris) : si l'on se trouve nez à nez avec un lion, le seul moyen d'avoir une chance d'en réchapper est de rester immobile en fixant le lion droit dans les yeux; il se peut qu'il soit alors déconcerté et s'en aille...

Bientôt le lion enverra sa compagne chercher de la viande fraîche, car c'est un consommateur! Il peut engloutir 30 kilos de viande en une seule fois et il tue environ 80 bêtes par an pour ses seuls besoins personnels, tout au moins à l'état adulte, car les jeunes lionceaux, eux, se font la main en tuant une bête tous les trois jours. Il s'attaque parfois aux porcs-épics, il cueille en l'air des cailles, il lui arrive même de casser à coups de dent la carapace des tortues pour les dévorer. Il croque aussi des termites, des fruits, des cacahuètes, du bois pourri, n'importe quoi, en somme...

Le crocodile n'est vraiment chez lui que dans l'eau du fleuve; il ne va sur la terre ferme que pour dormir au soleil. Cet animal sait se glisser dans l'eau sans le moindre clapotis.

La girafe est l'animal des grands espaces. A la différence des autres espèces africaines, elle n'est pas menacée de disparition.

Il est même cannibale à ses heures, et un lion blessé ou vieux finit souvent ses jours sous la dent de sa progéniture. Pour éviter cette sinistre fin, le lion qui sent ses forces décroître quitte la harde et s'en va tristement, tout seul.

Un peu plus loin, changement d'atmosphère, des girafes se promènent d'une allure un peu snob. De temps en temps, elles s'immobilisent et se font des mignardises délicates d'amoureux à la rose, leurs longues têtes fines se frôlent et se caressent dans l'azur du ciel.

On a l'impression de pénétrer dans une zone préservée, une zone de paix et de calme lorsqu'on s'approche des éléphants. Là où ils se trouvent, c'est comme s'il y avait un gendarme : les lions se donnent l'air encore plus paresseux qu'à l'ordinaire, les léopards essaient de se faire prendre pour de gros chats et les buffles se font pataudes. Car les éléphants n'aiment pas que l'on se tue ou que l'on s'étripe autour d'eux, et comme leur avis a du poids... Pour leur part, en honnêtes végétariens, ils se contentent de tondre l'herbe et d'effeuiller les acacias sans chercher noise à quiconque. Des aigrettes, des pique-bœufs se servent de leur vaste dos comme d'une plate-forme de porte-avions et y restent juchés, cornacs bariolés. Entre les pattes des pachydermes, les gazelles, sans crainte, viennent tirer des brins d'herbe. Franchement, elles exagèrent! Aussi bien, de temps en temps, un barrissement ou un coup de patte s'impose. Bourru mais pas méchant.

Le soleil est au zénith, et, en dépit de l'altitude (presque tout l'Est africain se trouve entre 1 200 et 2 500 mètres), la chaleur est lourde. Les animaux se promènent avec indolence comme dans un film au ralenti du premier jour de la création. Les éléphants s'en vont d'un pas tranquille vers la rivière, où interminablement ils vont faire leur hydrothérapie en attendant que tombe la chaleur.

Cela c'est la vie quotidienne de toutes les réserves de l'Est africain, et chacun peut l'observer à loisir. Le décor? Une herbe couleur fauve qui court jusqu'à l'horizon, ponctuée de loin en loin par un acacia vert tendre ou un épais baobab qui lance ses branches décharnées vers le ciel dans une supplication affolée (d'après les indigènes les baobabs sont des arbres arrachés par la main du diable et replantés les racines en l'air). Parfois, dans le lointain, un incendie de brousse tend un épais écran de feu et de fumée : il brûlera quelques heures ou quelques jours puis s'éteindra de lui-même, arrêté par une rivière ou une pluie.

Car l'Est africain, c'est aussi la région des lacs et des grandes pluies équatoriales. En Ouganda, un sixième de la superficie totale du pays est recouvert par les eaux du lac Albert, de l'immense lac Victoria (80 000 km²) et du Nil qui, dès sa source (le Nil blanc est l'émissaire du lac Victoria), est plus large que la Seine à Rouen. Une croisière sur le Nil près des chutes Murchison est une fête incomparable pour le chasseur d'images. Un peu partout on voit des troncs d'arbres racornis; en plan rapproché ce sont des crocodiles. Des bancs d'hippopotames se laissent dériver avec le courant. Figure étrangement humaine des hippopotames quand seul le haut de leur tête et leurs bons gros yeux tristes affleurent! Mais qu'ils se mettent à bâiller caverneusement et la ressemblance s'efface : ils sont vraiment trop prognathes!

Les eaux du Nil traversent le nord du lac Albert avant d'engager leur longue descente vers la Méditerranée.

De-ci, de-là flottent des îles où les arbres pourris ont l'air de mâts sans voilure avec, perché sur une branche, un gabier en grande tenue : un agile pêcheur, tête et jabot blancs, plumage de jais.

Le Kenya est fendu en deux par un gigantesque coup de sabre, la grande dépression du Rift Valley, et en son creux se trouvent encore d'autres lacs : le lac Rodolphe, le lac Nakuru et le lac Manyara. Quand on découvre le lac Nakuru, la moitié de sa surface est rose, car un million de flamants s'y donnent rendez-vous. Ils sont alignés comme pour la parade. A une extrémité, les rangs sont rose vif, à l'autre, ils sont

Ci-dessus : buffles à l'arrêt. Ces puissants mammifères aiment les forêts humides et marécageuses, où ils se tiennent toujours en troupeaux.

Ci-contre : un gnou part au galop. Il s'agit d'une espèce d'antilopes particulièrement farouches qui vivent en troupeaux. Si ces animaux ont à peu de chose près un arrière-train de cheval, leur tête évoque plutôt celle du bœuf.

Ci-dessous : un lion aux aguets. Ce roi a un appétit exigeant; il lui faut, pour son ordinaire, quatre-vingts bêtes par an, sans compter des termites, des fruits, des cacahuètes, du bois pourri, et autres friandises...

Le rhinocéros d'Afrique a un gabarit qui est extrêmement impressionnant : 3,50 m de long et 1,70 m de haut. Essentiellement nocturne et sédentaire, cet animal aime la solitude. La boue est son élément préféré. Il se nourrit de végétaux ligneux.

presque blancs, car, spontanément, ils se groupent par classes d'âge. Que l'on s'approche un peu plus près et le bel ordonnancement se défait, la masse rose s'effiloche vers le ciel et c'est un magnifique déploiement noir et rouge (couleurs de la «doublure» des ailes des flamants roses), dans un concert étourdissant de cris et de battements.

De chaque côté du Rift Valley se trouvent les fameux grands boursouflements volcaniques du Rouenzori à l'ouest (5 000 m) et des monts Kenya (5 200 m) et Kilimandjaro (5 900 m).

Le Kilimandjaro, que la reine Victoria donna jadis à son parent le Kaiser en faisant une corne dans la carte du Kenya, est presque toujours encapuchonné de nuages comme un mystérieux Olympe.

Quant au mont Kenya, pic de glace dressé sous l'équateur, on peut l'admirer de la terrasse du fameux Treetops Hotel. Mais la principale attraction du Treetops c'est lorsqu'à la tombée du jour les bêtes sortent de la forêt pour aller à la mare qui se trouve au pied de l'hôtel. Alors, deux puissants projecteurs s'allument, et l'on s'installe dans un des confortables fauteuils de la terrasse pour passer une partie de la nuit à regarder s'ébattre les éléphants, les rhinocéros et les buffles. A un fauteuil voisin un maniaque tend le bras par-dessus la balustrade; dans le creux de sa paume brille le micro d'un magnétophone : les bandes de cris d'animaux qu'il enregistrera iront mettre de l'ambiance dans les soirées de Düsseldorf! Quelques fauteuils plus loin une dame anglaise à longue figure d'algue écoute grogner les rhinocéros et, les yeux clos, rêve d'amours sauvages en exhalant délicatement un nuage de fumée.

L'échantillonnage d'humanité que l'on rencontre dans les safaris-lodges (bungalows-hôtels très confortables situés dans les réserves) et les hôtels de l'Est africain est très ouvert. Cela va du quarteron de college-girls fortunées en cours de tour du monde au couple de retraités s'offrant le grand voyage de leur vie au pays de l'éternel été. A côté de ces dilettantes, il y a les chasseurs ou les observateurs, tel ce professeur d'Édimbourg qui en était à son dixième séjour au Treetops : il note à chaque fois de nouveaux détails concernant la vie de ses chères bêtes féroces. Ruineuse passion! Et puis il y a tous ceux qui sont établis à demeure sur cette terre d'Afrique : 65 000 Européens au Kenya, 20 000 en Tanzanie, 10 000 en Ouganda. Ceux qui vivent au Kenya sont particulièrement contents de leur sort. « C'est presque aussi bien que l'Inde d'avant l'indépendance, m'a dit un ancien colonel de l'armée des Indes. Dans mon travail, les dirigeants africains auxquels j'ai affaire sont raisonnables et, souvent, très intelligents. Mes enfants ont des possibilités d'éducation tout à fait convenables. Et puis... comment quitter un pays pareil? Onze mois de soleil par an, de vastes étendues libres. Tout cela n'existe plus nulle part ailleurs! » D'autres ont moins bien accepté la transition, telle lady Hamilton que nous avons rencontrée dans une ferme isolée où elle vit, près du lac aux flamants, Nakuru. Cette grande dame des beaux jours de la colonisation accepte fort difficilement de vivre dans un pays maintenant dirigé par l'ancien chef des Mau Mau, même s'il s'est assagi depuis lors. Elle se console en écrivant l'histoire du Kenya, de ce pays qui fut jadis la colonie préférée des Anglais. Et elle reste aussi.

Et les Africains? Curieusement ce sont eux que le touriste découvre en dernier, tant les circuits touristiques sont presque exclusivement « blancs ». Pourtant, comme tous les habitants des savanes, les Africains se déplacent énormément, mais à pied. Rien n'est plus fascinant à cet égard que les pistes de l'Ouganda, qui ressemblent à ce qu'est une grand-rue dans un village de France, une grand-rue qui mesurerait 500 ou 1 000 kilomètres. Tout le long du chemin il y a des théories d'hommes en short et de femmes vêtues de magnifiques pièces d'étoffe aux couleurs vives, qui cheminent interminablement. D'où viennent-ils? Où vont-ils? Peut-être vers une case cachée sous les bananiers, 30 kilomètres plus loin.

De temps en temps, on rencontre des vieilles femmes assises au bord de la route.

Comme les commères un soir d'été, elles papotent et regardent passer les rares voitures en faisant de grands gestes d'amitié. D'un nuage de poussière sort un long Noir, vêtu d'un vieux complet fatigué, qui pédale mélancoliquement sur une bicyclette aux pneus crevés. Sur son porte-bagages, une vieille valise de carton bouilli mal ficelée qui oscille à chaque tour de roue. Un autre migrant...

Certaines tribus constituent une des principales attractions touristiques de l'Est africain. Au premier rang, les Masaïs. Cette tribu a longtemps dominé l'Est africain, car en dépit de leurs visages d'androgynes ce sont de redoutables guerriers. Très grands (entre 1,80 m et 2 m), longilignes, les épaules étroites, ils ont très fière allure dans leurs vêtements ocre ou rouge passé qui laissent dégager une jambe musclée. Aujourd'hui encore, ce sont les seuls à s'aventurer sans armes à feu dans les plaines fréquentées par les lions. Il est vrai qu'ils ont de l'entraînement puisque, tout jeunes, ils s'amusent à attraper les lions par la queue avant de les tuer! Mais les Masaïs s'amusent de moins en moins, et, drapés dans leurs guenilles, ils regardent avec mépris s'édifier un monde qui leur supprime leur raison de vivre, qui était de tuer.

Le braconnage des Masaïs constitue un problème, car pour une bête abattue régulièrement (au cours d'un safari autorisé) trois sont braconnées. Principales victimes : les éléphants, dont l'ivoire se revend très cher, et les rhinocéros, dont la corne sert à fabriquer des aphrodisiaques destinés à l'Extrême-Orient. Les autorités s'efforcent de lutter contre le braconnage par des sanctions très sévères. Un descendant des Habsbourg établi en Tanzanie pense qu'il y a un autre moyen. Jadis grand chasseur, il veut maintenant défendre ces fauves qu'il a longtemps traqués. « Les Africains tuent les bêtes parce qu'ils sont pauvres et affamés. C'est sur cette cause qu'il faut agir. Et le meilleur moyen de faire disparaître la pauvreté et la faim, c'est de développer encore davantage le tourisme au Kenya, en Tanzanie et en Ouganda, d'en faire un tourisme de masse. C'est à quoi je m'emploie. Plus il y aura de touristes, plus il y aura de fauves. Et plus il y aura de fauves, plus il y aura de touristes. L'essentiel est de bien amorcer la pompe. »

J.-C. Lamy.

Extraordinairement prudent, le zèbre doit de survivre à son agilité. Sa robe porte des rayures noires, sauf sur le ventre et sur la face interne des cuisses.

Un hippopotame émerge de l'eau. Fort bien adapté à la vie aquatique, ce pachyderme est pataud dès qu'il évolue sur la terre ferme, après la tombée de la nuit. Son poids varie de 3 à 4 tonnes pour une hauteur au garrot de 1,50 m; il traîne son ventre sur le sol.

De longues cornes fines en forme de lyre, un pelage couleur de sable, une élégance naturelle, c'est la gazelle, dont la vélocité est légendaire (une fois lancée, elle atteint jusqu'à 70 km/h).

Une famille d'éléphants. Moins grand qu'on ne le croit (sa taille moyenne est, en Afrique, de 3,50 m), l'éléphant adulte pèse de 5 à 7 tonnes. Bien qu'il n'ait qu'une faible capacité crânienne, ses sens sont fort perfectionnés.

Promenades en gondole

Rapide, robuste, racée, la gondole symbolise Venise et la magie de ses canaux.
Depuis des siècles le gondolier enrichit le folklore de la cité des eaux : il transporte
avec une merveilleuse agilité citoyens sérieux à leurs affaires
et amants passionnés qui se sont donné des rendez-vous secrets.

Ce bateau est si parfaitement adapté à la nature de cette ville qu'il est difficile d'imaginer Venise sans gondoles. On dit que l'origine en est turque, et il y a certainement quelque chose dans sa grâce et son allure hautaine qui rappelle la Corne d'Or, le sérail, les odalisques et les pachas. La gondole n'est pas non plus sans rapport avec les bateaux de Malte. Pour ma part, je trouve étrange que dans le monde moderne ce mot ne s'applique qu'à trois choses : une sorte de fourgon de chemin de fer américain, la cabine suspendue à un aéronef et le véhicule favori des Vénitiens.

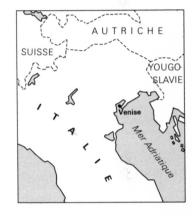

La gondole est construite uniquement sur les chantiers de Venise, qui se trouvent coincés dans la fumée et l'imbroglio des canaux extérieurs. (Si vous êtes disposé à y mettre le prix, certains de ces chantiers acceptent aussi de vous construire de ravissants modèles réduits tout à fait exacts.) La gondole est fabriquée avec plusieurs espèces de bois — chêne, noyer, cerisier, orme ou sapin — suivant un plan tarabiscoté qui a été perfectionné par d'innombrables modifications. Les premières gondoles étaient des embarcations beaucoup moins ambitieuses : d'après les vieilles maquettes, leur forme était caractérisée par l'habitude assez gauche de faire un pontage qui dépassait le bordage. Le modèle actuel a été si parfaitement adapté aux besoins de la ville qu'on dit que, même à marée basse, il n'y a que deux endroits où une gondole ne peut pas passer : l'un près du théâtre de la Fenice, l'autre près de l'église San Stae.

La gondole est extrêmement solide. Un excentrique épris d'aventure est allé une fois jusqu'à Trieste avec une gondole et huit hommes d'équipage. J'ai vu, un jour, une gondole dont les bordages avaient été arrachés dans une collision et qui flottait encore très bien. J'en ai vu une renflouée au bout de plusieurs mois qui, restaurée en quelques jours, est redevenue luisante et parfaite. Et si jamais vous faites remorquer votre gondole par un bateau à moteur, et si vous vous lancez ainsi à travers la lagune, la proue haute et les embruns salés volant vers vous, vous verrez que les violentes gifles de l'eau sur le ventre de votre bateau sont inoffensives et vous comprendrez que votre gondole est aussi solide qu'une vieille locomotive.

Elle peut aussi être rapide. Un jour, j'ai eu bien du mal, avec mon bateau à moteur, à tenir tête à une gondole qui s'entraînait pour les régates, au-delà de San Giorgio. Deux gondoliers peuvent sans effort conduire deux passagers de Venise à Burano, soit pas loin de dix kilomètres, en moins de deux heures.

Sur la proue de la gondole se détache le *ferro* dont le dessin rappelle une clé. Les six dents que l'on remarque sous le fer en forme de hache à l'avant de la gondole représentent les districts de la cité.

La gondole moderne n'a pas souvent de *felze*, cette petite cabine noire qui, aux yeux des poètes du monde entier, contribue beaucoup à donner à l'embarcation son aspect mystérieux. Mais elle a encore d'épais tapis, elle est garnie d'hippocampes en cuivre, de coussins; ses avirons sont bariolés, et une épaisse couche de vernis noir la recouvre. Les gondoles sont noires depuis le XVIe siècle, conformément à une ordonnance des lois somptuaires. Il arrive pourtant les jours de régates qu'on en voie une d'un bleu éclatant ou d'un jaune criard. Toutes les gondoles sont semblables, sauf quelques modèles plus grands, qui servent de bacs, et un petit modèle de course. Elles ont des mesures standards : onze mètres de long, un mètre cinquante de large. Elles sont construites exprès de façon dissymétrique, pour tenir compte du poids de l'homme qui rame à l'arrière, ce qui fait que, si vous tiriez un trait imaginaire au milieu du bateau, l'une des moitiés serait plus grande que l'autre. Elles n'ont pas de quille et leur poids est d'environ cinq cent quatre-vingt-dix kilos.

A la proue se trouve le *ferro*, pièce d'acier souvent fabriquée dans les collines de Cadore, qui porte six dents tournées vers l'avant, une vers l'arrière et se termine par une lame en forme de trompette. Beaucoup de gens trouvent cet emblème infiniment romantique, mais personne ne sait réellement ce qu'il représente. Certains disent qu'il descend de la proue des galères romaines, d'autres que c'est une hache de justice. D'autres encore croient qu'il reproduit la clé symbolique que l'on voit sur les bateaux funéraires des Égyptiens. Les gondoliers, eux, ont des théories plus simples. Tous admettent généralement que les six dents tournées vers l'avant représentent les six districts de Venise, mais ils sont en désaccord complet sur tout le reste. Le sommet représente un chapeau de doge, une hallebarde vénitienne, un lis, la mer, le pont du Rialto. La dent arrière est la Piazza, la Giudecca, le palais des Doges, Chypre. La bande de métal qui descend est interprétée parfois comme le symbole du Grand Canal ou celui de l'histoire de Venise. De temps en temps aussi, et cela est bien vénitien, le *ferro* n'a que cinq dents avant au lieu de six, et il y a là matière à une torturante reconsidération de tout le problème. Et si vous arrivez jamais à établir la signification exacte de ce symbole, il vous restera encore à décider de l'intérêt pratique de la chose : sert-elle à évaluer la hauteur des ponts, de balancier pour le bateau ou de simple ornement? En somme, le ferro est un emblème très discuté.

Une gondole coûte environ cinq cent mille lires — c'est-à-dire quatre mille deux cents francs — payables à tempérament. Toutes les trois semaines, plus souvent en été, elle doit retourner au chantier pour être grattée et débarrassée de ses algues, puis goudronnée de nouveau. Les gondoliers restant longtemps sans travail pendant les mois d'hiver, les tarifs sont forcément élevés et, de temps à autre, la coopérative des gondoliers annonce, dans un grand déploiement d'affiches à sensation, la prochaine disparition de la dernière véritable gondole, à moins que la municipalité ne relève les tarifs. Au XVIe siècle, il y avait dix mille gondoles à Venise. Aujourd'hui, il en reste environ quatre cents. Mais un voyage en gondole est la première chose que l'on fait en arrivant à Venise et, comme elles sont à elles seules un véritable spectacle touristique, il est peu probable qu'elles disparaissent complètement.

Même du point de vue de la stricte commodité, la gondole est encore utile aux Vénitiens, car ils en ont onze qui servent de bacs pour le Grand Canal, dont trois circulent toute la nuit (elles sont pourvues de jolis abris, gentiment décorés de verdure et de lanternes chinoises, où l'on voit des gondoliers qui, leur travail terminé, se prélassent pendant leur temps libre, engageant parfois des discussions sans fin

Si les gondoliers restent fidèles au maillot rayé, ils délaissent peu à peu le chapeau de paille. Une heure de gondole coûte 10 francs. La sérénade se paie en plus.

Un groupe de touristes sur le Grand Canal. Les poteaux rayés servent à amarrer les gondoles. *A l'arrière plan :* les dômes de Santa Maria della Salute.

Trois *ferri* se détachent sur les eaux du bassin Saint-Marc. Jadis, Venise comptait 10 000 gondoles. Il n'en reste plus que 400. Mais tant qu'il y aura des touristes, il y aura des gondoliers.

On voit malheureusement de moins en moins de décorations semblables à celle de cet accoudoir se terminant en cheval marin.

ou s'amusant avec les chats abandonnés. Le gondolier est un élément essentiel de l'âme de Venise. « Le gondolier, dit un manuel édité par la ville, ne peut demander, même à titre de pourboire, un tarif plus élevé que celui qui est indiqué sur la notice qui doit être affichée dans sa gondole. » Mais il est merveilleux de voir de quelles inventions il est capable pour augmenter ses ressources et le prix qu'il fait payer ses trouvailles variées, son imagination fertile en renseignements extravagants, sa connaissance approfondie des jours saints et des vieilles coutumes, ses improbables anecdotes historiques et ses yeux bleus qui se font si persuasifs lorsque enfin vous atteignez la gare.

Pour ma part, j'accepte de payer un petit supplément pour le plaisir d'admirer son adresse. Au premier abord, la gondole vous fait l'effet de ressembler à une guêpe et elle vous paraît légèrement sinistre; mais vous êtes vite converti et ne tardez pas à reconnaître qu'elle est le plus extraordinaire moyen de locomotion connu, exception faite peut-être de l'avion à réaction. Chacune, dit-on, a sa personnalité propre, qui tient parfois à quelque minime variation dans le travail du bois ou dans les accessoires. Le gondolier joue en virtuose sur ce thème délicat. Il a quelques belles attitudes, surtout lorsqu'il est peint par Carpaccio, vêtu de ses pantalons collants à rayures, en équilibre sur une poupe dorée. Il a en particulier un mouvement doux et glissant, pour faire prendre au bateau les tournants difficiles, qui, pour moi, évoque irrésistiblement un virage à skis : la position des pieds rappelle celle d'un danseur de ballet, les orteils tournés vers l'extérieur; l'aviron est levé à hauteur de la taille, le corps est penché souplement dans la direction opposée à celle du virage. Et la gondole tourne avec un sifflement et un mouvement d'oscillation, pendant que le gondolier se tient fier et tranquille sur la poupe.

Lorsqu'il fait une manœuvre de ce genre, il lance une série d'avertissements gutturaux et violents, qui font penser aux appels fatigués des vieux oiseaux de mer. Durant son séjour à Venise, ces cris impressionnèrent Wagner au point de lui suggérer (c'est du moins ce qu'il croit) les gémissantes sonneries du célèbre solo de cor anglais du troisième acte de *Tristan et Isolde*. Ils sont tellement le cri du cœur de Venise que, pendant le black-out des deux guerres mondiales, les piétons l'avaient adopté à leur tour pour avertir de leur passage aux coins des rues dangereuses. Les mots essentiels de cet appel sont *premi* et *stali*, « gauche » et « droite », mais il est difficile de savoir comment ils sont employés.

Les gondoliers paraissent avoir aujourd'hui modifié leurs cris. J'ai souvent entendu les vieux appels, mais il me semble que, généralement, le gondolier moderne pousse simplement un « *Oi !* » et j'en connais un tout à fait à la page qui, tout en se balançant du Grand Canal au rio San Trovaso, a l'habitude de porter les doigts à sa bouche pour émettre un sifflement rauque mais très efficace.

Il n'est pas du tout facile de se servir d'une gondole. Le retour de l'aviron est presque aussi pénible que le coup d'aviron lui-même, parce que la pelle doit être maintenue sous l'eau pour que le bateau reste droit, et l'habileté de la manœuvre, surtout en cas de danger, dépend de la rapidité du mouvement de l'aviron dans les tolets compliqués (ils font penser à la branche fourchue provenant d'une forêt pétrifiée). Si vous voulez voir un exemple de cette adresse, restez donc dix minutes à un des arrêts — *traghetto* — du Grand Canal et observez les passeurs à l'ouvrage. Ils opèrent avec un ensemble merveilleux, deux par gondole, liés par quelque discipline surnaturelle. Ils amènent leur bateau au ponton avec un mouvement plein d'élégance, retirant d'un coup sec les avirons des tolets pour les utiliser comme freins, et ils viennent à quai dans un grand remous d'eau, tout en jetant vers les spectateurs de la berge le regard engageant d'un acteur qui attend les bravos.

JAMES MORRIS.

Un jeune gondolier devant son esquif dans un canal retiré de Venise. Tous les gondoliers tiennent du bateleur tant par leur habileté que par les cris surprenants qu'ils émettent pour se frayer un passage.

Là, ce ne sont pas des gondoles, mais des bateaux utilitaires qui transportent fruits et légumes au marché du Rialto, dans le quartier le plus ancien de la ville. Aucun endroit n'est plus propice à la compréhension de la vie vénitienne.

Superbe, la proue de cette gondole encadre un bateau moins gracieux. Le gondolier n'est pas un rameur ordinaire; l'équilibre délicat de son esquif exige une habileté toute particulière, et il le manœuvre avec l'élégance d'un danseur de ballet.

La passe de Khaïber, porte de l'Inde

Voie d'invasion pendant des siècles, la passe de Khaïber, reliant Kaboul à Peshawar,
fut également la route des échanges commerciaux entre l'Asie centrale et l'Inde. A présent,
ce défilé est traversé par une route moderne et une voie de chemin de fer, mais ces marques
de civilisation n'ont rien changé à l'hospitalité des tribus indigènes ni à leur férocité.

Le jour se levait à peine sur Rawalpindi, et la diane résonnait au loin dans le cantonnement, quand Youssouf, notre chauffeur, vint nous prendre, ma femme Inge et moi, pour nous conduire à Peshawar et au col de Khaïber.

Le long de la grand-route, la campagne était déjà éveillée. A l'est, le soleil teintait de rose les collines et faisait briller les arêtes des montagnes. Des cyclistes, vêtus de vieux imperméables militaires, la bouche couverte de foulards bigarrés pour se préserver de l'air froid du matin, nous croisaient, en groupes désordonnés, arrivant de lointains villages. Des autobus à impériale, retraités de quelque ville d'Angleterre, roulaient lourdement devant les casernes. Des paysannes en pantalons avançaient sur les bas-côtés, en balançant sur leur tête de longues gerbes de cannes. Conduits par des hommes dont on apercevait seulement les yeux sous l'amoncellement des couvertures brunes qui les enveloppaient, des chars à bœufs progressaient lentement sous leur énorme fardeau de paille. Ils bloquaient souvent la route, et Youssouf ronchonnait alors entre ses dents.

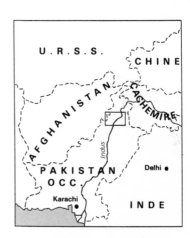

Bientôt le soleil s'éleva dans le ciel, faisant fumer sous ses rayons, comme des sources d'eau chaude, étangs et ruisseaux. Une brume légère, couleur d'abricot, monta des cimes neigeuses. Les fermes blanches se mirent à luire comme des dents d'ivoire sur les pentes lointaines des collines. Nous dépassâmes les ruines de Taxila, ainsi que des tumulus isolés, plus mystérieux encore; ils attendent le jour où des archéologues, se penchant sur les énigmes posées par cette route, chemin habituel des envahisseurs de l'Inde, dévoileront enfin les mystères des villes fondées par Alexandre au-delà du massif de l'Hindou Kouch.

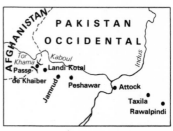

Ensuite, pendant des kilomètres, nous traversâmes une région montagneuse et mélancolique, brûlée par le soleil. Des hameaux grisâtres et désolés s'y élevaient çà et là, sous le grand ciel limpide. Chacun d'eux avait son cimetière, au milieu des champs alors dénudés par l'hiver. A la tête des monticules informes qui recouvrent les morts se dressaient des stèles ébréchées. Sur des tertres isolés, des oriflammes multicolores pendaient mollement au-dessus des tombeaux des *pirs* : c'est ainsi que

La route et le chemin caravanier vus du Landi Kotal, le sommet le plus élevé de la passe de Khaïber; les montagnes au fond appartiennent à la chaîne de l'Hindou Kouch, qui prolonge l'Himalaya.

Les Orientaux aiment marchander; les habitants de Peshawar ne font pas exception à la règle. *A gauche et ci-dessus :* deux aspects pittoresques de la ville un jour de marché. *En haut :* les ruines de Taxila, vieilles de deux mille ans. Autrefois centre culturel, ce lieu est devenu un site archéologique. La ville fut prise par Alexandre le Grand; elle devint prospère sous l'empire d'Asoka, puis les Huns la dévastèrent. On trouve parmi les ruines des stupa bouddhistes, édifices abritant les reliques.

les adeptes de la mystique des soufis désignent leurs saints, qui sont vénérés par les musulmans de ces collines, comme leurs ancêtres adoraient les esprits de la terre.

Deux heures après avoir quitté Rawalpindi, nous atteignîmes une chaîne de petites collines aux roches noirâtres, encore luisantes de rosée. Dans les replis du terrain apparaissaient, à mesure que nous avancions, des tombes musulmanes, aux dômes recouverts de mousse.

Après Attock, où vécurent jadis les occupants de ces tombeaux, nous passâmes l'Indus sur le pont suspendu, gardé par des hommes en uniforme kaki, la baïonnette au canon de leur carabine. Cette traversée de l'Indus à Attock, sur le chemin des grandes invasions, a toujours été étroitement surveillée au cours des siècles. C'est ici qu'Alexandre franchit le fleuve sur un pont de bateaux. C'est ici également que, plusieurs siècles plus tard, Tamerlan passa avant d'aller mettre Delhi à sac. Le Grand Mogol Akbar avait compris l'importance stratégique de ce chemin par où était arrivé son propre ancêtre Babur lorsqu'il avait entrepris la conquête de l'Inde ; aussi fonda-t-il là, en 1581, la place forte d'Attock.

Avec ses hautes murailles crénelées percées de meurtrières, la forteresse d'Akbar se dresse toujours là, étendant les blocs massifs de sa maçonnerie jusqu'aux roches tendres des collines qui descendent en s'incurvant vers la rive du fleuve. Désignant d'un geste admiratif ces bastions indestructibles, Youssouf s'écria : « Même Pathans jamais prendre fort Akbar », rendant ainsi hommage à la valeur des Pathans, ces Afghans considérés comme les meilleurs des guerriers. Aujourd'hui encore, Youssouf, homme des collines, pense toujours que les plus importantes des guerres furent celles

Coucher de soleil sur un camp de nomades près de Peshawar. Les chameaux sont attachés, les tentes fermées en raison de la fraîcheur du soir. Quelques silhouettes de Pathans, avec leurs turbans caractéristiques, se reflètent dans la rivière.

que se livrèrent les tireurs d'élite des tribus des montagnes de l'Hindou Kouch.

A Attock, l'Indus est un fleuve large, très puissant, qui, depuis sa source dans les montagnes du Tibet oriental, a déjà parcouru des centaines de kilomètres à travers le Cachemire. Coupé de profonds et dangereux tourbillons, il coule, rapide et sombre, entre les rochers qui forment des grèves au pied des hautes falaises noires. C'est parmi ces passages périlleux et traîtres que Skylax, capitaine grec au service de Darius le Grand, réussit à faire voguer ses embarcations deux siècles avant qu'Alexandre traversât le fleuve. Skylax fut ainsi le premier Européen qui explora le subcontinent indien ; mais le seul monument à sa mémoire est une phrase dans les *Histoires* d'Hérodote.

Au-delà d'Attock, notre route vers Peshawar longeait le fleuve Kaboul, affluent de l'Indus qui se jette dans celui-ci peu avant le défilé. Le Kaboul est une large rivière qui coule tranquille entre des bouquets de saules et de petits champs en terrasses, pour déboucher dans la vallée de Peshawar, vaste oasis bordée par les contreforts des montagnes austères et grises qui la dominent. Nous trouvâmes là des taillis jaunissants, de vastes vergers où d'innombrables pommiers et poiriers avaient perdu leurs feuilles, cependant que des mandarines mûres brillaient au milieu d'un feuillage toujours vert.

Enfin, Peshawar profile à l'horizon sa silhouette de ville asiatique, se détachant nettement sur la chaîne des montagnes, avec ses minarets dressés comme des doigts de pierre au-dessus des dômes trapus et des rectangles brisés des toits plats. Nous ne fîmes que traverser les faubourgs enfumés, aux maisons de terre battue, et, contournant les bazars, nous pénétrâmes dans les vertes avenues du cantonnement.

A Peshawar, ce que nous voulions visiter, c'était le musée où sont réunies les célèbres sculptures du Gandhâra provenant des monastères dispersés sur les collines voisines. Dans un hall gothique et glacial, figés dans des attitudes hiératiques, des vieillards barbus, la tête surmontée de turbans blancs, se serraient autour de braseros au charbon de bois, au milieu des bouddhas et des bodhisattvas, ces adeptes de la religion bouddhique qui ont atteint un certain degré de perfection. Nous avançâmes entre les rangées de statues aux traits si fortement influencés par la sculpture grecque. Un interprète s'attacha à nos pas et nous conduisit jusqu'au cabinet du conservateur. Celui-ci, emmitouflé dans son pardessus, un gros châle de cachemire sur les épaules, était en train d'examiner à la loupe des monnaies d'or et d'argent disposées sur un plateau. Il nous accueillit avec le sourire étonné et heureux d'un homme que l'on délivre du mortel ennui de l'hiver, saison pendant laquelle les touristes intéressés à ses trésors se font rares. Il frappa dans ses mains, et presque aussitôt surgit l'un des vieillards à longue barbe, portant sur un plateau trois bols fragiles de porcelaine translucide où fumait un thé vert parfumé aux épices. C'est la boisson traditionnellement offerte par les Pathans, qui pour être des guerriers à la réputation féroce n'en sont pas moins de fervents antialcooliques.

Le conservateur nous guida ensuite à travers les salles, nous expliquant où les objets exposés avaient été découverts et comment certains d'entre eux avaient été sauvés de justesse de la ferveur iconoclaste des Afridis.

A côté des bouddhas de l'art du Gandhâra on voyait des chevaux en bois peint, sculptés par les kafirs, ces hommes à la peau curieusement blanche venus du massif de l'Hindou Kouch et qui célèbrent régulièrement chaque année, à l'époque des vendanges, des rites extatiques rappelant le cérémonial des fêtes bachiques de la Grèce antique.

Les Pathans travaillent la terre et sont, pour la plupart, des sédentaires. Les autres, comme ceux de la photo ci-contre, sont des bergers et pratiquent le nomadisme.

La place d'honneur, au centre du musée, était occupée par un coffret de bronze, assez grossièrement coulé et surmonté de personnages trapus représentant le Bouddha et ses disciples. Ce coffret est d'un intérêt passionnant par les indications qu'il donne sur les relations entre l'Est et l'Ouest à l'époque classique. C'était un reliquaire destiné à contenir un fragment des os du Bouddha. L'architecte grec Agésilas l'avait ouvré de ses propres mains et placé dans la grande pagode dont il avait dressé les plans pour le roi Kanishka, à Peshawar, au IIᵉ siècle de notre ère. La pagode de ce roi du Gandhâra était un vaste temple édifié en pierre sur une série de terrasses et

Sur la route poussiéreuse qui mène de Taxila à Peshawar, un groupe de voyageurs avance péniblement. Ils emportent avec eux tout ce qu'ils possèdent : vaches, veaux, ânes chargés des tentes et des couvertures, un chien. Les femmes portent sur la tête des paniers remplis d'ustensiles et de vivres. Bien que de nombreux Pathans revendiquent une origine juive, ils sont probablement de race turco-iranienne.

coiffé de toits en bois. L'ensemble s'élevait à deux cent trente-trois mètres : c'était l'édifice le plus haut de toute l'ancienne Asie. Les pèlerins venaient de loin, même de Chine, pour admirer ce splendide monument.

En sortant du musée, nous nous rendîmes au centre touristique local, afin d'obtenir le permis nécessaire pour entrer dans la zone tribale, qui s'étend entre Jamrud et la frontière afghane. Remontant en voiture, nous quittâmes alors Peshawar en direction du nord; nous passâmes près des vertes pelouses du campus universitaire, pour rejoindre la route du col de Khaïber.

Le point où les contreforts schisteux et arides de la chaîne commencent à s'élever au-dessus de la plaine est marqué par le fort de Jamrud. Surmonté de tourelles il se dresse là comme un grand vaisseau de pierre. Il a été bâti par Ranjit Singh, le roi sikh de Lahore, pour mettre Peshawar à l'abri des incursions des montagnards pathans. Au-delà du fort, à l'entrée de la zone tribale, une barrière baissée arrêtait les automobiles. La sentinelle qui la gardait nous pria de descendre de voiture et nous conduisit à une sorte de cabane, sur le bas-côté, où trônait, devant un gigantesque registre de cuir, un policier aux yeux bleus et au nez pointu. Il ressemblait à tous ceux que nous avions vus à d'autres postes frontières bien loin d'ici, en Andorre dans les Pyrénées, sur l'Himalaya aux Indes, au col de la cordillère des Andes au Pérou. Le préposé prit notre laissez-passer et, en échange, après avoir griffonné quelque chose sur son registre et demandé deux roupies, me tendit un bout de papier sale sur lequel étaient tracés, au crayon, des signes incompréhensibles. Puis il dit sèchement : « Retour avant cinq heures. Pas après. »

Les autorités pakistanaises ne peuvent en effet répondre de la sécurité d'un étranger qui se promène dans le défilé la nuit venue, à moins qu'il n'ait eu la sagesse de prendre, pour être protégé, un accord avec quelque membre influent de la tribu, promesse de protection qui, selon le code d'honneur des Pathans, oblige à venger tout dommage causé au voyageur.

La vieille Ford se hissait péniblement le long des monts arides et rocailleux. Mais elle devait se comporter vaillamment jusqu'au bout de notre excursion. Certes, les trente-sept kilomètres de rampes en zigzag qui séparent Jamrud de Tor-Khama, à la frontière afghane, eussent été plus aisément gravis à dos de chameau ou en marchant, ou encore dans une meilleure automobile que l'antique taxi de Youssouf qui, expliqua-t-il non sans fierté, avait appartenu à un consul des États-Unis. Par moments, l'accumulation des montagnes effritées, desséchées, rendait la route oppressante. Les cimes ne sont pas très hautes, mais, dans ce défilé, le chemin ne fait pas cent mètres sans passer sous des rochers en surplomb d'où, jadis, les Pathans devaient être aux premières loges pour tirer sur des soldats ou pour terroriser les caravanes. Les Anglais, qui ont nettoyé et fortifié toutes ces hauteurs l'une après l'autre, ont fait de ce défilé l'un des points les mieux défendus du globe. Sur chaque contrefort est perchée une petite tour en pierres couleur de rouille, dont les fenêtres et les meurtrières sont protégées par de lourds rideaux de fer. Chaque pont a un nid de mitrailleuse. Chaque poste du petit chemin de fer, qui grimpe jusqu'à quatre kilomètres de la frontière afghane, est un fortin.

Ces défenses avaient un double but. Elles devaient barrer la route à toute invasion venue des confins des monts Souleïman. Elles devaient aussi protéger la passe même contre les tribus pathans et particulièrement contre celle des Afridis, qui habitent les vallées voisines.

En effet, personne n'est jamais parvenu à soumettre totalement ces tribus frontalières, depuis Alexandre. Celui-ci leur infligea une si cuisante défaite, il y a de cela 2 300 ans, que son prestige est toujours vivant et que les Afridis se glorifient encore de descendre des soldats d'Iskander, nom arabe d'Alexandre. Les Anglais ont tantôt tiré sur les Pathans, tantôt cherché à les acheter. Mais jamais ils ne sont parvenus à les dominer.

Aujourd'hui, le gouvernement pakistanais a conclu avec eux une sorte de paix boiteuse : les Pathans s'abstiennent de faire des raids au-delà de leurs vallées, à condition que, sur leur territoire, ce soient eux, et non le Pakistan, qui fassent la loi. Ici, c'est donc encore le règne de la vendetta et de la loi du sang, mais aussi de l'hospitalité sacrée. Le village est gouverné par la *jirga*, ou assemblée des hommes adultes, et régulièrement les terres sont redistribuées entre les membres de la tribu afin que chacun puisse cultiver à son tour un champ fertile. Mais il ne faut pas croire que les membres de la tribu vivent seulement d'agriculture ou de rapine : on les trouve aussi au Pakistan, où ils travaillent comme expéditeurs et intermédiaires.

Les autobus, bondés, de l'Afridi Transport fonçaient à nos côtés, sur la route, klaxonnant furieusement, s'arrêtant à chaque groupe de Pathans qui attendaient là, avec leurs pantalons bouffants et leurs fusils en bandoulière. A peine le dernier voyageur était-il agrippé à la portière que l'autobus repartait à fond de train. Tous ces hommes allaient au même endroit, au bazar de Landi Kotal, au sommet du col. Le taxi de Youssouf y arriva à son tour, l'eau bouillant dans le radiateur, et s'arrêta, au milieu d'un nuage de poussière, sur le parking local.

Comme nous descendions de voiture, Youssouf me demanda de lui avancer cent roupies « pour acheter quelques bricoles », prétendit-il, en réponse à mon regard méfiant. Je lui remis, sans trop de bonne grâce, la somme demandée, qui représentait la majeure partie du prix de la course.

Le bazar, ou marché couvert, présentait en contrebas le fouillis de ses toits de tuiles au-dessus desquels les frêles minarets de la mosquée dirigeaient leurs haut-parleurs vers les quatre points cardinaux. Nous descendîmes des marches ébréchées pour gagner un labyrinthe d'allées dont les arcades étaient protégées par des lambeaux de toile entre lesquels les rayons du soleil tombaient comme des masses de plomb. Les mouches bourdonnaient autour de nos têtes. Un mélange de fumée de bois, de vapeurs de curry et de graisse de mouton brûlante nous irritait les yeux. A travers les portes ouvertes des auberges nous apercevions dans des poêles de près d'un mètre de diamètre d'appétissants pâtés, que les clients consommaient, assis en rangs sur des sommiers à ressorts. C'étaient tous des hommes. Du reste, nous n'avons pas vu une seule femme dans le bazar.

De grands Afridis déambulaient au long des allées, avec ce port altier, cette démarche mesurée qu'ils cultivent avec soin. Ils marchaient le fusil en bandoulière, le poignard afghan à la ceinture, dans le long vêtement bleu en forme de chemise qu'ils portent par-dessus de vastes pantalons. Un long nez busqué, des yeux clairs et brillants dans un visage tanné leur donnaient une physionomie d'oiseau de proie. Lorsqu'ils souriaient, ils avaient, pour la plupart, comme Youssouf, une douceur inattendue.

Certains portaient une coiffure extravagante : une sorte de panier doré autour duquel s'enroulait une écharpe de soie bleue. Les plus âgés, les *maliks*, aux yeux féroces et à la barbe taillée, faisaient comme s'ils ne nous voyaient pas, ma femme et moi. Les plus jeunes, parfois, souriaient. Très rares étaient ceux qui nous disaient bonjour au passage. Mais on ne saurait dire que la présence d'Inge gênait ces hommes : ils se comportaient exactement comme si elle n'avait pas existé. Cela l'arrangeait, d'ailleurs, car elle pouvait ainsi prendre de nombreux instantanés sans être inquiétée le moins du monde.

Je ne tardai pas à comprendre pourquoi Youssouf m'avait demandé les cent roupies. Sur cette arête de montagne désolée, le bazar de Landi Kotal vit de contrebande provenant de Kaboul.

Les autorités du Pakistan ferment les yeux. Cela fait partie du marché conclu avec les Pathans pour qu'ils se tiennent tranquilles. Je supposais, à voir tous ces marchands si prospères, si bien nourris, au milieu de leurs étalages de postes de radio à transistors, de pistolets parabellum, de chronomètres suisses et d'appareils photographiques allemands, qu'ils se livraient peu ou prou à la contrebande. Ils offraient jusqu'à des téléviseurs portatifs dans ce pays où il n'y a encore aucune émission de télévision. Je parierais même que, sur commande, ils auraient pu me fournir, à bon prix, une machine à calcul électronique.

De temps à autre, nous apercevions Youssouf, assis à la terrasse de l'une ou l'autre boutique, buvant du thé vert, discutant, avec quelque gros marchand barbu, en

Le confluent du Kaboul et de l'Indus entre Taxila et Peshawar. Les fleuves irriguent les plaines fertiles qui environnent Peshawar, la plus importante des villes de la région du Nord-Ouest. A 16 kilomètres à l'est de la passe de Khaïber, Peshawar voit son industrie se développer et possède une université moderne. C'est le centre des échanges commerciaux entre le Pakistan-Occidental et l'Afghanistan.

observant la cérémonieuse lenteur qui est de rigueur pour traiter les affaires avec les Pathans.

Quand, plus tard, je lui demandai s'il avait acheté quelque chose, il me fit non de la tête. Mais, quand nous eûmes repassé la frontière, il parut fort soulagé que les douaniers n'eussent pas fouillé la voiture.

Pour gagner Tor-Khama, ville frontière, on passe par l'un de ces étranges villages pathans dont les maisons ressemblent aux tours hostiles de la petite cité toscane de San Gimignano. Chacune de ces demeures fortifiées est habitée par une famille. Les murs ont de quatre à cinq mètres de haut. Ils sont de terre battue et surmontés de trois ou quatre tours à meurtrières ; on pénètre dans l'habitation par un unique portail en bois plein. La maison du Pathan, plus littéralement que celle de l'Anglais, est donc bien son château fort. On m'a dit que, dans certains de ces bourgs, les habitants creusent des tranchées pour aller de chez eux à la grand-route, territoire neutre, sans risquer un coup de feu de leurs voisins. Inge aurait voulu s'arrêter pour prendre des photographies. Youssouf refusa d'une voix angoissée : « Non ! Non ! Pas ici..., si jamais un Pathan nous voyait, il dirait... bang ! » Et, tout en disant « bang », il porta un doigt à sa tempe. Supposant qu'il connaissait mieux que nous les réactions de ses compatriotes, nous restâmes dans la voiture et dûmes nous contenter d'un cliché pris de la portière.

A Tor-Khama, nous fîmes halte sur une terrasse qui surplombait le poste frontière, pour manger les sandwichs desséchés qu'on nous avait préparés à l'hôtel. Le lieu nous sembla une véritable oasis, car à l'ombre des arbres quelques arbustes fleuris mettaient une note de fraîcheur et de couleur au milieu de la sécheresse désolée de la montagne schisteuse.

Une guérite, peinte en rouge et vert, marquait la frontière entre le Pakistan et l'Afghanistan. Le factionnaire afghan portait un uniforme de coupe russe contrastant avec l'aspect nettement britannique du Pakistanais. Tout ce que nous pouvions voir de l'Afghanistan, c'était une vallée en pente, encaissée entre des collines toutes semblables à celles que nous venions de traverser et, à quelques centaines de mètres de l'endroit où nous étions, un bois de peupliers encadrant, au bord de la route, un bâtiment en stuc jaune.

Cette frontière était, intentionnellement bien sûr, la plus mal gardée que j'eusse jamais vue. Sur la route même, les sentinelles afghanes et pakistanaises se montraient ostensiblement sévères. Mais plus bas, dans le lit desséché du torrent auquel les gardes tournaient résolument le dos, un convoi de poneys passait tranquillement du Pakistan en Afghanistan, tandis que, en sens inverse, trois hommes armés conduisaient des mulets chargés de denrées variées.

Comme nous allions pour reprendre le taxi, nous croisâmes un trio de Pathans, vêtus à l'occidentale, assis autour d'un récipient en fer noirci où du mouton au curry nageait dans une sauce brune. Ils mangeaient leur ragoût graisseux sans autre instrument que leurs doigts.

L'un des trois, le plus âgé, se leva et nous invita à partager leur repas. Ravi de constater que la célèbre réputation d'hospitalité des Pathans n'était pas une légende, je m'approchais déjà dans l'intention d'accepter, au mépris de toute hygiène, lorsque Youssouf nous fit signe : il fallait se hâter, repartir vite, vite, sortir des gorges, avant la nuit et avant que les fusils commencent à faire « bang ». Après quelques mots aux trois Pathans, nous reprîmes donc la route du retour.

Comme nous rentrions dans Peshawar, Youssouf, ma femme et moi, la nuit tombait sur la vallée du Gandhâra et le soleil se couchait derrière les monts Souleïman, en direction de Kaboul.

GEORGE WOODCOCK.

Membres d'une tribu de cultivateurs pathans. Ces hommes sont aussi des guerriers. La violence est fréquente dans ces tribus dès que l'honneur est en jeu. Le code des Pathans comporte trois règles : recueillir les fugitifs, offrir l'hospitalité, se venger du déshonneur. Les disputes concernant les femmes, les biens ou les offenses personnelles conduisent des familles entières, ou même des clans, à des luttes sanguinaires. Pour voyager dans la région de la passe de Khaïber, les Pathans ont toujours leur fusil à portée de la main. Ce sont d'excellents combattants sur leur propre territoire et ils ont été longtemps une cause de malaise pour les maîtres de l'Inde, sans exclure les Anglais. Au cours de la première guerre afghane, la passe de Khaïber fut le témoin de nombreux conflits et aussi de désastres pour les soldats de la reine Victoria. Mais les Pathans ne sont pas seulement d'habiles guerriers; ils aiment la musique, la danse, la poésie et les récits épiques. Dans la région de la passe de Khaïber vivent 9 millions de Pathans, divisés en 60 tribus.

Escale aux Féroé

Dans l'Atlantique Nord, entre l'Islande et les Shetland, une touffe d'îles vertes :
les Féroé. Jadis soumises à l'empire des Vikings, elles forment maintenant
un État indépendant, où une population gaie et amicale maintient
fièrement sa langue, sa culture et un des Parlements les plus anciens du monde.

La surface bleue et ridée de l'Atlantique Nord s'étendait, toute claire, au-dessous de nous. Dans le lointain, suspendus en file au-dessus des eaux plus chaudes du Gulf Stream, des nuages. Nous vîmes bientôt qu'ils étaient pris aux pointes des rocs surgis de l'océan, et qui n'étaient autres que les Féroé. Comme nous descendions, nous aperçûmes Mykines, l'île occidentale, avec son petit village au milieu de champs plus verts que les vertes collines qui le surplombaient et ses énormes falaises basaltiques, noires et grises, qui, dans la lumière de l'après-midi, faisaient penser à un château fort en ruine, dix fois grossi.

A l'approche de l'aéroport de Vaagö, l'île suivante, nous pûmes distinguer les colonies de macareux, de mouettes tridactyles, de fulmars (dont les ailes ont l'odeur de la violette) et de guillemots qui, par milliers, nichent sur ces falaises. Le petit aéroport, au centre de l'île, avec le hangar débonnaire de la douane, paraissait familier. Dans la brume légère, aucun signe de vie, à l'exception des taxis et des autobus qui allaient nous conduire à Thorshavn, capitale de l'île voisine. L'aéroport fut construit par les Anglais pendant la Seconde Guerre mondiale, lorsque les bateaux des Féroé, sous leur propre pavillon, naviguaient pour les Alliés, et que le lointain Danemark, dont les Féroé dépendaient alors, était occupé par les Allemands.

Cette situation contribua à établir en 1948 l'autonomie des Féroé, archipel de 140 000 hectares. Une langue qui a des affinités avec l'islandais et le norvégien, l'art folklorique et la littérature justifient pleinement cette indépendance. La prospérité croissante tient à l'industrie de la pêche, qui aide les insulaires à subvenir à leurs besoins; certains domaines de l'administration relèvent toujours du Danemark, qui prend en charge de nombreux services. Un haut-commissaire résident représente l'autorité danoise.

Je n'oublierai jamais la splendeur de ce premier et long trajet entre l'aéroport et Thorshavn. Le prix de la course étant réparti entre les voyageurs, nous nous entassâmes dans les taxis et les autobus qui se présentaient. J'allais bientôt découvrir qu'il n'y avait pas de barrière sociale chez les habitants de ces îles. Les citoyens ne sont ni très riches ni très pauvres, et, dans la mesure où il m'a été donné d'en juger, il n'y a point de taudis. Nous sortîmes du brouillard pour descendre dans une petite ville où les maisons de bois ont des formes variées et sont peintes en couleurs vives. Puis

Le port de Thorshavn, capitale des Féroé. Les barques de pêche rappellent, par leur forme basse et élancée, les bateaux des Vikings. A l'arrière-plan, s'élève le bâtiment où se réunit le Lögting, ou Parlement, qui compte 29 membres.

Mosaïque charmante des maisons peintes en couleurs vives adossées au vert des champs. Les terres cultivées laissent vite la place aux prairies. Les 35 000 habitants descendent des Vikings. Leurs enfants apprennent l'histoire sous forme de sagas, c'est-à-dire de récits héroïques.

L'église octogonale de Haldorsvik (Strömö) date de 1856, mais le village est plus ancien. Jadis, le matériau de construction le plus usité était le bois provenant de Sibérie ou de Norvège. Les habitants accrochent poisson, viande de baleine ou de mouton aux gouttières pour les sécher; processus fort long, car le climat des îles est très pluvieux.

Un vieux cimetière, à Saksun (Strö-mö). Il borde un lac qui s'engouffre vers l'Atlantique par une gorge étroite. Peu d'arbres résistent à la violence des vents et à la fréquence des tourmentes. Il n'y a pas de mammifères indigènes : rats et souris ont été introduits par les bateaux. Mais les oiseaux y prolifèrent, et la chair des macareux y est appréciée.

nous gravîmes des collines abruptes jusqu'au pont transbordeur qui franchit un détroit dont les falaises sont plus hautes que toutes celles que j'avais vues auparavant. L'air était humide et doux, et, dans la lumière du soir, de l'autre côté des eaux calmes, on apercevait Vestmanhavn, avec ses maisons multicolores en bordure de la rive, son quai et ses taxis. Alors commença un interminable parcours en direction de la capitale. De tortueuses ascensions jusqu'au sommet des falaises furent suivies d'une descente vers le charmant village de Kvivik.

Les Féroé appartenaient aux Vikings qui, vers l'an 800, s'étendirent en direction de l'ouest. Avec leurs bateaux effilés, de la Norvège et du Danemark ils gagnèrent l'Islande, le Groenland et Terre-Neuve; ils descendirent vers le sud jusqu'à l'île de Man. Aujourd'hui encore, de même que tous les bateaux des Féroé non pontés ont l'aspect de ces étroites et longues embarcations des Vikings, la plupart des villes sont toujours bâties au bord de l'eau.

Les premières colonies ainsi fondées, la population pénétra à l'intérieur des terres pour tenter de cultiver ces versants abrupts, où l'on voit les torrents se déverser dans la mer. Sur ces pentes, et sur des fondations de basalte, s'élèvent les plus vieilles maisons construites horizontalement avec des troncs de pin (bois flotté de Sibérie ou pins importés de Norvège contre de la laine). Elles sont enduites de goudron noir et leurs fenêtres sont peintes en blanc. Sur les toits, également de bois, pousse une herbe verte aussi haute que le foin avant la fenaison.

Des poissons, des quartiers de baleine et de mouton sèchent alentour. Derrière les habitations, de longues étendues de terre cultivée sont souvent labourées de main d'homme. Des murs en pierres sèches séparent ces champs dits « intérieurs » des champs dits « extérieurs » que sont les landes et les montagnes environnantes, où paissent des milliers de moutons hauts sur pattes et pareils à des chèvres avec leur toison à longs poils.

Kvivik offre des constructions de l'époque viking aussi bien que des maisons modernes aux couleurs vives. De l'autre côté du détroit se dessinent, avec leurs aménagements, deux îles rocheuses, d'une hauteur extraordinaire, appelées le Poulain et le Cheval, et, au-delà, l'île de Sandö. Par temps clair, peut-être découvre-t-on dans le lointain sud l'île de Syderö, qui offre, dit-on, le caractère le plus danois.

Comme c'est toujours le cas en été dans ces régions nordiques, la nuit ne dure que quelques heures, mais la lumière s'assombrit dans la soirée. C'est dans cette pénombre que, par des chemins tortueux, nous traversâmes des fjords aux tons brunis et longeâmes, à l'est, d'autres îles et d'autres pics. Rubans blancs et mouvants, des cascades de plusieurs centaines de mètres surgissent des sommets perdus dans la brume. Il paraissait impossible de trouver une ville de 9 000 habitants après avoir traversé des étendues si sauvages. A Thorshavn, ce qui me frappa d'abord, ce fut la couleur de ses jardins fleuris et l'apparition soudaine d'arbres; en effet, l'une des caractéristiques des Féroé est une absence presque complète d'arbres et de buissons. La fête de Saint-Olav battait son plein, et une grande partie des 35 000 insulaires chantait et dansait dans les rues. Aux Féroé, il n'y a point de bars publics, mais le whisky, le gin, la bière et le schnaps sont importés pour la consommation privée. La gaieté régnait, personne n'était agressif ou querelleur, pas même à l'égard d'un étranger qui ne portait pas le costume national.

On faisait de longues queues pour pénétrer dans la salle où l'on dansait et d'où s'élevaient des chants populaires. Les Grecs de l'Antiquité connaissaient déjà les dieux et les héros des îles Féroé, qui sont célébrés par Homère. L'histoire est enseignée aux enfants sous forme de sagas. Ces sagas, qui sont chantées, accompagnent des danses médiévales; l'un des participants mène le jeu en chantant les couplets et les autres reprennent le refrain.

Sur la place, danses et chants se poursuivirent jusqu'au matin. Des courses de bateaux avaient lieu dans le port, tandis que je traversais à pied le vieux quartier, parmi les maisons au toit herbu, avant d'arriver au Parlement, sur son promontoire rocheux. Le Parlement des Féroé, le Lögting, est l'un des trois plus vieux du monde, les autres étant celui de l'Islande et celui de l'île de Man.

Au sud de Thorshavn, la ville de Kirkjuböur est l'un des sites les plus pittoresques. Parmi de nombreux monuments se dressent les ruines de la cathédrale Magnus, construite au XIIIᵉ siècle, en basalte gris, et restée inachevée. Tout à côté se trouvent l'église paroissiale, vieille de mille ans, et les vestiges d'un troisième sanctuaire.

Au-dessus de la cathédrale, nous visitâmes une ferme typique des Féroé. Elle offrait une succession de pièces que j'aimai aussitôt : une cuisine bien équipée à l'électricité, puis une salle de séjour avec un ameublement danois moderne, des murs clairs ornés de peintures, œuvres d'artistes féroésiens de talent; des textes des Écritures étaient encadrés au-dessus de la porte; un élégant et solide bureau de bois, meuble de famille, datait du début du XIXᵉ siècle; des chaises entouraient une table où l'on servirait bientôt des assiettes de viande, de poulet, de poisson, ainsi que du fromage local, de la confiture, du pain de ménage, du café et du thé.

Par la fenêtre, nous contemplâmes un panorama inoubliable : des eaux d'émeraude, les vertes prairies du Poulain et du Cheval, les terrasses grises de ces îles abruptes, et, au nord, Vaagö, dont les rocs surplombent la mer de 300 mètres. La lumière changeait à chaque instant, et les couleurs se modifiaient avec elle. L'or se muait en

Le village de Kvivik aux maisons disséminées s'étend le long du fjord. Des murs partant de la mer vers l'intérieur sont des vestiges des anciens établissements vikings. Tous les villages — sauf un, Jaksun — se trouvent au bord de la mer, car l'océan est la première des ressources des Féroé. Les pêcheries ont supplanté l'agriculture, bien que les terres soient de bons pâturages à moutons.

rose, la mer lointaine paraissait laiteuse, des nuages gris perle cachaient les pics, puis les révélaient, et partout régnait cet étincelant et clair silence qui permettait d'entendre ruminer les vaches, paître les moutons et un chien aboyer au loin.

Des 18 îles des Féroé, 17 sont habitées, et chacune de celles que j'ai visitées a un caractère bien particulier. Sandö est la plus riante; les hautes falaises y sont plus rares, mais les plages sont de sable, bien qu'en été il ne fasse jamais assez chaud pour prendre des bains de mer. Là aussi, on voit des maisons et des églises de bois, dont certaines sont très anciennes; un bac assure un service régulier avec Thorshavn. Osterö offre ses lacs, ses montagnes et, au nord, hautes de 600 mètres, ses impressionnantes falaises à pic, ses cascades, ses églises de bois, ses vieux manoirs et ses nombreux villages en bordure des fjords. C'est dans Bordö que se trouve la deuxième grande ville de l'archipel, Klaksvig, centre de première importance pour l'industrie du poisson. Au restaurant, on nous servit un savoureux steak de baleine, comparable à la meilleure viande de bœuf.

Les églises luthériennes sont presque toutes en bois, les plus anciennes peintes en noir avec des fenêtres blanches, des contrevents à coulisse, des toits d'herbe et des clochetons. A l'aide d'une échelle, les garçons y grimpent le dimanche pour sonner les cloches à l'heure de l'office. Dans certains bas-côtés sont entreposés des filets de pêche et des cordes qui servent à gravir les falaises et à capturer des oiseaux de mer. L'utilisation de l'église comme hangar est une coutume qui remonte à l'époque où elle était le bâtiment le plus important du village, et aussi le plus sec.

Le plan de ces édifices religieux est semblable à celui des petites églises médiévales anglaises qui ont échappé à la restauration victorienne. La profusion du sapin clair, les poutres qui s'entrecroisent, laissant le toit à découvert, les étais qui s'arc-boutent aux murs rappellent que ces sanctuaires et les bateaux conçus pour résister aux tempêtes de l'Atlantique ont eu les mêmes constructeurs. A l'intérieur, les montants des bancs sont sculptés, et des creux aménagés à leur sommet tiennent lieu de chandeliers; un lustre de cuivre est suspendu au centre de la nef; dans le bois épais du jubé sont découpés les traditionnels motifs de l'arbre de vie, le sablier et les symboles de la Passion. Donnant un air de mystère et de la profondeur à ces petites églises rectangulaires, les jubés laissent toutefois apercevoir la courbe de la sainte table, la vieille nappe d'autel brodée, le plateau d'argent de la communion et, au-dessus, un retable où est peinte la crucifixion. A l'extérieur, on retrouve les vertes collines, les rocs gris, les eaux qui ondulent et le bruit d'un torrent. Je fus surpris de découvrir que la plupart de ces églises avaient été construites, ou plutôt reconstruites, entre 1829 et 1847. De toute évidence, elles sont conformes à un modèle médiéval que l'on a reproduit au cours des siècles. Leurs sanctuaires carrés et leurs jubés ont plus d'affinité avec les églises anglicanes de l'Est de l'Angleterre qu'avec les églises danoises.

Lors du voyage de retour de Klaksvig à Thorshavn, nous fîmes halte dans le petit village de Kaldbak, dans l'île de Strömö. C'était une parfaite soirée des Féroé : à l'odeur de la mer succéda la forte senteur du foin que l'on fauchait à la main; il s'y mêlait le parfum du trèfle, celui des iris jaunes et des myosotis bleus; on apercevait le quai de pierre et les longs bateaux non pontés. Le gardien nous attendait avec sa clé pour nous faire visiter l'une des plus belles églises de l'archipel. Puis, dans la soirée toujours calme et paisible, nous longeâmes les côtes, maintenant familières, d'autres îles, pour retrouver l'amical et chaleureux accueil des rues sinueuses de Thorshavn.

JOHN BETJEMAN.

L'intérieur de l'église du village de Kollafjördur (Strömö). Construite en 1837 elle a conservé un plan médiéval avec son autel élevé, son jubé sculpté et ses banc ouverts. Filets de pêche et cordages sont souvent emmagasinés dans les galeries

L'église de pierre de Klaksvig (Bordö), seconde ville de ces îles, est l'œuvre d'un architecte danois. Elle fut construite en 1963.

L'église Midvägur (Vaagö) a été achevée en 1952. Pour la plupart, les habitants de cette île sont des luthériens.

L'église de Funningur (Osterö), bâtie en 1847, est fort curieuse avec son toit d'herbe et ses murs de bois sombre.

Surmontant les cathédrales du Kremlin se dressent les superbes dômes à bulbe récemment redorés. La plupart de ces églises furent construites sous Ivan III; sur certaines d'entre elles la croix qui domine le croissant figure la victoire du christianisme sur l'islam.

Pleins feux sur Moscou

Capitale de l'immense Union soviétique, Moscou est le point de rencontre de nombreuses races. A côté des vrais Moscovites qui flânent au parc Gorki ou se pressent sur la place Rouge, l'on y rencontre des paysans de Géorgie, des Ouzbeks à peau hâlée et enfin, venus d'Extrême-Orient, des Yakoutes aux yeux bridés.

Abordant Moscou en venant de l'aéroport, vous serez frappé, d'abord, par les grands lotissements d'immeubles neufs. Puis vous vous acheminerez vers le centre en empruntant de larges avenues d'une propreté irréprochable où la circulation ne constitue pas encore de problème; en effet, bien qu'elle s'accroisse chaque année, elle n'atteint heureusement pas encore la densité que l'on trouve dans les capitales occidentales. Vous remarquerez ensuite l'odeur d'essence de basse qualité qui rappelle toujours au visiteur : Vous êtes arrivé, vous êtes ICI.

Que vous soyez descendu dans un hôtel vétuste ou dans un palace confortable, le parquet du couloir sera sans aucun doute garni sur toute sa longueur d'un étroit tapis; votre lavabo n'aura pas de bouchon, car les Russes trouvent plus sain de se laver à l'eau courante. Sur le palier, vous trouverez le *dezhurnaya*, responsable de l'étage, qui vous tendra votre clé avec un sourire qu'une dent en acier rend encore plus éclatant.

Vous goûterez ensuite votre premier repas moscovite : une attente interminable entre les plats, un orchestre assourdissant, une soupe exquise ou encore du caviar noir, de la viande plutôt coriace et, enfin, une glace qui compte parmi les meilleures du monde..., le tout noyé dans une bouteille d'eau minérale caucasienne.

Vous visiterez « ce qu'il faut avoir vu » et pourrez encore entrevoir quelques isbas — ces pittoresques cabanes de rondins — qui disparaissent pour faire place à des immeubles neufs. Vous remarquerez sans doute les énormes gouttières pour la neige, les doubles vitres, les *chaikas* à chauffeur qui transportent les chefs du Parti derrière leurs rideaux tirés..., ainsi que l'absence de publicité et d'enseignes au néon, et les affiches de cinéma peintes à la main. Les passants ont le teint blafard, et les bébés, eux, sont fagotés en petits paquets de couvertures et de dentelle que l'on porte, car on semble ignorer, là-bas, l'usage des landaus. Même des femmes sont utilisées comme manœuvres, tandis que d'autres occupent des postes de direction.

Vous remarquerez aussi, bien sûr, les machines rouges qui, au coin des rues, débitent des boissons pétillantes à cinq centimes le verre; les nombreux portraits et statues de Lénine; les étendards et les slogans politiques, les haut-parleurs; les *druzhniki*, ou policiers volontaires, reconnaissables à leur brassard rouge. Avec votre accord, on ornera même votre revers d'un insigne proclamant : PAIX ET FRATERNITÉ. Vous apprendrez, enfin, que les touristes ont toujours le pas sur les autochtones — « nos invités », disent de nous les Moscovites — et que les enfants constituent la classe privilégiée par excellence : vous verrez, par exemple, des personnes âgées leur céder la place dans le métro ou les autobus.

JOHN MASSEY STEWART.

Deux fois par an, pour le 1er Mai, fête du Travail, et le 7 Novembre, anniversaire de la Révolution de 1917, la place Rouge est illuminée par les projecteurs et les feux d'artifice. *A gauche :* la cathédrale Saint-Basile et ses dômes polychromes. *A droite :* le mur du Kremlin.

Les Halles centrales de Moscou sont approvisionnées toute l'année par les *kolkhozniki* — paysans des fermes collectives — qui vendent fruits, légumes et fleurs provenant soit du kolkhoze lui-même, soit de la minuscule parcelle qu'ils sont autorisés à cultiver pour eux-mêmes. Pendant le glacial hiver russe, les Géorgiens viennent ici vendre les produits frais de leur république ensoleillée. Ils peuvent pratiquer des prix astronomiques, tandis que les magasins moscovites n'offrent que des vitrines vides.

Le métro de Moscou, avec ses 60 stations, fait l'orgueil de tout Moscovite; pour le touriste, il constitue une visite obligatoire, car on le considère en général comme une magnifique réalisation soviétique. Les stations sont à air climatisé; ce sont de vrais palais de marbre et d'onyx décorés avec une grande variété de styles, de peintures murales, de mosaïques et de lustres de cristal. Il n'y a aucune réclame et pas un papier par terre. C'est un ingénieur du métro londonien qui a dirigé la construction des premières stations en 1932. Le métro voit passer 2 millions et demi de voyageurs par jour. Au lieu de faire poinçonner un ticket, ils mettent une pièce de 5 kopecks dans un tourniquet de distributeur automatique et ils peuvent, alors, circuler sur l'ensemble du réseau.

A la galerie Tretiakov, un guide initie les visiteurs russes aux merveilles des collections d'art national, allant des mosaïques du XIe siècle à la peinture contemporaine. Dans les sous-sols, on conserve les œuvres qu'on ne veut pas exposer, car elles ne sont pas conformes à l'idéologie : celles de ces pionniers du XXe siècle que sont un Chagall ou un Kandinsky, par exemple. Le « réalisme socialiste » — un style réaliste avec une touche de morale politique — reste la qualité dominante des œuvres offertes au public. Cette galerie reçoit 1 million et demi de visiteurs par an.

Joueurs d'échecs au parc Gorki. Ce jeu compte plus d'adeptes en U.R.S.S. que partout ailleurs : 4 millions de joueurs sont inscrits à des clubs.

Face au Kremlin, sur la place Rouge, se dresse le plus connu des grands magasins de toute l'U.R.S.S. : le G.U.M. (sigle russe signifiant magasin d'État). Avant la Révolution, l'immeuble abritait 240 petits magasins répartis sur quatre étages sous un immense toit de verre. Bien que les produits de consommation soient plus rares et plus coûteux qu'en Occident, le G.U.M. voit passer 250 000 clients par jour (ci-dessus). Dans le parc Gorki, un Moscovite et son amie improvisent un twist sous l'œil intrigué de la foule. Non loin de là, d'autres dansent plus calmement au son d'un orchestre en plein air. Le parc Gorki est le principal lieu de loisir de la capitale, avec un lac où l'on peut canoter, des cafés, des restaurants et des salons d'exposition (ci-dessous).

Les oasis tunisiennes

On marche des heures sous un soleil écrasant, au milieu d'un paysage immobile et nu, puis voici brusquement un océan de verdure, de l'eau qui court, des fleurs et des arbres. Dans les oasis du Sud tunisien habite une race d'hommes hautains et durs qui ne manquent pas d'une authentique noblesse.

Visiter le Sud tunisien, ses déserts et ses oasis, ce n'est pas seulement découvrir des paysages nouveaux, c'est s'engager soi-même dans un monde inconnu, pénétrer une atmosphère qui inonde, domine, submerge le voyageur. Au fur et à mesure qu'on quitte la steppe pour le Sud, on éprouve en soi mille bouleversements; puis tout s'apaise.

Tout est réduit à l'essentiel. Tout ce qui faisait en Occident l'intérêt de la vie nous quitte d'un coup : devant les montagnes nues, arides, roses et rouges, devant l'immensité des paysages écrasés de soleil, la conscience semble véritablement s'épanouir à la dimension de l'espace.

Dans le lointain, un groupe de chameaux en marche semble réduit à une sorte d'idéogramme. L'austérité devient algébrique. On retrouve dans la nature les dessins rupestres découverts dans le Sahara. L'homme est à nu, comme la roche. Cette phrase du prophète Mohammed : « Vous serez sauvés quand vous serez brûlés comme des charbons », a ici la force de l'évidence. Mais voici l'oasis : c'est toute la complémentarité simple, crue, sobre de l'Islam monothéiste. D'un coup, c'est la fraîcheur, l'eau, la verdure.

En février, tout est fleuri. Il y a trois étages de fleurs : celui des palmiers, où le jaune domine, celui des arbres fruitiers, où le blanc s'étale munificent, enfin, au sol, celui des légumes, multicolore...

Dans les canaux aux eaux bruissantes, les enfants se baignent, s'éclaboussent en riant. Comme sur la jetée d'un port, la foule s'amasse pour voir les arrivants, les saluer. Les femmes se voilent à la hâte et, enveloppées de leur vaste tente noire, se précipitent entourées d'une nuée d'enfants criards.

A chaque oasis, son visage particulier, sa découverte nouvelle. On a connu le désert avec ses aspects multiples, ses montagnes ravinées, striées, brûlées, ses immensités pierreuses, la brutalité minérale du chott durci, éclatant de sel, les vagues ondulantes du désert de sable où le vent sculpte les dunes comme le cimeterre d'un guerrier titanesque.

Maintenant, on ouvre l'écrin, on admire le joyau. A Nefta, l'oasis se révèle avec ses multiples hameaux sur ses buttes vertes. A Tozeur, elle entoure un gros bourg tassé, compact. A Gafsa, elle est une tache verte dans la montagne. A

A Nefta, des femmes font leur lessive dans les oueds. Cette oasis formée de plusieurs hameaux est la plus grande du Sud tunisien : 15 000 habitants vivent sur ses 900 hectares, et on y trouve près de 400 000 palmiers. Elle abrite la métropole religieuse du Djerid.

Voici le marché de Menchia, bourdonnant de rumeurs; c'est à qui marchandera avec le plus d'éloquence, pour emporter aux meilleures conditions l'objet de son choix. Vêtements, nattes, articles de quincaillerie, fruits et légumes, il y a de tout dans ce grand étalage.

Un paysan remonte l'oued de Nefta, les pieds au frais et le corps à l'ombre : l'eau est un présent du ciel, qu'un Tunisien du Sud apprécie tous les jours à sa juste valeur.

318

Chebika, l'oasis s'appuie sur la pente qui monte tout doucement. A Douz, elle est dominée par le sable, véritablement possédée par le désert, tapie au milieu de sa petite forêt de palmiers.

Parfois, en montant au *bordj*, au fort qui domine souvent l'oasis, on découvre cette unité profonde entre le désert et la palmeraie. On a souvent parlé de récompense après la dure marche du désert : cette image simple est toujours vraie ; pour le nomade ou l'habitant d'un point d'eau éloigné, l'oasis, c'est souvent le médecin, l'hôpital, l'espoir, le soulagement.

Les strates du temps ont marqué la chair même de l'oasis : chaque pied carré de terre est cultivé, les arbres foisonnent. Ils forment parfois une véritable voûte : à Tozeur, dans la forêt, on se perd dans un labyrinthe. On peut errer une nuit entière. Personne n'habite la palmeraie, sauf au moment de la récolte, où les paysans couchent dans des huttes de branchages pour surveiller leurs richesses. Seuls les chiens et les chacals errent entre les arbres, se battent, hurlent ou gémissent.

Comme le Sud est loin des villes du Nord... C'est vraiment une autre Tunisie. Les vagues de civilisations multiples que la Méditerranée a poussées sur les rives de l'ancienne Régence ont ici laissé peu de traces : les Romains ont occupé Tozeur, les Français ont construit des bordjs dans maintes oasis, mais les véritables influences omniprésentes sont celles d'un Islam réduit à l'essentiel, dépouillé de ses fastes urbains. C'est, avec la structure familiale et patriarcale, l'élément permanent du Sud. Islam pur, absolu : les soirées du Ramadan ne connaissent pas les fêtes endiablées du Nord.

Les journées du jeûne annuel se déroulent sans le moindre heurt. Pas d'incidents dus à des alcooliques, à des sacrilèges. La communauté de la foi règne en maîtresse. C'est un consensus sans faille. Tout pousse à l'unanimité, à la soumission ; des chrétiens, des athées se mettent d'eux-mêmes à respecter le jeûne général par crainte instinctive de briser une communion d'une totale intensité.

Ce dépouillement domine les individus : l'homme est ici à la fois noble et hiératique. Homme du désert, habitant de la tente ou de la maison cubique de l'oasis, il se drape dans un vêtement sculptural dont le moulé semble honorer le corps, souligner la pureté de ses lignes. Les attitudes sont réservées : elles s'opposent à la volubilité agitée de l'homme du Nord, ce Méditerranéen explosif.

La parole donnée a la dimension de la fidélité à soi-même, du respect de la personne. On est pauvre, on est homme. On est authentique : cette *açala*, cette authenticité sur laquelle revient sans cesse la pensée musulmane trouve dans le Sud son domaine d'élection. On comprend l'attrait physique qu'exerce ce pays sur l'âme de maints chrétiens. Ces paysages, cette douceur de l'oasis qui voisine avec l'austérité du désert, on la retrouve dans la poésie, qui, ici, jaillit comme l'eau des deux cents sources de Tozeur.

Récemment, un sous-préfet a réuni une assemblée de poètes : ils sont venus des plus petites oasis. Épiciers, nomades, petits fonctionnaires, ils ont lu pendant des heures leurs œuvres.

Ces hommes simples chantaient bien sûr les maîtres actuels du pays, comme le veut la tradition islamique où la religion, l'État, la vie publique se mêlent intimement. Mais aussi ils récitaient mille poèmes exaltant les thèmes simples, courants de la vie dans des vers empreints de fraîcheur et de pureté.

A l'âpreté du Sud, où tout est dur, le climat, le soleil, le travail de la terre, à cette austérité parfois terrifiante répond une générosité sincère, spontanée.

Dans l'oasis, les femmes prennent souvent une visiteuse par la main, la conduisant dans leur maison. On mange des gâteaux, on boit du sirop ; curieusement les femmes scrutent, palpent la coiffure de la visiteuse, la bombardent de questions sur sa vie, ses enfants, son mari, sa maison.

Pour le petit agneau, c'est la pause du repas. Sa mère trouve une maigre pitance dans la broussaille piquetée çà et là sur le sol. Non loin de cet endroit, c'est le désert aride, où pas un brin d'herbe ne pousse.

Cette générosité, elle éclate dans les fêtes. Au marabout s'entassent de multiples cadeaux, et les noces déroulent leur faste.

Un jour, à Douz, une famille mariait deux de ses filles : le soir, tous les invités se réunirent sur les tapis devant une grande aire vide. Face à eux, de l'autre côté du tertre, agglutinées en masse noire, fantomatique, les femmes totalement voilées de sombre. Revêtus de leurs robes éclatantes, les danseurs des îles Kerkenna, tous des hommes, grands, souples, commencent leur ballet : les invités offrent de l'argent, un danseur prend le billet, le montre à l'assistance, puis le donne aux femmes. Il ira rejoindre la dot des jeunes mariées. Pour remercier, les femmes hurlent de plaisir et les danseurs remercient en accélérant leur allure. Les hommes donnent de plus en plus d'argent. Combien de jours de travail représentent ces dons généreux! Dans cette atmosphère frénétique, on oublie l'âpreté de la vie quotidienne, on se détend, heureux, comblés... Cela dure toute la nuit.

Ces générosités brusques, ces désintéressements déchaînés dépassent parfois le défoulement d'une nuit de fête. Récemment, un vieux khammès, une sorte de métayer misérable, soupirait en montrant la terre qu'il travaillait : « Tout cela m'appartenait jadis. J'étais riche et j'avais des serviteurs. Aujourd'hui, je suis vieux, je dois bêcher, arroser, faire la récolte moi-même... C'est que j'ai eu sept femmes; au père de chacune, j'ai dû offrir un morceau de terre. J'ai tout perdu... Aujourd'hui, je suis pauvre parmi les pauvres du village. »

Beaucoup de paysans des oasis sont en effet pauvres. Les terres ne leur appartiennent pas, ils touchent un cinquième de la récolte.

On vit maigrement dans les maisons de boue séchée, remplies d'enfants... Aussi, les jours de fête, on laisse jaillir sa joie : quand la guérite de la mariée, toute en peau et en tapis, oscillant sur un chameau, traverse le village, une foule compacte de femmes et d'enfants court derrière en hurlant... Le cortège suit une route compliquée dans les dédales des ruelles et des sentiers, selon un itinéraire strictement établi par une coutume immémoriale. Mais ces fêtes sont rares...

Autrefois la vie des oasis était plus animée qu'aujourd'hui. Les villages étaient le point d'arrivée des caravanes. Nefta était la porte de l'Afrique... Les marchands convergeaient à travers des milliers de kilomètres de déserts vers le Sud tunisien. Ils venaient du Tchad, du Niger. Ils se groupaient. C'étaient des milliers de chameaux qui arrivaient ainsi dans les oasis, efflanqués par des mois de marche, meurtris par les pierres aiguës des ergs, brûlés de soleil.

Les places immenses connaissaient le tumulte joyeux des marchés débordant des produits d'Afrique. On y vendait aussi des esclaves noirs. De nos jours, les caravanes ne traversent plus les frontières des États : le désert n'est plus une mer libre, mais une étendue délimitée, partagée.

Les conceptions modernes de territoire national ont succédé à celle, millénaire, des confins mouvants, incertains...

De l'Afrique lointaine, il reste de nombreux Noirs. Dans certaines oasis de la région de Médenine, ils peuplent encore des quartiers entiers. On peut seulement aujourd'hui rencontrer dans le désert des caravanes de nomades en déplacement vers les régions agricoles à l'époque des grands travaux. D'autres vont porter dans les villages le sel qu'on échangera contre des dattes ou du grain. Ces suites de chameaux lourdement chargés inscrivent dans le paysage toute une réalité passée : ce sont des documents vivants.

Dans la vie calme, austère des oasis, ces arrivées de nomades, ces fêtes familiales et religieuses redonnent aux villages une animation perdue.

Le lendemain, la vie de l'oasis a repris son cours : les hommes devisent en écoutant distraitement le bruit de l'outre qui se vide. C'est la clepsydre antique. Lorsqu'elle s'est vidée un certain nombre de fois, cette *gaddous* en peau de chèvre, un paysan

Dans une rue en terre battue du village fortifié de Ksar Djoua-maa, deux passants à la noble démarche. Le soleil dessine leur ombre avec une extraordinaire netteté, comme il souligne celle des maisons toutes blanches.

A gauche : sur le toit plat des maisons, la récolte d'amandes sèche au soleil. Dans ce village pauvre les habitations sont conçues pour lutter contre la chaleur grâce à leurs murs épais et à un minimum d'ouvertures.

Ci-dessous : le village de Chebika. Une jeune femme remonte chez elle après avoir rempli sa jarre, tandis qu'un berger ramène son petit troupeau.

Au nord du chott El Rharsa,
près de la frontière algérienne,
un impressionnant paysage rocheux. Au milieu de cette sévérité minérale, la tache verte d'un
palmier met une note de surprise :
par quel caprice de la nature cet
arbre a-t-il poussé dans un monde
de rochers et de pierraille ?

se lève et va ouvrir un barrage ou en fermer un autre. Tout à l'heure, ce sera la prière : Dieu et l'eau, les deux plus grandes valeurs de l'homme du Sud. L'iman devant sa pauvre mosquée rustique va jeter son bonnet sur le sol pour mesurer l'ombre obtenue. Il n'a pas de montre, mais ne manque jamais l'heure de l'appel aux croyants.

Dans les jardins, l'eau ruisselle sous les fleurs fraîches : à Tozeur, dans la maison de Si Tijani, si accueillante pour les visiteurs, une petite rivière traverse un jardin débordant d'arbustes luxuriants.

A quelques kilomètres, c'est le désert étalé sous la lumière crue. Austère, brûlé par le soleil durant le jour, la nuit il prend une nouvelle beauté : des amis de Si Tijani eurent une panne de voiture un soir en plein chott el Djerid. Ils arrivèrent chez leur hôte le matin après des heures de marche sur le sol salé éclatant de blancheur sous la lune. « Comme je suis heureux que vous ayez eu cette chance de marcher toute la nuit dans le chott, s'écria leur hôte. C'est tellement plus beau lorsqu'on est à pied. Il faut du temps pour admirer le chott. »

Le désert, source de poésie, drogue attirante qui saoule l'homme, qui le domine, l'entraîne, le désert est aussi un ennemi : le sable à Douz attaque régulièrement l'oasis. Cela crépite comme un grain de l'île de Sein. De véritables vagues battent les maisons, submergent tout. Après la tempête, il faudra déblayer, creuser pour dégager les arbres. Contre le sable, on accumule les barrières d'épineux tressés, on plante mille et mille arbres. Dotés de seaux faits de vieux pneus, des théories d'hommes, drapés dans leur burnous, arrosent sans trêve. Les arbres crèvent, on en plante d'autres, tandis que les regards scrutent l'horizon, guettant le vent de sable qui va tout ensevelir.

L'eau, on a pour elle mille égards, on déploie pour la capter mille ingéniosités : des galeries la drainent sous le sol pendant des kilomètres. A Tozeur, on les visite, et, pendant le jeûne, les croyants fatigués viennent y prendre le frais, y dormir en attendant la nuit...

Ce sont les Romains qui ont bâti les canaux de Tozeur : des siècles plus tard, un marabout a retrouvé leur système oublié, détruit par les invasions.

Si près de l'Europe, en somme, les oasis nous ramènent à une réalité dure, simple que nous avons oubliée, la lutte contre les éléments pour l'eau, contre le sable, contre le sel, contre le soleil.

Ici, rien n'est facile. Tout est effort. L'eau qu'on sort du désert est souvent salée. Sévérité du Sud ? Certes. C'est le pays des mystiques. Les hommes d'État viennent du Nord, les combattants de la foi, du Sud. Est-ce un pays triste ? Non. Il possède une gravité un peu mélancolique. On attend. L'Islam est attente, mais ici plus qu'ailleurs.

Un vieil homme de Chebika disait un jour : « Il existe beaucoup de choses dans le monde que nous pourrions désirer, beaucoup de besoins que nous aimerions satisfaire, même si nous ne les connaissons pas. » Et, montrant son pauvre village où les caravanes ne viennent plus apporter les produits de pays lointains, montrant les arbres trop nombreux, mal taillés, peu chargés de fruits : « Nous sommes la queue du poisson, personne ne pense à nous. »

En fait, on s'occupe du Sud : on a fait évacuer les demeures creusées dans le sol contre le vent de sable, accusées d'être des nids à scorpions. On a fait évacuer les matmatas, ces habitations troglodytes. L'eau a jailli en maints endroits, et des palmeraies modernes rappellent l'oliveraie de Sfax.

Mais le Sud attend. Pourra-t-il s'épanouir, intégrer au monde moderne ses valeurs profondes, irremplaçables, ou deviendra-t-il une zone rétrograde, exotique, charmante, mais désolée ?

JEAN DUVIGNAUD.

Paradis de corail en Australie

Un enchevêtrement fabuleux de cavernes, de gouffres et de flaques,
des millions de poissons et de mollusques étranges, une symphonie de couleurs,
c'est la Grande Barrière d'Australie, qui s'étend sur 2 000 kilomètres,
protégeant la côte orientale des rouleaux du Pacifique.

Il y a très peu de temps seulement que l'une des plus grandes merveilles naturelles du monde attire des foules de visiteurs de tous les pays et dévoile à leurs yeux éblouis des spectacles d'une grandeur et d'une beauté quasiment inchangées depuis le commencement des temps. Cette merveille, c'est la Grande Barrière d'Australie, vaste édifice corallien encerclant comme un bras protecteur la côte nord-ouest du Queensland, qui fait face à la Nouvelle-Guinée. Synonyme autrefois de « bout du monde », la Grande Barrière est un royaume aux multiples splendeurs où le moindre récif de corail est couvert de trésors et où, dans des paroxysmes d'écume, le rocher et l'océan poursuivent leur combat séculaire sans qu'aucun parvienne à l'emporter sur l'autre.

Cette barrière corallienne est, de beaucoup, l'édifice le plus vaste qui ait jamais été construit par l'homme ou par l'animal. Elle s'étale au large de la côte, à une distance qui varie de 30 à 200 kilomètres et ne couvre pas moins de 200 000 kilomètres carrés. Longue de 2 000 kilomètres, elle est « épaisse » de plusieurs centaines de mètres et abrite dans son ensemble complexe de flaques, de cavernes, de crevasses, de gouffres et de grottes, des représentants de presque toutes les espèces connues du monde marin (plus quelques inconnues), qui nagent, rampent, flottent ou forent des trous. En une heure, le touriste peut rencontrer n'importe quoi, ou presque, depuis le surprenant petit ptéroïs dont les nageoires diaphanes, conquérantes, font penser aux voiles flottants de Salomé, jusqu'au tridacne, ou bénitier, mollusque géant, «mangeur d'hommes», dont la coquille a plus de 1 mètre de diamètre et qui pèse un quart de tonne.

L'étendue liquide qui s'étale entre les îles et le bord aux arêtes vives et scintillantes du récif extérieur semble l'innocence même. Elle est pourtant traîtresse et cause d'innombrables naufrages. Cette riante surface dissimule des récifs en nombre incalculable, dont certains sont parallèles comme des soufflets d'accordéon; d'autres se chevauchent pour former des pièges en labyrinthe, d'autres encore se replient sur eux-mêmes en boucle d'étranglement. Le capitaine James Cook, qui fut, en 1770, le premier à accomplir cette périlleuse course d'obstacles, frôla le désastre et manqua

Sur les bords de la Barrière de corail, le long des pentes, on trouve, à une certaine profondeur, des colonies d'arborescences, aux formes délicates et aux splendides couleurs; à l'extrême périphérie, ce sont des étendues sablonneuses.

La marée basse découvre les fonds de la Grande Barrière

Si la Barrière peut paraître monotone au premier abord, elle constitue en réalité un monde riche en aspects contradictoires et divers : sa partie supérieure, qui émerge à marée basse, présente ces formes (construites par les polypes), dont la solidité est à l'épreuve des vagues.

Quelques habitants de la Grande Barrière. 1. Le ptéroïs volant, dit poisson-papillon, porte des stries éclatantes ; il a, sur l'épine dorsale, de longues aiguilles capables de causer de dangereuses blessures. 2. Lorsqu'on excite cette morue de roche, les couleurs de son dos prennent des teintes plus vives. 3. Les oursins sont très répandus dans les formations tropicales de corail ; leur forme et leur couleur s'adaptent au milieu où ils se trouvent. 4. Les crabes se tiennent, en général, sous les pierres ; la femelle porte, dans une poche abdominale, sa couvée d'œufs rouges qui sont plus petits, chacun, qu'une tête d'épingle.

perdre tout son équipage, ainsi que son trois-mâts, l'*Endeavour*, dont un récif corallien submergé déchira comme de vulgaires feuilles de papier les épais barrots de chêne.

On a peine à croire que les architectes de ce vaste royaume, où tout est perfidie et beauté, soient des animaux guère plus gros qu'une tête d'épingle, à qui manquent la vue, l'ouïe, et même la faculté de se déplacer. Au cours des âges, ces organismes insignifiants ont cependant construit la Grande Barrière, centimètre par centimètre, hectare par hectare. Ce polype, fabricant de récifs, n'est guère plus qu'une goutte de gélatine dotée de trois parties fonctionnelles : la bouche, les tentacules et la cavité interne ; mais il réserve des surprises. Des milliers d'organismes végétaux invisibles (algues) résident dans ses tissus où ils multiplient les réserves d'oxygène.

Sa bouche a deux fonctions : elle absorbe les aliments et expulse les déchets. Ses tentacules dissimulent des armes secrètes, sous forme de nombreux filaments en serpentins qui sont faits de cellules urticantes ; certaines espèces les emploient la nuit, au moment où la surface de la mer grouille de nourriture. Quand des organismes comestibles (crustacés lilliputiens ou alevins fraîchement éclos) frôlent ces tentacules, les filaments se détendent comme une mèche de fouet sur les victimes, qu'ils paralysent puis entraînent dans la bouche.

1.

2.

3.

4.

A l'intérieur de sa cavité, le polype transforme en squelette les sécrétions calcaires qu'il tire de la mer. Au fur et à mesure que meurent les générations successives de ces madrépores, leurs innombrables trillions de squelettes s'empilent de plus en plus haut, cimentés par l'accumulation de débris de récifs, et ils forment le matériau de base qui compose l'ensemble de ce gigantesque édifice. Vivantes, ces agglomérations de coraux, ou polypiers, prennent des centaines de formes et de couleurs extravagantes ; seul le corail mort est d'un blanc de craie.

C'est en « farfouillant », passe-temps australien qui consiste à « aller voir ce qui se passe », que l'on peut le mieux admirer les myriades d'étranges et merveilleux habitants de la Grande Barrière. Cette aventure passionnante ne coûte rien, à part quelques courbatures et une ou deux chutes éventuelles dans l'une ou l'autre des flaques qui subsistent à marée basse. Notre équipement de farfouilleurs est simple, un pantalon de toile dont le bas est enfoncé dans de hautes chaussures à semelles épaisses en caoutchouc, des chaussettes, un bâton et de vieux gants de cuir. Pour ceux qui n'ont pas de gants, le mot d'ordre est « Ne touchez à rien ! » car, sous les tropiques, les égratignures dues aux coraux s'infectent rapidement ; certains habitants des récifs piquent, pincent, transpercent, empoisonnent. La « guêpe de mer », ces quelques centimètres carrés de gélatine, peut tuer un homme en deux minutes d'un coup de l'un de ses tentacules latéraux. Pour ce genre d'expédition le plus sage consiste à se faire accompagner d'un farfouilleur chevronné, qui repérera infiniment plus de choses qu'un débutant.

A marée descendante, nous traversons notre récif pour aller jusqu'à la limite d'où l'on voit les jardins coralliens submergés. Deux tortues marines nagent à quelques mètres du bord seulement, les yeux mi-clos, le dos si vaste qu'on y pourrait faire une partie de cartes, leurs vieilles figures aussi inexpressives que de la pierre.

L'eau est si limpide qu'on en oublie sa présence. Les madrépores se détachent sur le fond ; ils ont la richesse d'un tapis d'Orient, et il est impossible de deviner à quelle profondeur ils se trouvent. Cette étrange sculpture de corail que l'on croirait pouvoir toucher en étendant le bras est en réalité à 20 mètres de profondeur. Ce paysage sous-marin est tellement hallucinant que nous ne tardons pas à « avoir des visions », à découvrir un chou-fleur bleu marine, une haie aux couleurs d'arc-en-ciel, faite d'une fougère de platycerium, et une belle culture de psalliotes champêtres (notre champignon de Paris) couleur héliotrope qui poussent le pied en l'air, leur chapeau reposant sur une herbe rose. Il y a des douzaines de « fleurs », parfaites

5. Corail décoloré de la Grande Barrière. Quand on brise le corail et qu'on le porte au rivage, le madrépore se contracte et meurt. Le soleil en dessèche le tissu vivant et en décolore le squelette, qui devient blanc. 6 et 7. Les coraux les plus luxuriants du récif poussent entre 5 et 25 mètres de profondeur. Le corail vivant a besoin de conditions spéciales pour se développer : de l'eau de mer à haute teneur en sel, une lumière suffisante, une nourriture abondante et une température qui n'excède pas 20 degrés.

5.

6.

7.

Le poisson-pierre, qui se trouve dans les trous les moins profonds de la Barrière, ressemble à un morceau de corail érodé. Ses aiguilles dorsales sont venimeuses et peuvent tuer un homme.

de forme et de matière, mais ahurissantes de couleur : chrysanthèmes bleus, coquelicots vert acide, fleurs de pommier mauves, grappes de lilas vert jade nichées dans des fougères rose vif. Des monuments nous apparaissent bientôt : une tour de Pise en miniature, peinte en cramoisi foncé, la façade du Parthénon... Et des instruments de musique, en nombre suffisant pour former un orchestre : flûtes, luths, tuyaux d'orgue, cornemuses vertes et spectrales.

Mais le bord d'un récif corallien, face au large, n'est pas un endroit où rêvasser. On peut y être surpris par la marée montante qui vous coupe la retraite en quelques minutes. Des farfouilleurs surpris ayant voulu regagner la rive à la nage se sont heurtés à toutes sortes de tueurs en puissance : requins-tigres, requins-marteaux, barracudas, raies cornues ou diables de mer, pélamides, pieuvres, murènes. Le plus redouté de tous est la hideuse synancée, longue de 30 centimètres, qui gît paresseusement au fond des flaques. Cette goule en forme de vampire est couverte de croûtes, de verrues, de limon et de poils. Le long de son dos court une ligne d'épines tranchantes comme des lames de rasoir, dont chacune est flanquée de deux minuscules sacs de venin. Les imprudents qui ont posé le pied sur une synancée sont peu nombreux à s'être remis de ses piqûres; ceux qui en ont guéri disent avoir souhaité la mort tant la douleur est atroce.

Quant à l'énorme dugong, il n'est pas à craindre. Sa figure à demi humaine et ses soupirs douloureux donnaient à croire autrefois que cet animal était une sirène. Il est, en tout cas, aussi inoffensif que pourrait l'être une sirène.

Les poissons qui s'ébattent dans les flaques ont si peu l'air vrais qu'on croirait voir une scène de carnaval ou d'op art. Ils sont bariolés, tigrés, tachetés, colorés en forme de spirales, de damiers, ou même d'astérisques. Leur forme est d'une bizarrerie égale : ils peuvent être minces comme une gaufrette, triangulaire ou rectangulaire. Certains ont l'air de libellules, d'autres ressemblent à une canette de bière ou à un stylo. Nous découvrons un diodon de 45 centimètres de long qui, en réalité, a deux formes. Ses dents sont capables de trancher net un fil de fer barbelé, mais à part cela, il semble aussi paisible qu'une sole. Mais lancez-lui un coquillage, et houp! il se change en un ballon vert foncé hérissé de piquants de cactus venimeux.

Nous apercevons une espèce de rouget qui herse le sable de sa barbe fourchue; un poisson-marcheur qui passe la plus grande partie de son temps hors de l'eau, un œil sur le ciel, l'autre pivotant. Le plus stupéfiant de tous est un petit poisson pédiculé, sorte de petite baudroie très absorbée par ce qu'elle fait et qui guette sa

Plusieurs espèces d'épinéphèles vivent le long des côtes du Queensland. Ces poissons de roche sont carnivores; extrêmement voraces, ils se jettent sur tout être vivant.

Les squaloïdes pullulent dans les étendues de sable qui ceinturent la formation corallienne ; à marée haute, ils se rendent sur la Barrière, où ils constituent un très grave
danger pour qui s'y est attardé. Ils peuvent blesser à mort, soit avec leurs dents extrêmement
coupantes, qu'ils portent en plusieurs rangées, soit avec leur queue dont les coups sont terribles.

Un enfant, muni d'un équipement sous-marin, observe un poisson-demoiselle sortir d'une anémone de mer, qui lui servait d'abri. Ce poisson, qui vit en symbiose avec l'anémone de mer, est immunisé contre ses piqûres.

proie par-dessus une corniche. Elle est en train de pêcher à la ligne, pour de bon, laissant pendre devant sa bouche la minuscule canne à pêche qui sort de son front. La nature a même appâté cette « ligne » d'un petit renflement qui ressemble à de la viande crue.

Nous pataugeons jusqu'à l'endroit où quelques tridacnes, les plus grands bivalves du monde, nous attendent, posés en équilibre sur leur charnière, rigides comme des monuments funéraires. La coquille de l'un d'eux, ouverte de 25 centimètres, laisse entrevoir un manteau couleur d'herbe marine, tacheté d'algues d'un vert iridescent. Malgré sa réputation de mangeur d'hommes, ce mollusque ne se nourrit que de microscopiques organismes que le flux fait pénétrer dans sa cavité palléale. Nous ne pouvons pas résister au désir de toucher de notre bâton ce grand manteau charnu. Instantanément, l'eau gicle du monstre, comme d'une bouche à incendie, et les deux valves se rapprochent... mais ne se ferment pas hermétiquement d'un seul coup. Le tridacne ne peut pas se refermer sans expulser d'abord l'eau qui l'emplit; l'occlusion prend six ou sept secondes, temps largement suffisant pour retirer la main ou le pied. Le muscle adducteur est certes assez puissant pour retenir définitivement un être humain, mais des générations de baigneurs et de pêcheurs de perles n'ont jamais vu se produire réellement les histoires horribles qu'on raconte à ce sujet.

De tous les côtés, on voit de grotesques trépangs, grosses holothuries longues de 45 centimètres, en train de se repaître de débris de coraux. Elles cheminent en halant leur corps obèse, semblable à une chambre à air posée sur de minuscules pattes rétractiles. Friandise pour les Asiatiques, ce trépang, ou « bêche de mer », semble un animal terne et sans intérêt tant qu'on n'a pas l'idée de le soulever; il fait preuve alors d'une étrange faculté : il s'éventre instantanément. Les viscères, enchevêtrement de filaments blancs et gluants, s'envolent littéralement, suivis d'autres organes internes. Après cette macabre démonstration, loin de tomber raide morte, notre holothurie se reconstitue tout simplement une série complète d'organes de remplacement.

Des armées de crabes grouillent partout, filent dans des abris « antiaériens » ou disparaissent dans des coquilles réquisitionnées. Un individu élégant, aux yeux rouge ardent et au dos bleu porcelaine, est de la taille d'une assiette à soupe; un autre, une espèce d'araignée de mer, est tellement hirsute qu'il fait penser à une algue motorisée. Il y a aussi des régiments de « crabes-soldats » en uniforme bleu qui tous renient la loi numéro un de l'espèce, car ils vont de l'avant au lieu de se déplacer latéralement.

Les diverses espèces de coquillages admirables que l'on peut voir ici sont plus nombreuses qu'en tout autre lieu de la terre. On y trouve, entre autres, la *Pinctada*, la plus appréciée des huîtres perlières (la Grande Barrière fournit, à elle seule, 85 % de la nacre mondiale), l'énorme « melon », volute rougeâtre doré dont on se sert encore en Australie pour écoper les canots à rames; les perfides cônes textiles et les cônes marbrés, si ravissants qu'on a envie de les ramasser, mais tellement venimeux qu'un seul attouchement peut être mortel.

Il est temps de rentrer. De petites vagues lèchent déjà nos chevilles, la mer, source de vie, remonte et va venir nourrir et rafraîchir tout ce qui compte sur son inépuisable générosité. L'orchestre de la Grande Barrière commence à s'accorder, pot-pourri de petits airs d'une étrangeté troublante; le *suc-cluc* des bivalves assoiffés, le *scrap-scrap* des crabes et le murmure discret d'innombrables cascades en miniature.

Musique vieille comme le monde, et aussi neuve que la marée montante qui répand la vie dans une nouvelle génération. C'est la pulsation de l'éternité, ce battement mystérieux dont toute créature vivante tient ce qui palpite en elle.

FRANCIS ET KATHARINE DRAKE.

Le tridacne géant, qui peut peser de 150 à 200 kilos, se tient généralement sur les fonds sablonneux, la charnière tournée vers le bas.

Angkor, ou le royaume perdu

Pendant que les grands architectes du Moyen Age construisaient en Europe de magnifiques cathédrales, les Khmers, à l'autre bout du monde, édifiaient Angkor. Sur cette incroyable forêt de temples plane un inquiétant mystère : qu'est-il advenu des Khmers ?

Un après-midi de janvier 1861, le naturaliste français Henri Mouhot se frayait péniblement un chemin à travers la jungle quasi impénétrable du Cambodge, lorsqu'il déboucha dans une clairière et resta figé sur place. Devant ses yeux médusés se dessinaient les contours d'une énorme construction en pierre, dont les longs remparts gris semblaient s'étirer à l'infini. De magnifiques terrasses, des galeries voûtées s'élevaient en hauteur, et cinq tours, évoquant des lotus en bourgeons, s'élançaient vers le ciel. Toute cette masse grise rougeoyait au soleil couchant.

Oubliant qu'il était venu à la recherche d'insectes rares, Mouhot se consacra pendant de longs jours à l'investigation des lieux. Il explora le grand temple — selon lui, « rival du temple de Salomon » — et les nombreux édifices à demi submergés par un océan de verdure. Écrasé, saisi de respect, il regardait, muet d'admiration. « Où trouver des paroles, écrivait-il, pour louer une œuvre architecturale qui n'a peut-être pas, qui n'a peut-être jamais eu son équivalent sur la terre ? »

Mouhot n'exagérait pas. Il était tombé par hasard sur les ruines gigantesques d'Angkor, la capitale légendaire de l'Empire khmer, qui s'étendait jadis de la mer de Chine au golfe de Siam, englobant l'actuel Cambodge, le Laos et le Viet-nam. Cet empire renfermait, dans ses frontières, la plus brillante civilisation qui eût jamais fleuri dans le Sud-Est asiatique.

Surgis on ne sait d'où, les Khmers furent, pendant six cents ans, un objet d'émerveillement et un fléau pour l'Orient, puis ils disparurent, brusquement et mystérieusement, en 1432, laissant peu de traces de la brillante opulence de leur empire, hormis les 200 monuments imposants retrouvés dans la région d'Angkor. Mais cet héritage de pierre est d'une importance et d'une splendeur telles qu'il surpasse de loin les merveilles les plus réputées d'Égypte, de Grèce et de Rome.

En 1907, les Français entreprirent la longue tâche d'arracher la cité perdue à l'étreinte de la jungle. Aujourd'hui, Angkor est en train de ressusciter, grâce au travail de restauration archéologique le plus considérable qui ait jamais été tenté et auquel préside Bernard Groslier, de l'École française d'Extrême-Orient.

Les racines tordues d'un bananier encadrent l'énigmatique visage d'une divinité, à l'entrée du temple de Ta Som. Les pierres, sculptées avec une extraordinaire précision, ont été fendues par la force de l'arbre.

Un Garuda, divinité grotesque qui a un bec d'aigle, un corps d'homme et des pieds de lion *(à gauche)*.

De gigantesques visages du Bouddha taillés dans la pierre montent la garde devant l'une des cinquante entrées principales de la cité d'Angkor Thom *(à droite)*.

Détail de la façade du Banteai Srei, la forteresse des Dames. Ce temple, achevé en 968, se trouve à 32 kilomètres d'Angkor. Indra, dieu du firmament et des pluies bénéfiques, chevauche l'éléphant tricéphale Airavata et envoie la pluie à la terre.

Groslier fut le premier à signaler, il y a une quinzaine d'années, que le fait de libérer ces énormes temples de leur épais manteau de lianes et de verdure n'allait pas sans poser un problème. Les édifices, soustraits désormais à la couche protectrice de la végétation qui les recouvrait depuis des siècles, souffraient de la chaleur excessive et des pluies torrentielles des tropiques. Chose plus grave, leur grès fragile, exposé aux attaques d'un bacille amené par l'eau, commençait à se désagréger. Le seul moyen de les préserver était de les démanteler, pierre par pierre, et de les reconstruire sur des fondations renforcées de béton et entourées de canalisations de drainage. Après quoi, les parties exposées à la mystérieuse « maladie de la pierre » pourraient être traitées, pour éviter l'aggravation du mal, par l'application d'antibiotiques.

Groslier demanda et obtint des gouvernements français et cambodgien que lui fût attribué un budget annuel de 200 000 francs. Il mit sur pied un laboratoire de recherches, fit l'acquisition de l'outillage approprié : grues, bulldozers géants, passerelles mobiles de différents modèles spécialement étudiés à cet effet; il recruta un millier de spécialistes et d'ouvriers. Le sauvetage d'Angkor demandera de nombreuses années, mais un grand pas a déjà été fait.

Parmi les travaux réalisés par Groslier, figure la reconstitution d'une ancienne chaussée d'accès de 110 mètres de long, bordée, de chaque côté, d'une haie de 54 statues géantes, dont un grand nombre s'étaient écroulées dans une douve. Il procéda ensuite à la restauration du temple magnifique de Baphuon, l'un des plus vastes d'Angkor, avec ses cinq étages, et à la remise en état de la fameuse galerie, longue de 730 mètres, d'Angkor Vat, temple fabuleux doté de merveilleux bas-reliefs.

Ces bas-reliefs, les inscriptions khmères et aussi les récits rédigés par des visiteurs chinois d'autrefois ont permis aux savants d'élucider, au moins partiellement, l'énigme de la civilisation disparue. Les Khmers avaient établi leur capitale aux environs d'Angkor au début du IXe siècle, point de départ de leur rapide ascension vers la puissance et la gloire. Des commerçants chinois, des marchands aventureux venus de l'Inde fréquentaient Angkor. Les Khmers empruntèrent à l'hindouisme et au bouddhisme ce qui leur convenait et créèrent leur propre civilisation. Leur empire, désigné sous le nom de Kambuja — Cambodge — dura jusqu'au XVe siècle, puis, soudain, sans qu'on sache pourquoi, il s'effondra et disparut.

Mais, tout au long de leur règne, les rois khmers se sont montrés des gens étonnants. Pour ériger leur capitale et lui assurer un rayonnement comparable à celui de Babylone, ils partaient en guerre périodiquement et ramenaient en captivité des populations entières, à qui ils faisaient extraire la pierre destinée aux édifices.

Dans la vallée du Mékong, ils ont disputé le sol à la jungle, ensemencé d'immenses champs de riz, construit un réseau de routes pavées. Une parfaite maîtrise de la technique hydraulique leur a permis d'aménager un système complexe d'irrigation, plus stupéfiant encore que leurs temples. Creusant des digues et canalisant les plaines inondées qui s'étendent dans toutes les directions depuis le Tonlé Sap (le Grand Lac), ils ont doté le pays d'un ensemble de réservoirs et de canaux, dont certains atteignaient 65 kilomètres de long. Ils assuraient ainsi l'irrigation de leurs champs tout en se donnant de magnifiques voies fluviales.

Pour vaincre leurs ennemis et étendre leur empire, ils dressèrent des milliers d'éléphants de guerre, inventèrent des machines à lancer les flèches, entreprirent la construction d'une flotte importante et invincible. Si l'on en croit une inscription, « quand ils s'élançaient dans la mêlée, le nuage de poussière soulevé par leurs armées éclipsait le soleil ».

En dépit des pertes infligées par des guerres successives, les Khmers créèrent une

Angkor Vat est toujours un centre du bouddhisme, un des lieux saints que les pèlerins visitent. Ici, dans une galerie de ce temple, quelques lampes brûlent devant la statue du Bouddha.

Le plus grand sanctuaire du monde

Les galeries et les tours de pierre du temple d'Angkor Vat se reflètent dans l'eau du fossé. Ce sanctuaire contient des centaines et des centaines de mètres carrés de sculptures, qui illustrent des scènes de la légende de Sûryavarman II. La forme du temple, avec ses terrasses carrées conçues pour que les dieux puissent les voir en les survolant, est dérivée de l'architecture des ziggourats.

Une partie de l'allée surélevée, longue de 346 mètres, vue des toits d'Angkor Vat. Cette allée est longée par deux balustres qui ont la forme d'un serpent *naga*. Aujourd'hui, les Cambodgiens font paître leur bétail parmi les ruines.

L'allée des géants à Angkor Thom. Les statues portent sous leurs bras Vasuki, le serpent sacré qui entoure la Terre. Des géants et des démons font tourner le monde en tirant sur le serpent dans la mythique mer de Lait.

Quelques prêtres du Bouddha sur la terrasse qui ferme, à l'ouest, la grande place d'Angkor Thom; les Khmers construisirent cette nouvelle capitale après la mise à sac d'Angkor, en 1177.

D'admirables visages de divinités, parmi les plantes grimpantes qui les entourent depuis des siècles.

Un majestueux lion de pierre sur-
veille l'accès de l'allée qui conduit
au temple d'Angkor Vat, ce chef-
d'œuvre de l'architecture khmère
qui fut construit par le roi
Sûryavarman II au XIIᵉ siècle.

civilisation d'un luxe extrême. La vie n'était dure que pour les esclaves, qui étaient nombreux et ne coûtaient pas cher. Chou Ta-kuan, un visiteur chinois, relate dans ses souvenirs que « les pauvres étaient les seuls à n'avoir pas de serviteurs ». Séduit par d'alléchantes perspectives : « le riz facile à récolter, les femmes faciles à trouver, les maisons faciles à mener..., les affaires faciles à diriger », Chou Ta-kuan resta onze mois à Angkor.

Peut-être cette vie de facilité est-elle à l'origine du déclin qui livra le royaume khmer aux invasions de peuples jeunes et vigoureux. En 1431, les Siamois, leurs anciens vassaux, firent irruption à Angkor, saccagèrent et pillèrent la capitale. Bien que les Khmers se fussent ressaisis et eussent réussi à chasser l'envahisseur, un an plus tard — brusquement, inexplicablement — ils disparurent de la grande cité, pour n'y jamais revenir. Que s'est-il passé exactement ?

Certains historiens pensent que, las des guerres successives, ce peuple jugea que, contre des voisins aussi violents que les Siamois, Angkor était indéfendable. D'autres prétendent qu'un fléau dévastateur, une épidémie — la malaria peut-être, ou la « peste asiatique » — s'est abattu sur les Khmers et les a anéantis. D'autres encore croient à une révolte des esclaves, qui auraient massacré leurs maîtres, pillé les richesses d'Angkor et se seraient enfuis de ces lieux abhorrés, témoins de leur servitude.

Libre à chacun d'adopter l'une ou l'autre de ces théories. Peut-être ne connaîtra-t-on, en effet, jamais la vraie réponse à ce problème.

CLARENCE HALL.

Une frise d'Angkor : une gracieuse Aspara (danseuse) nous regarde de son visage souriant.

Tahiti, l'incomparable

Depuis deux siècles, Tahiti exerce sur les hommes une mystérieuse fascination. Ce nom évoque aussitôt tout le charme et l'exotisme du Pacifique Sud. L'île a attiré des artistes comme Gauguin, des hommes de lettres comme Stevenson et, de nos jours, de simples voyageurs.

« On ne voit cela qu'à Tahiti... » Je commence à me faire cette réflexion au moment même de mon arrivée. Alors que notre bateau entre au bassin, un groupe de Chinois vociférant en français, et juchés sur des skis nautiques, s'amusent à évoluer autour de nous dans le lagon. Sur le quai, un scooter roule à tombeau ouvert, transportant un homme, une femme, un bébé et un cochon vivant. Et sur un trottoir voisin est assis un clochard classique, dépenaillé et barbu, qui s'explique avec une bouteille de champagne encapuchonnée de papier doré.

Voilà près de deux cents ans, les premiers Européens qui débarquèrent à Tahiti : Wallis, Bougainville et Cook, firent un tour d'horizon et après cela ne furent jamais plus tout à fait ce qu'ils étaient auparavant. Depuis lors, au long des années, Tahiti a été pour le monde occidental l'île de tous les rêves, la seule parmi les milliers d'autres du Pacifique Sud qui exerçât sur l'esprit des hommes un pouvoir magique.

La liste de ses adorateurs est longue et variée. Elle comprend une légion d'écrivains, entre autres Melville et Stevenson, Pierre Loti et Rupert Brooke, Jack London et l'immortel tandem Nordhoff et Hall. Les peintres n'ont pas été moins nombreux, et parmi eux, les dominant tous, Gauguin. On y a vu, accourus des quatre coins de la terre, des nababs avec leurs yachts, des cerveaux brûlés avec leurs névroses, des vedettes de cinéma avec leurs maîtresses, des révoltés, des vieillards blasés, des rêveurs et des hommes venus pour oublier, si bien que le nom même de Tahiti devint de par le monde synonyme d'aventure et d'évasion.

L'afflux des touristes fut tel que les autorités françaises ont dû instituer ces dernières années un contrôle sévère. La durée de séjour d'un visiteur est aujourd'hui strictement limitée. Pour pouvoir y débarquer, il doit être en possession de son billet de retour ou déposer une caution équivalant à son prix. Et il ne peut y acquérir de propriété, travailler ou fonder une affaire que dans des circonstances très spéciales.

L'île de Tahiti se compose de deux massifs volcaniques accidentés, éteints depuis longtemps et soudés l'un à l'autre par un isthme étroit, le tout affectant la forme d'un 8. La boucle la plus grande est Tahiti proprement dite, la plus petite est la péninsule de Taiarapu, ou Petite Tahiti. L'ensemble a une superficie d'environ 1 042 kilomètres carrés. L'intérieur de l'île est désert; c'est un fouillis sauvage, et presque sans aucune voie d'accès, de pics, de vallées, de rochers abrupts, de gorges et de chutes

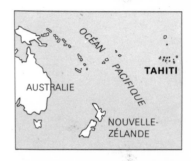

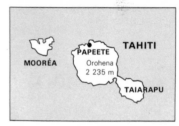

Une cascade de cheveux noirs, une cascade d'eau : une beauté tahitienne couronnée de gardénias blancs se sèche au soleil. La légende de Tahiti doit beaucoup à l'éclat et à la grâce, justement célèbres, des Polynésiennes.

Les palmiers
des rivages
tahitiens

Parmi toutes les races du Pacifique, les Tahitiens sont ceux qui
connaissent le mieux l'art de se
divertir. Les Polynésiens occupèrent Tahiti probablement au
Moyen Age. Samuel Wallis fut
le premier Blanc à débarquer sur
l'île en 1767; il fut suivi du capitaine Cook et du capitaine Bligh
avec le *Bounty*. L'influence anglaise ne se fit jamais réellement
sentir à Tahiti, et lorsque, en 1843,
un protectorat français s'y établit,
la nature enjouée des Polynésiens
s'accorda parfaitement avec la
tournure d'esprit des Français.

d'eau vertigineuses, le tout décoré d'une luxuriante végétation exotique. Traverser l'île est une rude expédition. Son point culminant, le mont Orohena, atteint 2 237 mètres et n'a été escaladé pour la première fois qu'en 1953, l'année même de la conquête de l'Everest.

Le circuit de l'île, par ses 145 kilomètres d'une route côtière tortueuse mais étonnamment bonne, est un voyage à travers une féerie tropicale. Naturellement, les palmiers y abondent ; on trouve des manguiers et des arbres à pain, des avocatiers et des pandanus, des bananiers et des casuarines. Vous avancez sur la route, et l'air pendant quelque temps embaume la vanille, puis c'est l'odeur du copra qui domine et ensuite le parfum plus tenace des fleurs. Car partout autour de vous ce n'est qu'une éblouissante floraison d'hibiscus, de bougainvillées, de frangipaniers, de gardénias.

A 15 km à l'ouest de Tahiti, voici l'île volcanique de Mooréa : elle est devenue, ces dernières années, un des centres les plus importants du tourisme polynésien.

Presque toutes les îles du Pacifique sont d'une beauté aussi généreuse, mais le style de vie à Tahiti est unique. On le sent en traversant ses villages, aux cases de bambou couvertes de chaume (à moins qu'elles ne soient en planches avec un toit en tôle ondulée), où le chant des coqs est couvert par le pincement des guitares et le cliquetis des boules de billard ; à ses vieux autobus brimbalants bondés de corps bronzés, de visages souriants, de cochons braillards et de volailles battant des ailes ; à ses filles filant à toute allure sur leurs motos ou leurs scooters avec leurs cheveux flottant au vent derrière elles ; au nombre incroyable de bicyclettes et de vélomoteurs, d'autobus et de camions, de Jaguar et d'invraisemblables tacots qui créent aux approches de Papeete des embouteillages grandioses dignes de Paris.

Papeete est le cœur et l'âme de Tahiti. C'est le centre de son présent et la clé de son avenir. Les autres capitales insulaires sont en général des villes tropicales paisibles et même plutôt languides, où les jours passent dans la somnolence sous un soleil de plomb ou des pluies torrentielles. Au contraire, Papeete bourdonne et vibre d'animation. C'est certainement un des spectacles les plus dignes d'être vus. Dans le port, paquebots et cargos, sans parler des goélettes, des yachts, des bacs et des bateaux de pêche, accostent directement le long de l'artère principale de la ville. Sur les quais, face au large, s'alignent les maisons de commerce, les beaux magasins, les bureaux de tourisme et de navigation, les cafés et les restaurants qui semblent pleins à toute heure du jour et de la nuit. Derrière cette façade, les petites boutiques, presque toutes chinoises, s'éparpillent en ordre dispersé dans un dédale de rues tortueuses.

Le soleil se joue à travers les palmes d'un cocotier. Le copra, amande de coco, une fois bien desséché, est utilisé pour fabriquer une huile végétale, que l'on exporte en grosses quantités. Outre le cocotier, on cultive aussi le bananier, le papayer, le vanillier et la canne à sucre.

Dans les autres centres du Pacifique Sud, toute vie cesse à la tombée de la nuit, alors qu'ici les lumières s'allument, la musique commence, le flot des bicyclettes s'intensifie. Tous les soirs, c'est fête, avec tout le débordement que cela comporte.

De tous les peuples de la terre, je crois que le Tahitien est le plus fervent zélateur de la bonne vie, et son application à poursuivre cet aimable idéal est quelque chose de stupéfiant. Lorsqu'il s'assied à table, c'est avec un entrain et une capacité d'absorption qui feraient honte à un empereur romain. Quand il boit, c'est toujours jusqu'à la dernière goutte, non seulement du verre, mais de la bouteille. Donnez-lui une guitare, il en grattera en chantant jusqu'à ce que les cordes lui claquent dans la main, et, si vous le faites danser, il s'arrêtera peut-être — mais ce n'est pas sûr — le lendemain matin pour avaler, sur le tard, son petit déjeuner.

Le travail régulier, fastidieux, est laissé presque entièrement aux Chinois, qui ont été introduits dans l'île il y a cent ans comme main-d'œuvre dans les plantations et qui, depuis lors, ont accaparé le commerce pour leur plus grand bénéfice. Le Tahitien ne recherche pas le profit. Quand il lui arrive de travailler, c'est à quelque chose qui l'amuse, comme par exemple pêcher, construire une maison, creuser un canoë, faire du bateau à voile ou piloter un énorme camion pétaradant.

Une des causes majeures du bonheur de ce peuple est la contingence historique qui a donné son île à la France. Car les Français ne s'immiscent pas dans la vie privée des gens. Peu importe si vous buvez et ce que vous buvez, ou l'heure à laquelle vous allez vous coucher le soir, et avec qui. Et c'est cela qui compte à Tahiti, beaucoup plus que les combinaisons et les intrigues de la politique mondiale.

L'essentiel, c'est qu'il n'existe aucune sorte de ségrégation raciale. Il y a eu tant de croisements entre les indigènes et les Français, entre les indigènes et les Chinois, entres les indigènes et presque toutes les autres nationalités du monde qu'il est pratiquement impossible de déterminer qui est vraiment tahitien et qui ne l'est pas. L'égalité sociale est absolue, et votre chauffeur de taxi d'aujourd'hui peut parfaitement être demain votre hôte à quelque réunion mondaine.

C'est tout cela qui compose l'atmosphère de l'île et contribue à faire de Tahiti un microcosme d'un charme merveilleux et fascinant, sans toutefois que ce soit exactement un paradis. Car aussi « à part » qu'elle soit, l'île fait tout de même partie d'un monde où tout se paie son prix. Ainsi sa crasse et sa décrépitude, ses rats et ses can-crelats, ses rues tapissées d'épluchures de mangues n'ont absolument rien de para-disiaque. Et quiconque se trouve devant la funeste nécessité de faire exécuter d'urgence un petit travail se sentira beaucoup plus loin du paradis que de son infernal antipode. Dès que vous quittez le lagon et que vous abandonnez la guitare, les inconvénients vous sautent aux yeux.

Mais pour le Tahitien il y a d'autres problèmes et de beaucoup plus graves, en tout premier lieu la maladie. Fléau traditionnel de l'île, la filariose, avant-coureur de l'éléphantiasis, est aujourd'hui à peu près jugulée. Mais la tuberculose sévit encore, ainsi que les maladies vénériennes. Et, comme les boissons fortes se vendent libre-ment et sans restriction, l'alcoolisme est largement répandu.

On a tellement écrit sur la vahiné tahitienne que j'hésite à venir ajouter mes mo-destes observations de dernier venu. Cependant, faire un portrait de l'île sans parler d'elle équivaudrait à faire une description de Toulon sans parler de bateaux.

Au point de vue physique, les types féminins varient considérablement, car la Polynésienne de pure race est aujourd'hui un oiseau rare à Tahiti. De plus, celle qu'on appelle la Tahitienne a vraisemblablement hérité une qualité raciale différente de chacun de ses quatre grands-parents. Celles qui sont d'une origine à prépondérance autochtone ont tendance à prendre du poids et de la corpulence dans des proportions assez incompatibles avec les goûts occidentaux. En revanche, les femmes d'ascen-dance mêlée sont en général beaucoup plus délicates de ligne et de visage. Les Tahitiennes chinoises, en particulier, sont presque toujours — et je ne dis pas cela en l'air — aussi belles qu'une femme peut l'être. Que ce soit dans un modèle de Dior, en paréo et collier de fleurs ou en blue-jean avec la chemise de sport de son amoureux, je n'ai jamais vu une seule vahiné mal habillée.

A Tahiti, le travail n'est pas illégal : il est simplement considéré comme une façon assez bizarre de passer son temps. Quand je leur ai annoncé que j'étais venu pour écrire, les Tahitiens se sont ligués pour me protéger d'une pareille folie.

Ainsi, un certain matin, je suis dans le bungalow de mon hôtel. Un soleil admirable fait étinceler l'eau verte et bleue du lagon, et je fais des efforts méritoires pour ne pas regarder dehors, mais fixer mon attention sur la feuille de papier que j'ai mise sur ma machine à écrire. Le téléphone sonne.

— Tennis ?

— C'est-à-dire que... Euh !... Non, merci beaucoup, mais...

Le téléphone sonne de nouveau.

— Vous venez déjeuner ?... En petit comité... Nous ne serons qu'une vingtaine... Punch au rhum, vin rouge et... Oh ! oh ! je vois !... Alors, demain, peut-être ?...

Je reviens à ma machine à écrire. Clic ! Clic ! Clic ! Une dizaine de clics, tout au plus. Puis dans le hall de l'hôtel, à cent mètres de là, les tambours tahitiens se dé-chaînent à la radio. Je me précipite. Il n'y a personne dans le hall que Marie, la préposée à la réception, qui s'entraîne à danser le hula. Je lui désigne du doigt le haut-parleur, je me bouche ostensiblement les oreilles, et, avec prévenance, elle dimi-nue le volume. Puis elle s'empare de moi, et pendant dix minutes, au son plus amorti des tambours, nous dansons ensemble le hula.

Ouf ! c'est fini ! Je retourne à mon bungalow. Mais voilà que mon amie Louise, du Grand Hôtel, arrive inopinément et m'annonce que nous allons pique-niquer !...

Je n'ai tapé que ces mots : « Il n'y a qu'à Tahiti... »

JAMES RAMSEY ULLMAN.

A Papeete, la capitale de Tahiti, on vit intensément vingt-quatre heures sur vingt-quatre. Il n'est pas rare, par exemple, de voir des vahinés comme celle-ci qui, ayant participé toute la nuit à des fêtes aux flambeaux, se trouvent le lendemain matin à leur travail derrière un comptoir ou le pla-teau à la main, attendant la commande d'un client.

Des danseuses couvertes de guirlandes de fleurs évoluent sur les rythmes tradi-tionnels de la musique tahitienne. Les « demis », Tahitiennes françaises ou Tahitiennes chinoises, sont considérées comme les plus belles femmes du monde.

Belle et solitaire Islande

L'Islande, située à l'extrême ouest de l'Europe, effleure le cercle polaire arctique.
Ses paysages sont âpres et volcaniques, ses hivers sombres et interminables.
Mais il y a quelque chose de fascinant dans cette île de lave et de glace, dont
les habitants ont encore le loisir d'accueillir leurs visiteurs.

Aller en Islande? Mais pourquoi donc? S'il est vrai qu'il y pleut trois cents jours par
an! Les Danois n'affirmaient-ils pas que le diable, dépité par la création divine,
voulut montrer ce dont il était capable, et ce fut l'Islande. Des déserts de glace et de
sol volcanique s'étendent à perte de vue; le long de la côte, sur une bande de terre
un peu moins désolée, des routes défoncées permettent le passage des cars, dans lesquels les malheureux voyageurs sont bringuebalés durant des heures avant d'arriver
aux rares hôtels qu'offre l'île. Là, en guise de nourriture, ils avalent un médiocre café
et du petit-lait, des omelettes qui semblent provenir d'une cavité sulfureuse ou un
saumon de premier choix qu'une cuisson prolongée a transformé en une pâte rose
pâle. Et tout cela, sans parler des moustiques, pour contempler, dans une atmosphère qui évoque l'enfer, quelques geysers rarement en activité et des crevasses
remplies de matière en ébullition.

Voilà une description exagérée. Il est vrai qu'il y a une centaine d'années les voyages en Islande n'étaient pas de tout repos.

A l'époque victorienne, des pasteurs intrépides, partis d'Angleterre, ont relaté
leurs équipées à dos de poney, qui duraient vingt heures d'affilée, leurs guides ne
connaissant pas le chemin; s'ils ne trébuchaient pas dans les sables mouvants des
torrents, ils n'en étaient pas moins trempés par la pluie. Leur nourriture se composait de saumon fumé qui sentait le crottin ou de viande de mouton peu appétissante,
couverte de poils; ils dormaient dans des masures de tourbe, entassés avec vingt autres
personnes dans la même pièce obscure et insalubre, dont le sol en terre battue était
souvent jonché d'arêtes et de têtes de poisson.

Il y a seulement trente ans, les voyages en Islande revêtaient encore un caractère
aventureux. Et même de nos jours son climat traître protège ce pays solitaire de cette
catégorie de touristes qui goûtent les croisières en troupeaux autour des tropiques ou
qui se plaisent à jouer les indigènes sur les îles de l'équateur et à se dorer sur les plages
en compagnie de femmes en bikini. Tant mieux, d'ailleurs, et que Dieu préserve l'Islande de la popularité!

Ce pays n'est pas fait non plus pour les gens pressés. Il est trop vaste, et son climat
enseigne la patience. Les Islandais méprisent la bousculade. En été, les jours sont
longs, en hiver, ce sont les nuits. Peut-être a-t-on conservé un peu du fatalisme des

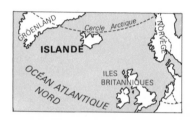

'île volcanique de Surtsey; aux couleurs de cette photographie, on devine l'excep-
onnelle beauté de l'Islande. L'apparition de telles îles n'a pas de quoi surprendre;
urtsey émergea des eaux vers la fin de 1963, à 120 kilomètres environ de la côte.

L'économie islandaise est presque entièrement fondée sur la pêche : l'île est entourée d'eaux qui sont parmi les plus poissonneuses du monde. Pour protéger sa ressource principale, l'Islande étendit en 1958 jusqu'à 20 kilomètres les limites de sa souveraineté territoriale ; cette décision provoqua des différends avec d'autres pays, notamment avec la Grande-Bretagne. Les pêcheurs islandais opèrent en général dans leurs eaux territoriales, dans la mesure où ils n'ont aucun besoin de s'aventurer ailleurs.

anciens. Que l'on soit calme ou impatient, enclin à l'agitation ou non, la fatalité conduira chacun de nous en son temps, ni plus tôt ni plus tard, à sa destination finale.

Pour effectuer, par exemple, un voyage à l'intérieur de l'île, il faut encore des poneys. Partout ailleurs en Islande, les routes et les voitures se sont multipliées, et on rencontre de plus en plus rarement ces charmants petits animaux qui se dirigent au flair, avec une sagacité mystérieuse, au milieu des trous et des sables mouvants des rivières islandaises. Tout au plus les utilise-t-on encore pour rassembler à l'automne les vastes troupeaux de moutons, et aussi, malheureusement, comme viande de consommation. Je me rappelle un fermier très estimable qui avait promis des bêtes pour 9 heures, mais qui, à 11 heures, ne s'était pas encore présenté. Entre-temps le voyageur impatienté était parti à pied dans une autre direction. A Londres, notre avion islandais décolla avec cinq heures de retard (bien sûr, un ennui mécanique est toujours possible) ; cependant, au lieu d'atterrir confortablement à l'heure du coucher, nous dûmes gagner notre hôtel de Reykjavik, comme des fêtards attardés, longtemps après le crépuscule.

A la pointe sud-est de l'île se trouve un petit hameau de pêcheurs qu'un isthme interminable relie à la côte. Le paysage est vraiment magnifique, lorsque la brume le laisse entrevoir ; il rappelle davantage le Groenland que l'Islande.

Les murailles noires du Vatnajökull se dressent à pic sur le rivage, et de leurs sommets quatre grands glaciers descendent paresseusement jusqu'à la mer. L'endroit peut se révéler perfide. En dépit de leur habileté et de leur patience, les Islandais n'ont jamais réussi à relier par terre cette région à Reykjavik, ne pouvant construire des ponts sur ces rivières mouvantes formées par les glaciers.

On ne verra pas un seul bateau en quinze jours. Il existe un autobus par semaine qui va vers le nord, et il faudra encore des journées de route pour atteindre la capitale.

Il y a des gens qui retournent en Islande chaque année. Il faut aimer la solitude. La superficie dépasse d'un cinquième celle de l'Irlande ; 80 pour 100 du territoire sont inhabités. Au moins il y a de la place. Il faut aimer les paysages restés à l'état sauvage. Des montagnes arides, une mer désolée ferment l'horizon de toutes parts. 12 000 kilomètres carrés sur 105 000 sont de la lave, 13 000 de la glace. A lui seul, le Vatnajökull représente une surface de glace équivalente à la superficie de la Corse.

Je me rappelle très nettement avoir vu dans le désert intérieur de l'île un puits rocheux d'environ 1 mètre de superficie et 3 mètres de profondeur ; un ruisseau suintait dans le fond ; quelques grosses pierres posées sur l'orifice servaient de toit. Par-dessus se dressait le bastion en basalte noir du Herdubreith, surmonté de sa pyramide de neige. Tout autour s'étendaient les mornes déserts de lave, rugueux et ridés comme la peau d'un gigantesque lézard pétrifié, ainsi que des espaces recouverts de sable volcanique noir, où ne poussent que quelques pieds d'élymus et un brin d'herbe jaunie par-ci par-là. D'après notre guide, c'est pourtant là qu'en 1700 vivait, été comme hiver, un hors-la-loi solitaire, qui, assez curieusement, portait encore le nom de deux anciens rois norvégiens, Sverrir Tryggvason, et qui, pour subsister, tuait de temps en temps un mouton égaré.

En Islande, il est facile de s'attacher au passé. L'histoire de sa population y est d'une brièveté exceptionnelle, puisque le pays n'est habité que depuis un millier d'années. Il doit exister encore de nombreux endroits reculés que le pied de l'homme n'a jamais foulés. Les ruines anciennes sont peu nombreuses, le climat est trop rude, les matériaux trop fragiles. Le vaste musée de Reykjavik contient peu de vestiges d'un passé dont l'intérêt dépasse la simple curiosité. L'Islande conserve le souvenir d'une seule et unique race d'hommes. Là-bas, il est essentiel de s'intéresser aux sagas, qui sont les premiers chefs-d'œuvre occidentaux de récits en prose postérieurs à la chute de la Grèce et de Rome.

Les récits des sagas illustrent à la manière d'Homère la courtoisie, le courage, ainsi que la fatalité qui donne parfois au malheur une valeur de dignité tragique. « Nul ne vivra jusqu'au soir s'il est écrit qu'il mourra le matin. » Ce destin, l'homme l'assume plus ou moins bien. Et le fatalisme qui affaiblit les âmes fragiles peut fortifier les natures énergiques. Il conduit aussi à une générosité plus profonde.

En Islande, les sagas tiennent une très grande place. Cette race intelligente les lit encore, et, même dans les fermes isolées, elles sont en évidence sur toutes les étagères. Lorsque je me rendis en Islande pour la première fois, en 1934, le mécanicien du bateau par exemple avait la réputation d'en connaître un grand nombre par cœur.

A chaque pas le voyageur foule des souvenirs anciens, à chaque pas les fantômes du passé surgissent. Si l'on s'éloigne de Reykjavik par la route du nord, on voit se dresser au-dessus des eaux sombres de la baie de Hvalfjördhur (là où pendant la Seconde Guerre mondiale se rassemblèrent les convois pour la Russie) le rocher en forme de colonne de Geirsholmi. C'est là que, pendant des années, parce qu'il avait été condamné injustement, vécut Hord, le hors-la-loi, en compagnie de deux cents confédérés. Entassés comme des mouettes sur un rocher, ils n'avaient pas de place pour les bouches inutiles. C'est pourquoi ils établirent une règle très simple : tout homme malade depuis plus de trois nuits était jeté du haut de la falaise. Pour finir, ils furent assassinés traîtreusement par les fermiers du voisinage. Seule, la femme de Hord, la courageuse Helga, nagea pendant plus de trois kilomètres jusqu'à la côte avec ses deux fils âgés respectivement de huit et quatre ans.

La route qui mène à Akureyri, la seconde ville d'Islande, longe la côte septentrionale en direction de l'est, passe par la ville de Reykjaskoli, pour atteindre la verte vallée de Skagafjördhur, où sommeillent la ferme et la petite église de Flugumyri. C'est dans ce décor pastoral et paisible qu'éclata, en 1253, le plus atroce des incendies qui ravagèrent l'Islande. Au cours d'une querelle lamentable, provoquée par cette anarchie grandissante qui devait placer, neuf ans plus tard, l'Islande sous la botte de la Norvège, cinquante hommes armés surprirent à Flugumyri l'ambitieux Gizur Thorvaldsson, à l'issue de la fête qu'il avait donnée pour le mariage de son fils avec Ingibjörg Sturlasdottir. Vingt-cinq invités périrent par l'épée ou le feu, y compris la femme et le fils de Gizur. Quant à lui, il parvint à se cacher dans une laiterie à l'intérieur d'une jatte de petit-lait glacé, mais les meurtriers y plongèrent leur lance, l'atteignant au ventre, si bien que le fugitif immergé s'effondra doucement sur le côté. Jusqu'à l'arrivée de l'ennemi, il avait grelotté de froid ; désormais, le malheureux ne grelotterait plus. Comme ces macabres récits d'autrefois sont restés vivants avec leurs touches réalistes !

Loin de là sur la côte sud, à Hlidharendi, une jeune Islandaise n'hésita pas à grimper en talons hauts pendant dix minutes pour me montrer la tombe de Gunnar. Celui-ci fut attaqué alors qu'il se trouvait seul chez lui avec sa femme et sa mère. Il se défendit avec une adresse redoutable. Pour remplacer la corde de son arc, qui avait été tranchée, il demanda à sa femme, Hallgerda, une de ses longues tresses. C'était elle qui, par sa rancœur, avait déclenché contre lui cette vendetta. « Eh bien, je vous rappelle, répondit-elle, que vous m'avez un jour frappée au visage, et il m'importe peu que vous résistiez plus ou moins longtemps. — Chacun a sa fierté, répliqua Gunnar, je ne vous importunerai donc plus. » Et ce fut la fin.

Tous les Islandais sont attachés à leur passé. Les enfants même lisent les sagas dans le texte original, tant la langue a peu évolué depuis le vieux norrois des premiers conquérants. A travers les oppressions, les épidémies, les catastrophes atmosphériques et plus d'une centaine d'éruptions volcaniques (si bien qu'en 1783 la population n'était plus que de 38 000 habitants), cette race invincible a conservé presque inchangé le parler de ses ancêtres, comme une petite ville qui aurait gardé son propre idiome à travers un millénaire. De nos jours, encore, l'Islandais refuse l'alliage international des langues modernes. Électricité se dit « puissance jaune » ; un tank est un « dragon

Le soleil matinal brille sur les neiges du Hvannadalshnukur, la plus haute montagne de l'Islande : là se trouve le Vatnajökull, qui est le plus grand glacier de toute l'Europe. L'intérieur de l'île est entièrement constitué de plateaux recouverts par des dômes de glace (les jökull), d'où le nom donné à l'Islande, qui signifie « Terre de glace ».

rampant ». Encore maintenant, les femmes mariées gardent le nom de leur père : la fille de Gudmund Jonsson restera jusqu'à sa mort Thorgerda Gudmundsdottir, même si elle se marie plusieurs fois.

Si préoccupé soit-il de son passé, ce peuple perspicace et vigoureux tient solidement en main les rênes de son avenir. La population a presque triplé depuis 1890; elle atteint le chiffre de 190 000 habitants. Le téléphone et la voiture sont très répandus (bien que les routes soient encore souvent recouvertes de gravier), et des lignes aériennes relient la capitale à une vingtaine de localités.

Il existe encore de nombreuses fermes isolées; mais elles sont fraîchement repeintes et animées par le bourdonnement d'un équipement agricole moderne. On ne trouve presque plus de ces anciennes maisons à pignons en bois, pierre et tourbe, qui abritaient les hommes et les bêtes, puis ensuite les bêtes seulement. De temps en temps, sur une étendue sauvage, se dresse une grande école. Car ce petit pays dépense beaucoup pour son instruction, même s'il arrive que les enseignants trouvent qu'ils ne sont pas bien rémunérés. L'intelligence est une tradition depuis l'époque où l'élite fournissait à la cour de Norvège ses bardes, ses savants et ses historiens. Pour un public si peu nombreux, on estime de nos jours le nombre des livres publiés par habitant à sept fois celui de l'Angleterre et vingt-sept fois celui des États-Unis. Où trouvent-ils l'argent? L'écrivain et prix Nobel islandais Halldor Laxness prononçait un jour une conférence dans le Nord-Est du pays, devant un auditoire d'une centaine de personnes; parmi elles, la moitié étaient des poètes, dont certains avaient déjà été publiés.

En 1850, le pays dans son ensemble comptait sept médecins; en 1900, un seul dentiste. Il possède maintenant un Service national de la santé et plus de cinquante hôpitaux. Les signes de richesse et de pauvreté sont peu visibles. Le niveau de vie est parmi les plus élevés d'Europe, la mortalité infantile parmi les plus basses.

A première vue, lorsqu'il débarque à Reykjavik, le voyageur voit peu de différence avec bon nombre d'autres ports scandinaves. En été, les jours semblent interminables; il fait nettement frais, et l'on pourra tout d'abord avoir une impression d'accablement, provoquée par la force vivifiante de l'air. Pourtant, on ne sent pas la proximité de l'Arctique. En réalité, si l'Islande se situe sous la même latitude qu'Arkhangelsk en Russie et que l'Alaska central, ses hivers sont plus cléments que dans la plus grande partie de l'État de New York, et la neige ne tient pas plus longtemps. Il fait en général beaucoup plus froid en Suède, car le Gulf Stream diffuse généreusement sa chaleur sur les côtes islandaises. Il est vrai qu'en hiver les jours sont terriblement courts; le plateau central, haut de 500 à 600 mètres en moyenne, devient sans doute hideusement blafard. A propos des victimes qui périssaient dans les lugubres tempêtes de neige, on se contentait de ces mots brefs et sinistres : « Il était *sorti*. »

Une gravure de 1836 montre Reykjavik comme un petit hameau de huttes en bois. En 1900, sa population n'était encore que de 3 000 habitants, alors que de nos jours elle atteint le chiffre de 78 000. L'étranger qui se rend à pied du quai de débarquement jusqu'à la capitale pourrait se croire transporté dans un provincialisme du siècle dernier. L'atmosphère qu'on y respire est un peu terne, sans doute, mais combien rassurante en comparaison de notre époque trépidante. Un ciel sans fumée, quelle bénédiction ! Reykjavik se chauffe principalement avec l'eau des volcans qu'elle pompe à une quinzaine de kilomètres dans des réservoirs cylindriques en ciment, sortes de petits gazomètres qui s'élèvent sur une colline, à l'est de la cité. En ville, ni chevaux, ni chiens, ni tramways, ni trains. Un flot de voitures de toutes origines, américaines, anglaises, allemandes, françaises, italiennes, suédoises, russes même.

L'église du parc national de Thingvellir, à 60 kilomètres environ au nord de Reykjavik. Pendant quatre cents ans, cette vallée a vu siéger l'Althing, l'assemblée générale annuelle des Islandais, à laquelle participaient tous les hommes d'une certaine position sociale. Le siège en fut choisi en 930 par un gentilhomme nommé Grimur, « Barbe de Chèvre » : c'est un des lieux les plus vénérés d'Islande. L'été, il attire les campeurs.

Une vue de la Gullfoss — la « Cascade d'or » — dans le Sud-Ouest de l'Islande. On trouve là de très nombreuses cascades, d'une incomparable beauté.

Pas de restaurants tapageurs ni de grands magasins élégants, mais, ce qui est significatif, quelques excellentes librairies. On s'habille comme partout ailleurs dans ce monde standardisé et monotone qui est le nôtre. Cependant, dans ce pays aux étés frais, sous une apparence souvent robuste, les gens sont vraiment des « visages pâles ». Les jeunes femmes n'ont pas encore adopté la mode actuelle, qui consiste à se donner par des moyens artificiels un teint de cuir tanné. De temps en temps, on rencontre une femme d'un certain âge, fière, dans le vieux costume national : jupe noire, corsage noir brodé d'or ou d'argent, coiffe noire d'où sortent deux bandeaux de cheveux en torsade et un long gland attaché par un anneau d'or ou d'argent.

L'atmosphère du vieux Reykjavik est faite de simplicité; pas de recherche de beauté; quel architecte aurait choisi comme matériau ce mélange de bois, de ciment et de tôle ondulée, même généreusement agrémenté de peinture rouge et verte? Et cependant, un charme étrange émane de sa grand-place, où se dresse, entourée de fleurs, la statue de Jón Sigurdsson, qui mena la lutte pour l'indépendance, du petit palais du Parlement (l'une des rares constructions en pierre de l'île) et de la petite cathédrale luthérienne. Les Islandais sont passionnés de sculpture, et le nombre des statues suffirait à lui seul à montrer au voyageur qu'il se trouve dans la capitale et non pas dans une petite ville de province. Certaines représentent des Vikings du Xe siècle, d'autres, des notables du XIXe siècle.

Après avoir traversé la place, on arrive brusquement à un lac de 450 mètres de long où s'ébattent des canards. A côté se dresse l'église indépendante, avec son toit de tôle ondulée peint en vert, et, au-delà, s'étend un jardin public où le visiteur rencontrera des statues en plus grand nombre encore.

C'est ainsi qu'apparaît la vieille ville, dans le calme rustique d'un monde disparu; tout autour, à l'est, au sud, à l'ouest, se dresse la nouvelle ville avec ses nombreuses constructions qui grimpent sans ordre à l'assaut des collines, ses inévitables agglomérations de gratte-ciel. Il y a des musées, des bibliothèques, des bâtiments officiels, des établissements de bains nouvellement construits. Là, comme partout ailleurs en Islande, l'architecture des églises, d'un modernisme d'avant-garde, revêt parfois les formes les plus insolites. Quant aux maisons, elles ont parfois donné lieu à des débordements d'imagination dont le résultat est souvent plus inattendu que satisfaisant.

Si, de jour, sous les nuages gris qui balayent l'Esja, la capitale ressemble à quelque morne ver luisant, de nuit, le ver luisant devient éclatant. Lorsque l'avion traverse le crépuscule et que les lumières apparaissent blanches, rouges et vertes, au-dessus des jardins et des autoroutes, Reykjavik ressemble presque à une ville du continent.

Ce qu'il reste à la fin d'un séjour en Islande, c'est le souvenir d'une population réservée, mais intelligente et affable, de beaux enfants aux cheveux blonds, de petits chevaux patients, sages et gracieux, du silence des espaces infinis, qui, loin d'engendrer une angoisse maladive, rend plus conscient de la futilité de ce monde trop civilisé qui nous tiraille brutalement dans tous les sens. Aux souvenirs de désolation morose se mêlent celui des fleurs sauvages mauves et jaunes qui poussent le long des rives désertiques des cours d'eau, celui des cascades fracassantes ainsi que celui des petites maisons adossées paisiblement aux collines, au milieu du vert vif des prairies.

On garde le souvenir de mers qui virent brusquement du gris sombre au bleu méditerranéen, de montagnes noires qui, à la lumière du couchant, se colorent d'un azur presque incroyable, d'un ciel, plus pâle en vérité, mais aussi magique que celui du Kerry, du Connemara en Irlande ou des Hébrides lorsque les vents soufflent de l'Atlantique.

F. L. Lucas.

Les Islandais sont calmes et courageux. Les poneys, qui, à l'automne, aident à rassembler les immenses troupeaux de moutons dans les montagnes, sont de la même trempe.

Un quartier résidentiel dans la banlieue de Reykjavik. La vieille ville garde encore un aspect provincial, mais la nouvelle Reykjavik, qui s'élève sur les collines alentour, est fort moderne avec ses gratte-ciel. Au fond, on entrevoit le port et le mont Esja.

Visa pour Samarkand

L'Ouzbekistan est, en Asie centrale soviétique, le siège de l'une des plus anciennes civilisations du monde : c'est là que se trouvent les villes célèbres de Samarkand, de Boukhara et de Tachkent. Mais ce pays est aussi une république moderne, qui doit sa richesse au coton : « l'or blanc de l'Ouzbekistan ».

Pendant des siècles, Samarkand et Boukhara ont attiré les voyageurs par leurs noms exotiques chargés de splendeur et de mystère oriental. Si, pendant longtemps, ces lieux ont été fermés aux étrangers, on peut aujourd'hui s'y rendre par avion via Tachkent, la capitale industrielle en pleine expansion de l'Ouzbekistan, cette république soviétique deux fois plus grande que la Grande-Bretagne et en avance de trois fuseaux horaires sur Moscou.

Hélas! même les légendes meurent parfois! A Samarkand, qui est l'une des villes les plus anciennes de l'Asie centrale, on fabrique aujourd'hui des produits chimiques, des pièces pour tracteurs et des appareils cinématographiques. La plus grande partie de ses 200 000 habitants sont des Ouzbeks, des Tadjiks (de la république voisine) et des Russes : le tsar a conquis le pays en 1860. Samarkand possède la plus grande université de l'Ouzbekistan, fréquentée par 10 000 étudiants, une route dédiée à Gagarine et un parc « de culture et de loisir » avec une salle de miroirs déformants. Et pourtant, les mosquées et les mausolées, avec leurs carreaux turquoise, rappellent encore l'époque fabuleuse de Tamerlan, qui, au XIVe siècle, transforma sa ville natale en une splendide capitale et qui y repose toujours, enseveli sous le plus monumental bloc de jade qui existe au monde.

Boukhara, célèbre dans le monde entier pour ses tapis que les Turcs vendaient autrefois dans son grand bazar, est devenue un immense musée : un labyrinthe de venelles poussiéreuses et non pavées, entre des murs aveugles de brique blanchis à la chaux. Les maisons ouzbeks n'ont qu'un étage et sont entourées de cours ombreuses où, pendant les étés torrides, mûrissent les fruits.

Les Ouzbeks, au total 6 millions, sont de langue turque et de tradition musulmane : c'est un peuple sympathique et vif qui a la peau acajou clair et les yeux en demi-lune. De nombreux jeunes gens ont adopté le costume européen tout en conservant le *tubetyeka*, le couvre-chef brodé traditionnel du pays; à l'inverse, la quasi-totalité des vieillards, barbus, portent le turban, le *khalat*, tunique à ramages de couleurs vives fermée à la taille par une ceinture, et de grandes bottes de cuir souple. La plupart des femmes ouzbeks ont des robes qui leur descendent jusqu'à la cheville, faites en soie ou en coton, avec des motifs turquoise, jaunes ou rouge foncé; leurs cheveux, longs, soyeux et noirs, tombent en tresses jusqu'à la taille.

JOHN MASSEY STEWART.

Au-dessus de Samarkand se dressent les vestiges de la plus grande mosquée d'Asie centrale, la Bibi Khanum, qui porte le nom de l'épouse chinoise de Tamerlan. Il y a quelques années, le corps momifié de Bibi Khanum fut exhumé de sa sépulture.

Les enfants de Boukhara ont le teint légèrement bronzé et une vitalité pleine de charme. La plus âgée a un type tartare métissé de sang russe *(ci-dessus)*.

La cour de la *medresseh* (collège religieux, ou medersa) Ulug Beg à Boukhara, édifiée au XVᵉ siècle. Ulug Beg, petit-fils de Tamerlan, fut un grand astronome et un grand lettré. Le collège est aujourd'hui fermé *(ci-contre)*.

Vieillards et hommes d'âge mûr en prière dans l'unique mosquée encore ouverte au culte à Samarkand. Ils portent le turban et le *khalat*, caftan ouzbekistanais, et ils ont déposé leurs souliers derrière eux. Malgré les persécutions soviétiques, la religion islamique est encore bien vivante *(ci-dessous)*.

La tour de la Mort, à Boukhara, a près de cent mètres de haut. Elle fut construite en 1127 avec des briques faites d'argile saline locale mélangée à de l'argile calcaire de Samarkand, auxquelles furent ajoutés des œufs, de la farine et du lait de chamelle. Du haut en bas, la tour est décorée de bandes horizontales de briques peintes. C'est en fait le minaret de la mosquée Kalian, mais cet édifice servait aussi de tour de guet et de point de repère et de phare pour les caravanes du désert. Le nom de tour de la Mort vient du fait qu'avant 1868, année de la conquête russe, les criminels étaient précipités de son sommet jusqu'au sol. Les premiers bolcheviks passent pour avoir remis en honneur cette pratique.

365

PHOTOGRAPHIES

Nous indiquons la position des photographies par les abréviations suivantes : *d* : à droite; *g* : à gauche; *h* : en haut; *b* : en bas; *c* : au centre.

SOURCES

LES DEUX VISAGES DE LA MONGOLIE, par Fitzroy MacLean, de « Into Mongolia », *Weekend Telegraph*, 30-9-66.

AVRIL EN IRLANDE, par Michel Mohrt, de « Avril en Irlande », *Réalités*, 4-66.

CHEZ LES DANSEURS DE L'AGE DE LA PIERRE, par Maslyn Williams, de *Stone Age Island* (Collins).

DANS UN AUTOCAR ESPAGNOL, par H. V. Morton, de *A Stranger in Spain* (Methuen).

LE CAP, VILLE DES CONTRASTES, par Joy Collier, de *Portrait of Cape Town* (Longmans).

BIENVENUE DANS LES ILES GRECQUES! par Michael Carroll, de *Gates of the Wind* (John Murray).

EN PÈLERINAGE AU CHATEAU DE HAMLET, par John Hyde Preston, de "Hamlet's Castle", *Holiday*, 1-64.

MYSTÉRIEUSE TERRE DE FEU, par John Masters, de "Journey to the End of the World", *Weekend Telegraph*, 16-9-66.

JOIES DU SAUNA EN LAPONIE, par Walter Bacon, de *Highway to the Wilderness* (Robert Hale).

L'ENCHANTEMENT DE BRUGES, de *L'Auto-Journal*, 15-10-64.

MACHU PICCHU, FORTERESSE DES INCAS, par Harland Manchester, de « La cité morte au pays des Incas », *Sélection du Reader's Digest*, 5-62.

LES SPLENDIDES ÉTALONS BLANCS DE VIENNE, par Frederic Sondern, de *Sélection du Reader's Digest*, 6-63.

UN MONASTÈRE EN PLEIN CIEL, par Patrick Leigh Fermor, de *Roumeli* (John Murray).

AVEC LES SYMPATHIQUES CHASSEURS DE PUFFINS, par Temple Sutherland, de *The Silver Fern* (Herbert Jenkins).

UNE SEMAINE SAINTE A SÉVILLE, par Paolo Monelli, de *Questo mestieraccio*.

LES GÉANTS DE L'ILE DE PAQUES, par Thor Heyerdahl, de *Aku-Aku, the Secret of Easter Island* (Allen and Unwin).

PERDU DANS LA FOULE NEW-YORKAISE, par James Morris, de *Coast to Coast* (Faber and Faber).

COLOSSES CONTRE COLOSSES, par Hakon Mielche, de *Portrait of Japan* (Herbert Jenkins).

LONDRES, TRADITIONS ET AVANT-GARDE, par Alfredo Pieroni, de *Corriere della Sera*, 31-5-67.

FORMOSE, L'ILE DE BEAUTÉ, par John Slimming, de *Green Plums and a Bamboo Horse* (John Murray).

L'APPEL DU SAHARA, par René Hardy, de « L'appel du désert », *Réalités*, 5-58.

JOYAUX DU PÉRIGORD, par André Maurois, de « Périgord », Les Albums des Guides Bleus (Librairie Hachette).

AU FIL DU MISSISSIPPI, par James Morris, de *Coast to Coast* (Faber and Faber).

NOËL AU MEXIQUE, par A. t'Serstevens, de *Mexique, pays à trois étages* (Éditions Arthaud).

LE MONDE FANTASTIQUE DU CIRQUE RUSSE, par Laurens van der Post, de *Journey into Russia* (Hogarth Press).

LA LUMIÈRE DE HOLLANDE, par Jacques de Sugny, de *Pays-Bas* (Éditions Rencontre).

A LA RECHERCHE DU CANADA, par V. S. Pritchett, de *Sélection du Reader's Digest* (éd. canadienne), 7-65.

PÉTRA, VILLE MORTE, par Guido Piovene, de *La Stampa*, 4-5-67.

UNE JOURNÉE AU MONT-SAINT-MICHEL, par Jacques Soubielle, de la *Revue du Touring Club de France*, 1-62.

A LA POURSUITE DES GRANDS FAUVES, par J.-C. Lamy, de « Juin chez les grands fauves », *Réalités*, 6-67.

PROMENADES EN GONDOLE, par James Morris, de *Visa pour Venise* (Éditions Gallimard).

LA PASSE DE KHAIBER, PORTE DE L'INDE, par George Woodcock, de *Asia, Gods and Cities, Aden to Tokyo* (Faber and Faber).

ESCALE AUX FÉROÉ, par John Betjeman, de "Far North to the Faroes", *Weekend Telegraph*, 20-1-67.

LES OASIS TUNISIENNES, par Jean Duvignaud, de « Février dans les oasis tunisiennes », *Réalités*, 2-66.

PARADIS DE CORAIL EN AUSTRALIE, par Francis et Katharine Drake, de « Démons et merveilles des lagons australiens », *Sélection du Reader's Digest*, 1-68.

ANGKOR OU LE ROYAUME PERDU, par Clarence Hall, de « Angkor ressuscité », *Sélection du Reader's Digest*, 1-63.

TAHITI L'INCOMPARABLE, par James Ramsey Ullman, de « Il n'y a qu'à Tahiti... », *Sélection du Reader's Digest*, 4-61.

BELLE ET SOLITAIRE ISLANDE, par F. L. Lucas, de "The Lonely Beauty of Iceland", *Holiday*, 9-63.

VOYAGES AUTOUR DU MONDE

publié par

SÉLECTION DU READER'S DIGEST

a été composé par

GÉNIN FRÈRES

imprimé par

MAURICE DÉCHAUX

encres

FRANCE COULEURS

relié par

BRODARD et TAUPIN

sur papier

OFFSET CANADA DES PAPETERIES DE L'AA

Achevé d'imprimer le 6 juin 1968

Numéro d'édition : 1

Dépôt légal n° 1210

IMPRIMÉ EN FRANCE